Rough Guide DIRECTIONS

Barcelona
O Guia da Viagem Perfeita

ESCRITO E PESQUISADO POR

Jules Brown

PubliFolha

Sumário

Introdução 4

Destaques 9

As seis mais 10
Barcelona para crianças 12
Em grande estilo 14
De lá para cá 16
Barcelona festiva 18
Lojas e mercados 20
Parques e jardins 22
A trilha modernista 24
Esportes e lazer 26
Barcelona histórica 28
Cafés 30
Museus especializados 32
A orla marítima 34
Almoço 36
Galerias e artistas 38
Música, dança e teatro 40
Vida noturna 42
Marcos da cidade 44

Área por área 47

As Ramblas 49
Barri Gòtic 58
Port Vell e Barceloneta 72
El Raval 79
Sant Pere 91
La Ribera 97
Parc de la Ciutadella 105
Montjuïc 110
Port Olímpic e Poble Nou 122
Dreta de l'Eixample 128

Sagrada Família e Glòries 140
Esquerra de l'Eixample 147
Gràcia e Parc Güell 154
Camp Nou, Pedralbes e
 Sarrià-Sant Gervasi 161
Tibidabo e Parc
 del Collserola 170
Montserrat 174
Sitges 178

Hospedagem 183

Hotéis 185
Albergues 194

Dicas de viagem 197

Chegada 199
Informações 200
Transporte urbano e passeios 201
Festivais e eventos 203
Endereços 204

Cronologia 211

Idioma 213

Créditos e índice 219

Introdução a

Barcelona

É tentador dizer que não existe outro lugar como Barcelona –com certeza não há outra cidade como ela na Espanha no que diz respeito a estilo, visual ou energia. As revistas e os guias de viagem falam com entusiasmo de sua arquitetura ousada, das lojas de design, dos bares incríveis e da vida cultural vibrante, mas Barcelona é mais do que a moda do momento. É uma cidade progressista, que se renova incansavelmente, sem se esquecer de preservar o melhor do seu passado.

A província da Catalunha, da qual Barcelona é capital, tem uma história que remonta ao século 9º, e, nos longos períodos de domínio de potências externas, assim como durante a ditadura de Franco, sufocar o espírito catalão provou-se uma tarefa impossível. Barcelona reflete essa independência e é a líder espanhola em ativismo político, design, arquitetura e comércio.

▼ Casa Brunos Quadros, Ramblas

Isso se reflete nos lindos edifícios modernistas (Art Nouveau) que enchem as ruas e as avenidas da cidade. Nesse sentido, Antoni Gaudí foi quem deixou uma marca mais expressiva: a catedral Sagrada Família, de sua autoria, é célebre, mas as casas, os edifícios e os parques que ele e seus contemporâneos projetaram são igualmente fascinantes.

A cidade tem também um centro medieval –cheio de edifícios importantes de outras eras– e um estupendo legado artístico, que abrange desde coleções catalãs de arte românica, gótica e contemporânea até grandes galerias com as obras de artistas catalães como Joan Miró e Antoni Tàpies (sem falar da celebrada mostra de obras de Pablo Picasso).

É muito fácil orientar-se em Barcelona. A cidade, na verdade,

▲ Gansos em La Seu

é uma série de bairros que se estendem a partir do porto, ladeados de parques e rodeados pelas montanhas e pelos bosques de Collserola. Pode-se ver a maioria das principais atrações num fim de semana prolongado, mas vale a pena sair do corriqueiro, se possível. Lojas de produtos com design excelente nos bairros recuperados da cidade velha, gente cantando árias de ópera na rua, almoços baratos em tabernas de operários, passeios de funicular, restaurantes sem placa de identificação, lojas e

Quando visitar

As melhores épocas para visitar Barcelona são o fim da primavera e o início do outono, quando o calor é moderado, entre 21–25 °C, e andar pelas ruas não causa fadiga. No verão, a cidade pode ficar insuportável de tão quente e úmida, com temperatura média de 28 °C. Agosto é o mês mais quente, e muitas lojas, bares e restaurantes fecham, pois os catalães fogem da cidade. Vale a pena considerar uma visita no inverno, se você não se incomodar com uma chuva de vez em quando. Em geral, ainda dá para se sentar ao ar livre num café, mesmo em dezembro, quando a temperatura fica por volta dos 13 °C.

▲ Mercat de la Boqueria

▲ Sagrada Família

oficinas de artesanato, palácios medievais passeios pelos subúrbios e galerias de produtos especializados – tudo isso é tão característico de Barcelona como as Ramblas ou a Sagrada Família de Gaudí.

Barcelona
EM DESTAQUE

AS RAMBLAS
Esta avenida arborizada de um quilômetro de extensão, cheia de pedestres, cafés com mesas na calçada e artistas de rua, é o ponto de partida de qualquer visita.

▲ La Ribera

▲ Estátua humana nas Ramblas

LA RIBERA
A parte mais a leste da cidade velha, que abriga o Museu Picasso, também é cheia de butiques e bares da moda.

EL RAVAL
Ainda no limite entre o marginal e o artístico, a parte oeste da cidade velha abriga tanto o museu de arte contemporânea como as lojas mais ousadas de design, bares e restaurantes.

▼ Barri Gòtic

BARRI GÒTIC
O Bairro Gótico é o núcleo medieval da cidade – um labirinto de ruas sinuosas e edifícios históricos como La Seu (a catedral) e os palácios e museus em volta da Plaça del Rei.

Port Vell

PORT VELL
A área do antigo porto foi revitalizada e abriga agora atrações de alto nível, como o aquário e o centro de lazer e comércio Maremàgnum.

BARCELONETA
Antigo bairro pesqueiro, tem a maior concentração de restaurantes de frutos-do-mar da cidade e marca o início das praias que se estendem depois do Port Olímpic.

▲ Dreta de l'Eixample

EIXAMPLE
Bairro elegante do século 19, com ruas que se estendem em forma de grade, contém parte da mais extraordinária arquitetura da Europa – inclusive a Sagrada Família, de Gaudí.

GRÀCIA
O mais agradável dos bairros da parte norte do centro da cidade é um local cheio de bares alternativos, cinemas independentes e grandes restaurantes, espalhados por ruas e praças charmosas.

▲ Praia da Barceloneta

▼ Castelo de Montjuïc

MONTJUÏC
Os melhores museus de arte e jardins de Barcelona e o principal estádio olímpico situam-se nesta colina encimada por uma fortaleza, na parte sudoeste do centro.

Destaques

As seis mais

Das maiores fantasias de Gaudí às primeiras obras de Picasso, de torres góticas a afrescos românicos, de dragões de cerâmica a estátuas vivas –as atrações de Barcelona são extraordinariamente diversas. Você pode ver tudo em um fim de semana prolongado; e, como três delas são gratuitas, não há desculpa para deixar de ver os bizarros e maravilhosos destaques da cidade.

▲ La Seu
Orgulho do período gótico, a majestosa catedral medieval é o foco da cidade velha.

PÁG. 58 ▸ BARRI GÒTIC

▼ As Ramblas
A via central da cidade é o palco de um dos maiores espetáculos gratuitos da Europa, pois junta artistas de rua, vendedores ambulantes, excêntricos, moradores e turistas num verdadeiro evento.

PÁG. 51 ▸ AS RAMBLAS

▶ Parc Güell

O lado mais brincalhão de Gaudí se mostra neste inigualável parque público, onde pavilhões de pedra retorcidos, edifícios de formas bizarras e cerâmica surrealista fazem uma combinação inesquecível.

PÁG. 156 ▶ GRÀCIA E PARC GÜELL

▼ Sagrada Família

A igreja inacabada mais famosa do mundo, símbolo de Barcelona, é um verdadeiro templo de peregrinação dos fãs das obras de Gaudí.

PÁG. 140 ▶ SAGRADA FAMÍLIA E GLÒRIES

▼ Museu Picasso

Investigue a gênese da genialidade de Picasso na cidade que o artista chamava de lar.

PÁG. 97 ▶ LA RIBERA

▼ Museu Nacional d'Art de Catalunya (MNAC)

O Museu Nacional de Arte celebra a grandiosidade da arte românica e gótica, dois períodos em que artistas catalães se destacaram na Espanha.

PÁG. 113 ▶ MONTJUÏC

Barcelona para crianças

Há muitas opções para crianças, várias delas gratuitas (para menores de 4 anos) ou baratas (para menores de 12). O principal problema é o transporte, pois diversas linhas de metrô (exceto as linhas 1 e 2) têm escadas – os adultos precisam encarar uma boa escalada com o carrinho de bebê. Fraldas descartáveis, comida para bebê e leite em pó são vendidos em farmácias e supermercados, embora haja fraldários apenas em lojas de departamentos e shoppings.

▼ Font Màgica

Luzes e música em sincronia compõem um demorado espetáculo em Montjuïc várias noites da semana –um programa para toda a família.

PÁG. 111 ▸ MONTJUÏC

▼ Plaça de Vicenç Martorell

Enquanto as crianças brincam no playground de uma praça sem trânsito, os pais descansam no excelente café.

PÁG. 82 ▸ EL RAVAL

▲ Parc d'Atraccions

No alto do Tibidabo, com belas vistas da cidade, este incrível parque de diversões combina brinquedos à moda antiga com atrações *high-tech*.

PÁG. 170 ▸ TIBIDABO E PARC DEL COLLSEROLA

▲ Parc Zoològic

De golfinhos a gatos, o zoológico de Barcelona reúne a fauna mundial no agradável ambiente do melhor parque da cidade.

PÁG. 108 ▸ PARC DE LA CIUTADELLA

▲ L'Aquàrium

Fique cara a cara com tubarões e outras criaturas marinhas nesta grande (e cara) atração familiar de Port Vell, um bom programa faça chuva ou faça sol.

PÁG. 74 ▸ PORT VELL E BARCELONETA

▸ Poble Espanyol

Conheça a Espanha num só dia nesta "vila espanhola", um museu ao ar livre de casas reconstruídas, oficinas de artesãos e barzinhos. Um belo passeio para a família toda.

PÁG. 113 ▸ MONTJUÏC

Em grande estilo

Como condiz ao estilo espanhol e a uma capital do design, Barcelona tem muitos hotéis refinados. Mesmo os *bed and breakfasts* e os hotéis econômicos fazem incursões pelo estilo hotel-butique. Barcelona não tem de fato uma baixa estação –embora os preços às vezes caiam em agosto ou nos fins de semana até nos estabelecimentos mais caros. Seja qual for o lugar, sempre faça uma reserva.

▼ the5rooms
Em Barcelona, *bed and breakfast* significa quartos modernos em um hotel caseiro.

PÁG. 194 ▶ HOSPEDAGEM

▼ Arts Barcelona
Situado em frente à praia, com design arrojado, comodidades cinco-estrelas e uma piscina maravilhosa, este hotel é considerado o melhor de Barcelona.

PÁG. 191 ▶ HOSPEDAGEM

▲ Neri

Do tranquilo terraço de cobertura ao interior de fino design, este palacete da cidade velha passou por uma reforma radical e oferece uma base de estilo no Barri Gòtic.

PÁG. 189 ▸ HOSPEDAGEM

◀ Gat Raval

Bons quartos num bom bairro, com estilo butique a preços econômicos.

PÁG. 190 ▸ HOSPEDAGEM

▼ Claris

Tem piscina na cobertura, belos quartos, restaurante e bar de prestígio e fica bem no coração da cidade moderna.

PÁG. 192 ▸ HOSPEDAGEM

De lá para cá

A maioria das áreas da parte velha de Barcelona só é acessível a pé, mas para outras atrações você pode confiar no transporte público. Na verdade, em Montjuïc e Montserrat você já terá boa diversão, pois dependerá de bondinhos e funiculares para escalar as encostas íngremes. Chegar ao Tibidabo é uma aventura maior ainda, pois é preciso pegar trem, bonde e funicular para alcançar o topo.

▲ Tramvia Blau
Vale a pena tentar chegar no horário do antigo sistema de bonde que faz parte do acesso ao Tibidabo.

PÁG. 172 ▸ TIBIDABO E PARC DEL COLLSEROLA

▲ Telefèric de Montjuïc
Este é o caminho mais rápido até as amuradas do castelo, que oferecem maravilhosas vistas da cidade.

PÁG. 118 ▸ MONTJUÏC

▶ Trasbordador Aeri

O bondinho que atravessa o porto é um dos passeios obrigatórios de Barcelona, em especial quando o tempo está bom.

PÁG. 76 ▶ PORT VELL E BARCELONETA

▼ City tour

Os ônibus que fazem o *city tour* por Barcelona circulam pela cidade parando nas principais atrações –você pode subir e descer deles quando quiser.

PÁG. 202 ▶ DICAS DE VIAGEM

▼ Las Golondrinas

Para apreciar Barcelona como cidade marítima, pegue um dos barcos turísticos que saem diariamente das proximidades do monumento a Colombo.

PÁG. 203 ▶ DICAS DE VIAGEM

▼ Cremallera de Montserrat

Para alcançar as altitudes de Montserrat, a uma hora de Barcelona, você pode ir de trem ou de bondinho –um passeio incrível, seja qual for o tempo.

PÁG. 174 ▶ MONTSERRAT

Barcelona festiva

Tradicionalmente, cada bairro celebra sua festa, embora as principais –como a Festa Major de Gràcia (agosto) e a Mercè (setembro)– tenham virado instituições da cidade. Nelas, há sempre um desfile (em geral com grotescas figuras de bonecos gigantes com cabeça de papel machê), música e dança, enquanto as celebrações tradicionais catalãs são caracterizadas pelo *correfoc* ("corre-fogo"), quando tambores, dragões e o demônio saltam pelas ruas e pelos *castellers*, que constroem pirâmides humanas.

▲ Festival de Barcelona
O importante festival de artes e música de verão mostra seus espetáculos no teatro grego a céu aberto de Montjuïc.

PÁG. 115 ▸ MONTJUÏC

▼ Pirâmides humanas
As competições entre equipes que constroem pirâmides humanas atraem multidões a estas festas –os homens sobem uns sobre os outros e formam altas pirâmides.

PÁG. 204 ▸ DICAS DE VIAGEM

▲ Dança tradicional

Nas festas tradicionais, dança-se sempre a sardana, a ancestral dança de roda catalã, que também é executada em frente à catedral todo fim de semana.

PÁG. 64 ▸ BARRI GÒTIC

▲ Fira de Santa Llúcia

As três primeiras semanas de dezembro são dedicadas à feira de Natal, realizada em frente a La Seu –com presentes muito diferentes dos que se recebem em casa.

PÁG. 204 ▸ DICAS DE VIAGEM

▲ Sónar

A música eletrônica e a arte multimídia promovem grandes festas todo mês de junho, quando Barcelona vira techno.

PÁG. 203 ▸ DICAS DE VIAGEM

▼ Festa de la Mercè

Maior festa anual da cidade, é dedicada à alegria e à bagunça em grande escala.

PÁG. 204 ▸ DICAS DE VIAGEM

Lojas e mercados

Barcelona é ótima para compras, especialmente para roupas de grife, acessórios feitos a mão e artigos domésticos finos. Os designers de ponta se concentram no Eixample e em La Ribera; o centro dos sebos de música é El Raval, e o Barri Gòtic concentra butiques, antiquários e lojas de presentes. O horário de funcionamento é de segunda a sábado, das 10h às 13h30/14h e das 16h30 às 19h30/20h, mas as lojas de departamentos e os shoppings ficam abertos.

▲ Brechós
Roupas de época e de segunda mão acabam sempre nos brechós localizados ao longo do Carrer de la Riera Baixa.

PÁG. 84 ▶ EL RAVAL

▼ Feira de livros e moedas
Vá aos domingos de manhã ao Mercat de Sant Antoni e divirta-se olhando ou comprando.

PÁG. 85 ▶ EL RAVAL

▼ Design

Alguns dos designers mais quentes da Europa estão em Barcelona; confira as butiques e as lojas de arte e artesanato do Barri Gòtic.

PÁG. 66 ▸ BARRI GÒTIC

▲ Els Encants

Se você pechinchar bastante, vai conseguir boas ofertas no maior mercado-de-pulgas da cidade; às segundas, quartas, sextas e sábados.

PÁG. 144 ▸ SAGRADA FAMÍLIA E GLÒRIES

▼ Mercat de la Concepció

Flores fantásticas, disponíveis 24 horas por dia em um mercado elegante localizado um pouco fora da rota mais batida.

PÁG. 135 ▸ DRETA DE L'EIXAMPLE

▼ Mercat de la Boqueria

O melhor mercado de alimentos da cidade é um espetáculo por si só, cheio de moradores e turistas de manhã à noite.

PÁG. 52 ▸ AS RAMBLAS

Parques e jardins

Não é difícil achar espaços sem trânsito em Barcelona, seja um bairro mais calmo, seja um parque. Locais como o Parc Güell e o Parc de la Ciutadella são obrigatórios, mas para fugir das multidões vá caminhar nas montanhas da Collserola, a apenas 15 minutos de trem. Quase todos os espaços ao ar livre têm um café, e muitos contam com áreas para crianças.

▼ Parc Joan Miró

Parque urbano cuja praça de concreto e escultura de Miró contrastam com um jardim sombreado com playground para crianças.

PÁG. 150 ▸ ESQUERRA DE L'EIXAMPLE

▼ Parc de la Ciutadella

Curta a brisa de verão remando por este belo parque situado na parte leste da cidade velha.

PÁG. 105 ▸ PARC DE LA CIUTADELLA

▲ Parc Güell
O parque mais extraordinário da cidade, enfeitado com decoração de cerâmica, é fruto de um vôo surrealista da fantasia do arquiteto Antoni Gaudí.

PÁG. 156 ▸ GRÀCIA E PARC GÜELL

▼ Jardins de Mossèn Costa i Llobera
Os cactos nas encostas de Montjuïc são um segredo local; aprecie-os ao entardecer.

PÁG. 118 ▸ MONTJUÏC

▲ Jardí Botànic de Barcelona
Os vastos jardins botânicos de Barcelona estendem-se por uma encosta acima do estádio olímpico.

PÁG. 119 ▸ MONTJUÏC

▶ Parc del Collserola
Num dia quente, curta uma brisa e a sombra de pinheiros andando por estes bosques de montanha de Barcelona.

PÁG. 171 ▸ TIBIDABO E PARC DEL COLLSEROLA

A trilha modernista

Principal gênio da arquitetura de Barcelona, Antoni Gaudí i Cornet mudou o modo pelo qual as pessoas olham para a arquitetura urbana. Com seus contemporâneos modernistas –entre eles, Josep Puig i Cadafalch e Lluís Domènech i Montaner–, ele mudou também o visual da cidade. Seu estilo, uma espécie de Art Nouveau catalão, surgiu nas décadas de 1870 e 1880. Ao seguir a trilha modernista pela cidade, você verá alguns dos edifícios mais extraordinários da Europa.

▲ Almirall
Lindo exemplo de design modernista que é também um bonito bar do centro.

PÁG. 89 ▶ EL RAVAL

▼ Casa Batllò
As visitas pela emblemática Casa Batllò de Gaudí terminam com a visão do espetacular terraço de cobertura.

PÁG. 131 ▶ DRETA DE L'EIXAMPLE

▲ Hospital de la Santa Creu i de Sant Pau

Visite os enfeitados pavilhões do mais inovador hospital público de Barcelona e descubra mais sobre a arquitetura da cidade no seu Centro Modernista.

PÁG. 141 ▸ SAGRADA FAMÍLIA E GLÒRIES

▲ Hotel España

Alguns dos maiores nomes modernistas se juntaram para decorar este famoso hotel do século 19, que tem um salão esplêndido, perfeito para um almoço.

PÁG. 84 ▸ EL RAVAL

▲ Casa Amatller

Peça central da famosa Mansana de la Discòrdia, ou Quadra da Discórdia, formada por três elaboradas mansões de industriais do século 19.

PÁG. 131 ▸ DRETA DE L'EIXAMPLE

▸ La Pedrera

Edifício de apartamentos mais singular da cidade, tem fachada sinuosa e uma cobertura que é pura fantasia e local de coquetéis nas noites de verão.

PÁG. 133 ▸ DRETA DE L'EIXAMPLE

Esportes e lazer

Com as Olimpíadas de 1992, Barcelona ganhou muitas instalações esportivas e de lazer. As praias da cidade e suas piscinas atraem muita gente no verão, e pode-se alugar de tudo, de patins a bicicletas para explorar a cidade. Mas, se você pedir a um catalão que lhe indique algum evento esportivo, a resposta será uma só –o futebol, que é praticado pelos heróis do Barcelona, o time local.

▲ Praias da cidade
Depois de muitas galerias, museus, compras e baladas pelos bares, passe um dia na praia –Barcelona tem cinco quilômetros de praias de areia.

PÁG. 124 ▸ PORT OLÍMPIC E POBLE NOU

▶ Estadi Olímpic

O estádio olímpico, remodelado para os Jogos Olímpicos de 1992, fica no centro de uma área que tem piscinas e instalações esportivas de alto nível.

PÁG. 116 ▸ MONTJUÏC

▼ Camp Nou

O principal time da cidade, o Barcelona, joga num dos melhores estádios da Europa; conheça-o, como parte da visita ao excelente museu do futebol.

PÁG. 161 ▸ CAMP NOU, PEDRALBES E SARRIÀ-SANT GERVASI

▲ Aluguel de bicicletas

Barcelona tem cerca de 150 quilômetros de ciclovias, passeios junto à praia e trilhas na floresta, por isso vale a pena alugar uma bicicleta para conhecê-la.

PÁG. 205 ▸ DICAS DE VIAGEM

◀ Piscinas de Montjuïc

Nas Piscines Bernat Picorell há uma piscina ao ar livre e piscinas cobertas, nas quais se pode nadar o ano todo.

PÁG. 116 ▸ MONTJUÏC

Barcelona histórica

Qualquer passeio pela cidade velha oferece vislumbres da longa história de Barcelona, cujas ruas e muros remontam ao período romano. Mas foi a Idade de Ouro, nos séculos 14 e 15, que deu à cidade o esplendor gótico catalão. Nessa época, foram construídos estaleiros, igrejas, a prefeitura e o palácio do governo, testemunhas do poderio da cidade. Mais tarde no século 18, os Bourbon remodelaram Barcelona novamente, erguendo fortalezas para controlar seus rebeldes habitantes.

▲ Museu Marítim
O envolvente Museu Marítimo fica nos grandes estaleiros medievais que fomentaram a prosperidade de Barcelona na época.

PÁG. 72 ▸ PORT VELL E BARCELONETA

▲ Església de Santa María del Mar
Santa María foi erguida na década de 1320, no auge da confiança econômica, e constitui a glória máxima do estilo de arquitetura gótico catalão.

PÁG. 99 ▸ LA RIBERA

▶ Monestir de Pedralbes

O Mosteiro de Pedralbes, que abriga o claustro mais harmonioso da cidade, fica a meia hora do centro.

PÁG. 166 ▸ CAMP NOU, PEDRALBES E SARRIÀ-SANT GERVASI

▼ Museu d'Història de la Ciutat

Os restos da Barcelona romana –preservados sob as ruas da cidade velha, em torno da Plaça del Rei– podem ser conhecidos no fascinante Museu da História da Cidade.

PÁG. 59 ▸ BARRI GÒTIC

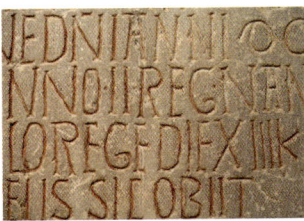

▲ Església de Sant Pau del Camp

A igreja mais antiga da cidade, do século 10º, constitui um tranquilo retiro no moderno bairro El Raval.

PÁG. 85 ▸ EL RAVAL

▼ Castell de Montjuïc

A fortaleza dos Bourbon, no alto da montanha, oferece linda vista da cidade.

PÁG. 118 ▸ MONTJUÏC

Cafés

Barcelona conta com milhares de cafés, alguns com mais de um século de vida, outros escondidos em bairros vizinhos. Há locais especializados, como o *forn* (padaria), a *patisseria* (confeitaria) e a *xocolateria* (casa de chocolates), ou a *granja,* que é mais uma leiteria do que um café normal e oferece delícias tradicionais como a *orxata* (uma bebida de amêndoas doces) e o *granissat* (gelo picado aromatizado). O café-da-manhã típico tem *flauta* (sanduíche), *ensaimada* (rosquinha) ou *croissant*.

▲ **Textil Café**
Um tranquilo museu do café conhecido por sua boa comida.
PÁG. 102 ▸ LA RIBERA

▲ **Café de l'Òpera**
Café situado em frente ao teatro da ópera, é o mais tradicional local da cidade para degustar a bebida.
PÁG. 55 ▸ AS RAMBLAS

▲ Granja M. Viader
Sinta o sabor de antigamente tomando o café-da-manhã ou um chocolate na mais antiga *granja* (leiteria) da cidade.

PÁG. 87 ▸ EL RAVAL

◀ Laie Llibreria Café
Ótimo café de livraria para almoçar, tomar o café-da-manhã ou ler os jornais do dia.

PÁG. 137 ▸ DRETA DE L'EIXAMPLE

▼ Café Zurich
"Te encontro no Zurich" é uma frase muito ouvida em Barcelona.

PÁG. 55 ▸ AS RAMBLAS

Museus especializados

Algumas coleções especializadas ampliam a já extraordinária diversidade da cidade. Há museus sobre a história do chocolate, sobre o mundo da cerâmica e dos têxteis, sobre relíquias egípcias ou sobre as nuances da história social catalã. Só a CosmoCaixa (o museu de ciências) e o inclassificável Museu Frederic Marès são essenciais, mas é bom visitar um ou dois dos demais para conhecer alguns aspectos da cidade que de outro modo você poderia perder.

▲ Museu Textil i d'Indumentaria

Tecidos e roupas dos tempos romanos aos dias atuais são o tema de um dos museus mais bem montados da cidade.

PÁG. 98 ▶ LA RIBERA

▲ Museu Frederic Marès

Marès era o verdadeiro "colecionador maluco". Não perca a imensa gama de itens folclóricos, utensílios de casa e brinquedos, expostos em um palacete da cidade velha com um agitado café.

PÁG. 62 ▶ BARRI GÒTIC

▼ Museu Egipci de Barcelona

Dê uma pausa nas compras no Eixample para ver esta seleta mostra de antiguidades egípcias.

PÁG.132 ▸ DRETA DE L'EIXAMPLE

▲ CosmoCaixa

Um museu com sua própria floresta tropical –só em Barcelona um museu iria tão longe para entreter e informar.

PÁG. 172 ▸ TIBIDABO E PARC DEL COLLSEROLA

◀ Museu de la Xocolata

Chocolates artesanais, feitos no próprio local, são o principal destaque deste museu informativo.

PÁG. 94 ▸ SANT PERE

▼ Museu de Ceràmica

O acervo de cerâmica mais abrangente da cidade fica numa das alas de um antigo palácio real.

PÁG. 165 ▸ CAMP NOU, PEDRALBES E SARRIÀ-SANT GERVASI

A orla marítima

Grandes mudanças nas duas últimas décadas colocaram de novo o porto e o Mediterrâneo no centro da vida em Barcelona. As antigas docas foram reinauguradas como passeios e áreas de lazer, e as praias da cidade, antes sujas, foram remodeladas e embelezadas –como se uma cortina de teatro tivesse sido erguida para revelar que, o tempo todo, Barcelona teve uma orla urbana da qual podia se orgulhar.

▲ Mirador de Colón
Suba de elevador até o mirante do monumento a Cristóvão Colombo para ver a evolução da orla marítima.

PÁG. 72 ▶ PORT VELL E BARCELONETA

▲ Santa Eulàlia
Volte aos dias dos barcos a vela com um passeio por esta escuna histórica.

PÁG. 73 ▶ PORT VELL E BARCELONETA

▼ Diagonal Mar
Vá de metrô ou bonde até o Parc del Fòrum, na Diagonal Mar, para apreciar a ousada urbanização da orla.

PÁG. 124 ▸ PORT OLÍMPIC E POBLE NOU

▲ Luz de Gas
O bar flutuante (aberto só no verão) é o melhor lugar para observar o movimento no passeio de Porto Velho.

PÁG. 78 ▸ PORT VELL E BARCELONETA

▼ Port Olímpic
As torres gêmeas e a marinha lotada dominam o Port Olímpic, sempre agitado com seus bares e restaurantes.

PÁG. 122 ▸ PORT OLÍMPIC E POBLE NOU

▲ Port Vell
A área do Porto Velho, no final das Ramblas, teve seus antigos armazéns e embarcadouros de carga transformados numa vibrante zona de entretenimento.

PÁG. 72 ▸ PORT VELL E BARCELONETA

Almoço

Em geral, no almoço, os restaurantes oferecem um *menú del dia* que varia de € 8 a € 12 (nos estabelecimentos mais caros e no fim de semana). É um bom negócio, pois o jantar no mesmo restaurante pode custar até três vezes mais. Locais mais econômicos em geral não têm um cardápio escrito, e o garçom simplesmente fala quais são as opções do dia. O horário de almoço vai das 13h às 16h, mas os moradores só comem após as 14h.

▲ L'Econòmic
Este restaurante tradicional vive lotado. Ele funciona apenas para o almoço e serve refeições baratas de segunda a sexta.

PÁG. 95 ▸ SANT PERE

▲ La Tomaquera
Comida feita na brasa é a especialidade daqui –não só frango e carnes, mas também legumes da estação, como alcachofra e cebolinha.

PÁG. 120 ▸ MONTJUÏC

▼ Taverna El Glop

Esta agitada taberna de Gràcia é ótima para um almoço familiar, especialmente nos fins de semana, quando lota.

PÁG. 159 ▸ GRÀCIA E PARC GÜELL

▼ Cuines Santa Caterina

O mercado de Sant Pere, com seu belo design, virou reduto de gourmets, por isso vale a pena almoçar neste restaurante.

PÁG. 95 ▸ SANT PERE

▲ Café de l'Acadèmia

Restaurante da cidade velha favorito de muitos visitantes, tem um terraço lindo e cardápio com preço fixo, com sabores catalães contemporâneos e tradicionais.

PÁG. 68 ▸ BARRI GÒTIC

▼ Flash, Flash

Tortilhas e mais tortilhas são servidas neste divertido marco retrô de Gràcia.

PÁG. 158 ▸ GRÀCIA E PARC GÜELL

Galerias e artistas

Barcelona tem o melhor acervo mundial de obras dos artistas catalães Joan Miró e Antoni Tàpies, além de trabalhos contemporâneos de todo tipo no MACBA e no Caixa Forum. O Articket (€ 20) dá acesso a sete grandes galerias de arte, inclusive todas as descritas aqui. A cidade tem também dezenas de galerias particulares, concentradas em La Ribera, El Raval e no Eixample.

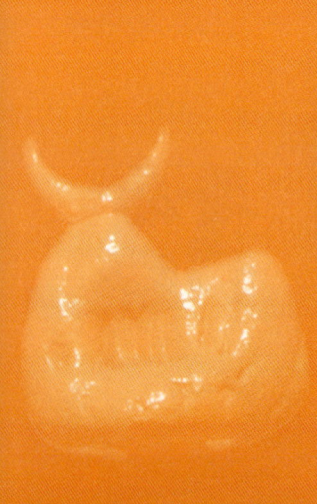

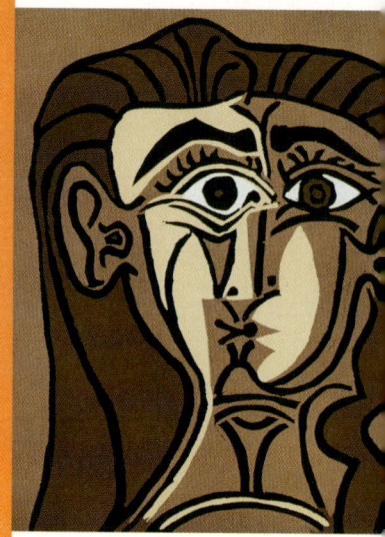

▲ Museu Picasso

A coleção de arte mais visitada da cidade mostra a trajetória de Picasso.

PÁG. 97 ▶ LA RIBERA

▲ Museu d'Art Contemporani de Barcelona (MACBA)

Arte contemporânea do pós-guerra (catalã, espanhola e internacional) neste edifício inconfundível de El Raval.

PÁG. 79 ▶ EL RAVAL

▲ Caixa Forum

Há sempre uma mostra digna de se ver no principal centro cultural e artístico da cidade –além de concertos, filmes, leituras de poesia e outros eventos.

PÁG. 111 ▸ MONTJUÏC

▲ Fundació Antoni Tàpies

Conheça melhor a obra deste mestre catalão da arte abstrata, alojada numa incrível mansão do Eixample.

PÁG. 131 ▸ DRETA DE L'EIXAMPLE

▲ Fundació Joan Miró

Não há uma galeria mais bonita na cidade do que esta casa na montanha, dedicada à obra de Joan Miró.

PÁG. 117 ▸ MONTJUÏC

◂ Museu Nacional d'Art de Catalunya (MNAC)

Os lindos afrescos românicos resgatados de igrejas medievais catalãs são o destaque deste museu.

PÁG. 113 ▸ MONTJUÏC

Música, dança e teatro

Barcelona tem concertos, peças e shows numa grande variedade de locais, e artistas de renome mundial se apresentam na cidade, tanto no Festival de Barcelona, no verão, como nos festivais anuais de música contemporânea (mar/abr), medieval e barroca (mai) e jazz (nov/dez). Produções bancadas pela cidade são anunciadas no Palau de la Virreina, nas Ramblas (www.bcn.es/cultura); o ServiCaixa (www.servicaixa.com) e o TelEntrada (www.telentrada.com) vendem ingressos antecipados.

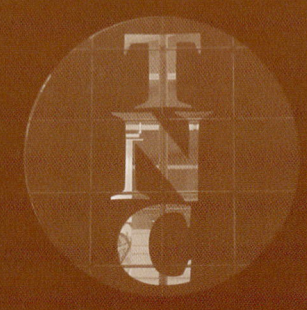

▲ **Teatre Nacional de Catalunya**
O Teatro Nacional da Catalunha –leitura moderna de um templo grego– promove produções em língua catalã.
PÁG. 145 ▸ SAGRADA FAMÍLIA E GLÒRIES

▲ **Gran Teatre del Liceu**
É um marco da cidade, mas compre seu ingresso com antecedência, tanto para a ópera como para os recitais.
PÁG. 53 ▸ AS RAMBLAS

▼ L'Auditori

Melhor sala de concertos de Barcelona, tem programação o ano inteiro de música erudita e contemporânea.

PÁG. 145 ▸ SAGRADA FAMÍLIA E GLÒRIES

▲ Sidecar

Clube de rock na Plaça Reial, tem uma programação variada de shows a preços populares e de noites dançantes.

PÁG. 71 ▸ BARRI GÒTIC

▼ Palau de la Música Catalana

Os concertos nesta extravagante sala de concerto modernista são muito bons, e uma atração adicional e bem popular são as visitas guiadas ao local.

PÁG. 91 ▸ SANT PERE

▲ Jamboree/Tarantos

Há muito tempo uma concorrida casa de flamenco, jazz, funk e *jam sessions* –depois do show, a dança vai até altas horas.

PÁG. 70 ▸ BARRI GÒTIC

Vida noturna

Em se tratando de noitadas, Barcelona oferece estilo, tradição e *kitsch* em doses iguais. Você pode sair para beber, provar *tapas*, apreciar lindas vistas, ir a um café tranquilo ou a um templo de música eletrônica –há opções para todos os gostos. Para conhecer a lista atualizada de estabelecimentos, compre o Guia del Ocio (sai toda quinta-feira), que cobre bares e casas de espetáculos na seção "Tarde Noche".

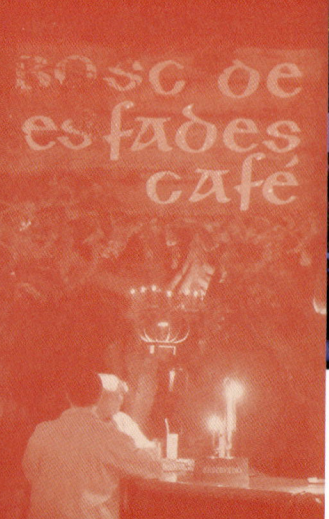

▲ Mirablau
A cidade tem lindas vistas e bares incríveis –e o Mirablau combina as duas coisas.

PÁG. 173 ▸ TIBIDABO E PARC DEL COLLSEROLA

▲ La Terrrazza
O clube de dança ao ar livre, no Poble Espanyol, Montjuïc, ferve no verão.

PÁG. 121 ▸ MONTJUÏC

▲ L'Ascensor

A cidade velha tem um bom bar em cada esquina, onde você pode beber até ser posto para fora às 3 da manhã.

PÁG. 69 ▸ BARRI GÒTIC

▲ Dietrich

A agitada cena gay da cidade se concentra num quarteirão conhecido como Gaixample, onde bares como o Dietrich dão boas-vindas aos festeiros.

PÁG. 152 ▸ ESQUERRA DE L'EIXAMPLE

▲ Bosc de les Fades

Existe o *kitsch* e este "bosque das fadas", um bar rústico instalado numa gruta no início das Ramblas.

PÁG. 57 ▸ AS RAMBLAS

▼ Moog

Clube techno da hora no Raval, aberto a partir da meia-noite e sem hora para fechar.

PÁG. 90 ▸ EL RAVAL

Marcos da cidade

Barcelona tem sua boa cota de locais e edifícios característicos, das Ramblas à Sagrada Família. Os edifícios associados às Exposições Internacionais de 1888 e 1929, mais as construções para as Olimpíadas de 1992 e para o Fórum Universal de 2004, ajudaram a dar à cidade seu extraordinário visual. Enquanto isso, arquitetos contemporâneos criaram prédios, instalações, praças e parques –alguns controvertidos, outros muito apreciados– que reforçam a fama de Barcelona como um experimento urbano em evolução.

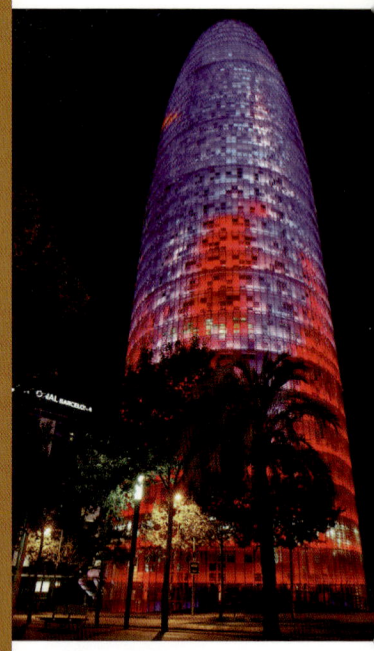

▲ Torre Agbar

O inconfundível "charuto brilhante" é o marco de Glòries, centro de compras e negócios que transformou o perfil de Barcelona.

PÁG. 144 ▸ SAGRADA FAMÍLIA E GLÒRIES

▲ O peixe de Frank Gehry

O marco característico do Port Olímpic é o peixe enorme e reluzente que se estende no meio do passeio.

PÁG. 122 ▸ PORT OLÍMPIC E POBLE NOU

▼ Torre do relógio, Plaça Rius i Taulet

Almoçar ou beber junto à torre do relógio de Gràcia é sempre um prazer.

PÁG. 155 ▸ GRÀCIA E PARC GÜELL

▲ Arc de Triomf

O arco do triunfo de Barcelona, relíquia da Exposição Universal de 1888, é o portal do Parc de la Ciutadella.

PÁG. 105 ▸ PARC DE LA CIUTADELLA

▼ Torre de Collserola

A torre de comunicações de Norman Foster é fácil de identificar no horizonte de Barcelona e fica bem perto do parque de diversões do Tibidabo.

PÁG. 171 ▸ TIBIDABO E PARC DEL COLLSEROLA

▲ Plaça de Catalunya

Ponto nevrálgico da cidade, onde turistas saídos do metrô se juntam a trabalhadores, artistas de rua e gente que foi às compras ou aos cafés.

PÁG. 49 ▸ AS RAMBLAS

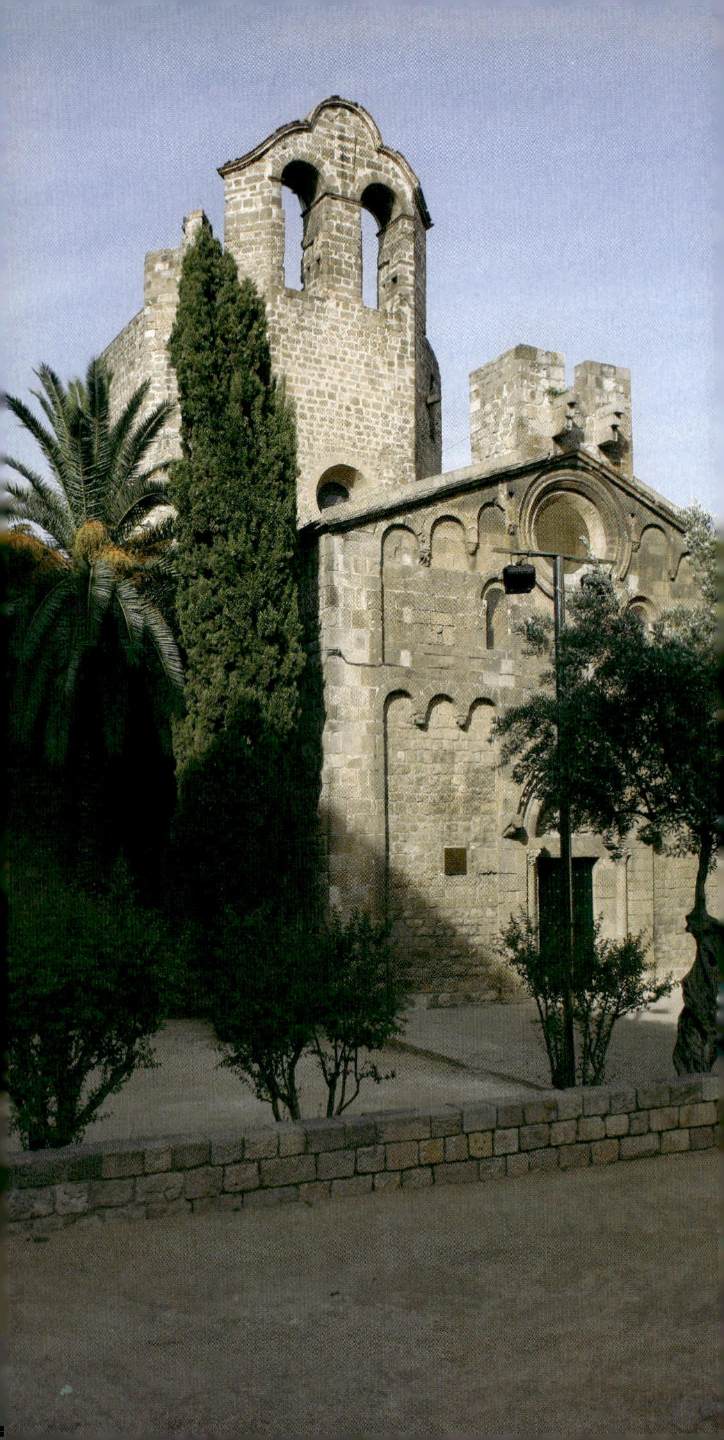

Área por área

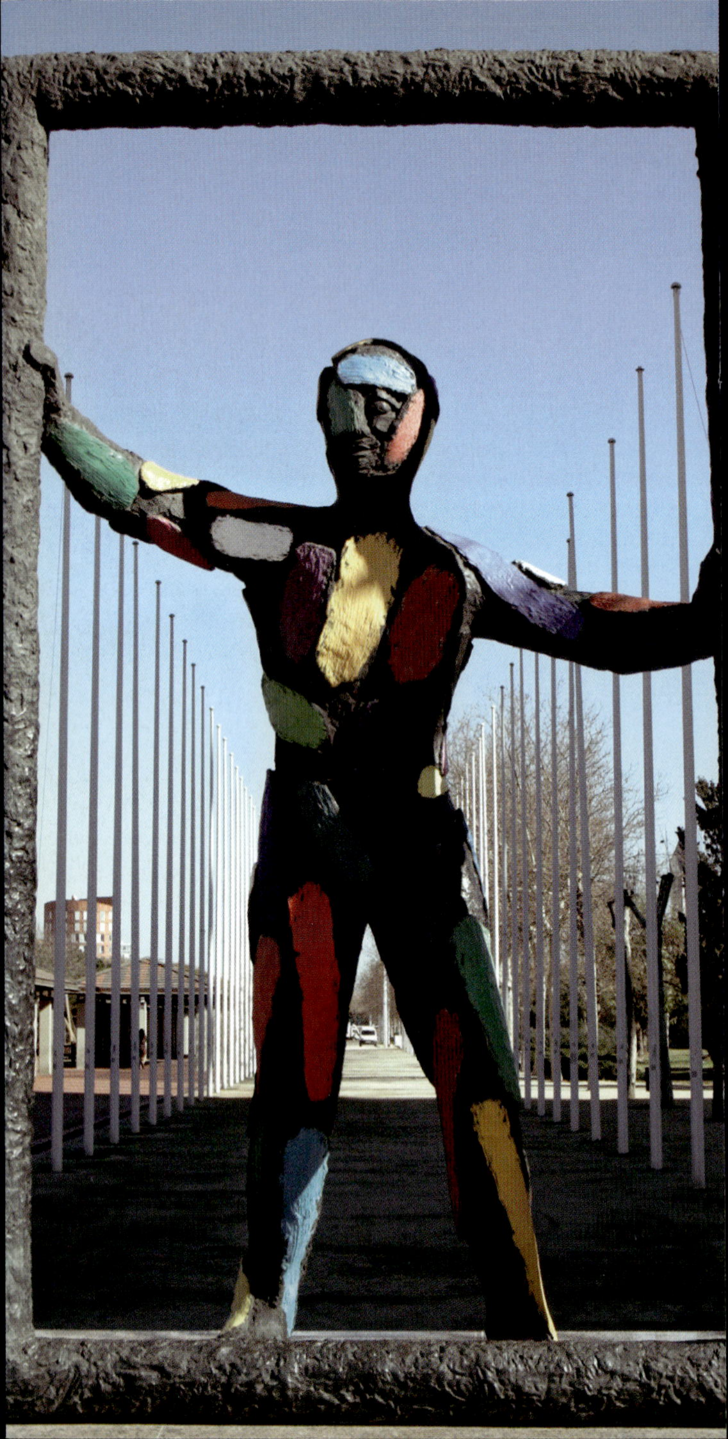

As Ramblas

Os dias não parecem completos em Barcelona sem um passeio pelas Ramblas, a mais famosa via pública da Espanha. Cortando a cidade velha e ligando a Plaça de Catalunya ao porto, elas são o centro da vida na cidade e de sua auto-imagem, e estão repletas de bares, restaurantes, lojas de suvenires, bancas de flores e de jornais. O nome, que deriva do árabe *ramla* (areia), refere-se ao leito de uma corrente sazonal, que foi pavimentada na época medieval. Bancos decorativos, plátanos e edifícios majestosos foram acrescentados no século 19 conforme as Ramblas foram sendo escolhidas como ponto de reunião dos locais. Hoje, o show continua com a ajuda de ambulantes, estátuas vivas, pintores de retrato e artistas de rua, que dão colorido e vida a esta que é a mais fascinante rua de Barcelona. Ela abriga as estações de metrô de Catalunya (no alto das Ramblas), Liceu (no meio) e Drassanes (no início), mas você pode percorrer toda a rua de cima a baixo em cerca de 20 minutos.

Plaça de Catalunya

A imensa praça no alto das Ramblas fica bem no centro da cidade, com a cidade velha e o porto abaixo dela, e o bairro planejado do Eixample mais à frente. Ela ganhou sua forma atual na década de 1920, com layout formal de estátuas, fontes e árvores, e é o ponto centro de manifestações locais –como a reunião na véspera do Ano-Novo. O principal monumento é o dedicado a Francesc Macià, primeiro presidente da Generalitat (o goveno catalão), que morreu no cargo em 1933. Para os visitantes, a praça é conhecida como o local do principal escritório de turismo –descendo os degraus do canto sudeste– e seu ponto inicial de orientação é a fachada branca da loja de departamentos El Corte Inglés, no lado leste da praça. No lado sudoeste (na rua que vem do alto das Ramblas) está o shopping El Triangle, com lojas e espaços de exposições, além do popular café *Zurich* no andar térreo.

As Ramblas, na verdade, têm cinco partes com nomes diferentes, mas é raro que alguém se refira a elas assim. O trecho norte, por exemplo, o mais próximo da Plaça de Catalunya, é a Rambla Canaletes, indicada por uma fonte de ferro –quem beber

▼ FLORES NAS RAMBLAS

50

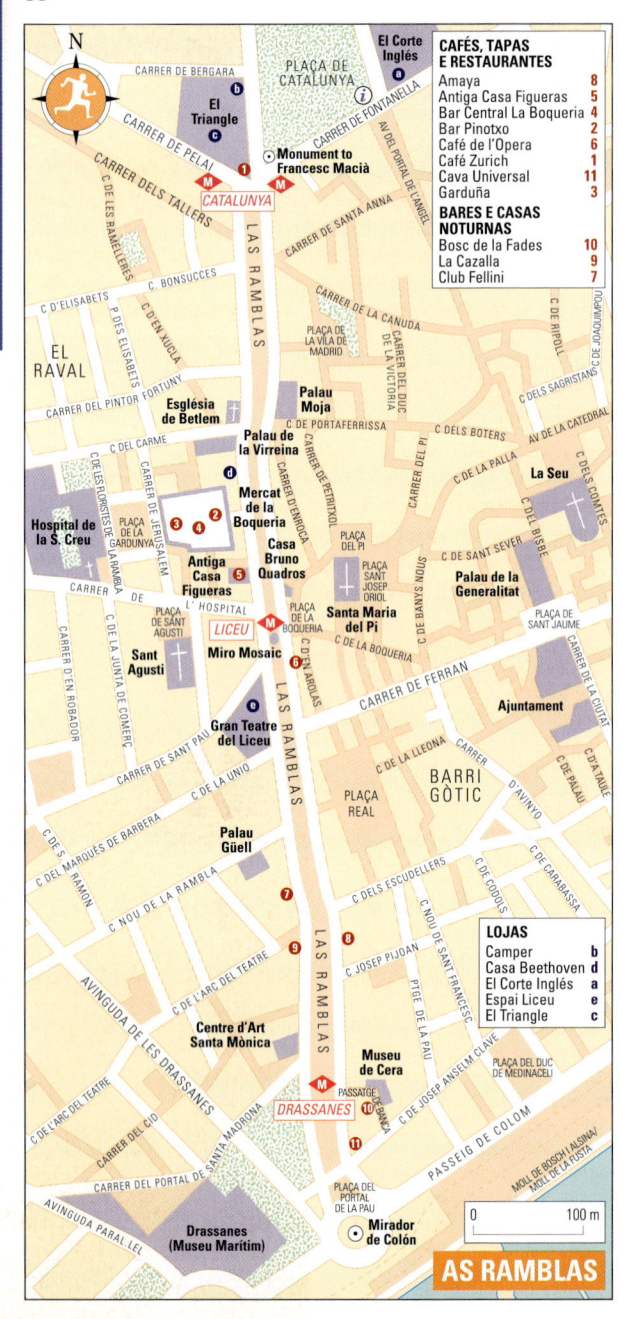

CAFÉS, TAPAS E RESTAURANTES

Amaya	8
Antiga Casa Figueras	5
Bar Central La Boqueria	4
Bar Pinotxo	2
Café de l'Opera	6
Café Zurich	1
Cava Universal	11
Garduña	3

BARES E CASAS NOTURNAS

Bosc de la Fades	10
La Cazalla	9
Club Fellini	7

LOJAS

Camper	b
Casa Beethoven	d
El Corte Inglés	a e
Espai Liceu	—
El Triangle	c

AS RAMBLAS

As Ramblas · ÁREA POR ÁREA

Um passeio pelas Ramblas

Há muitos bares e restaurantes nas calçadas das Ramblas, mas a comida pode ser trivial e os preços, caros (extorsivos para bebidas), por isso fique esperto (é melhor ir até o mercado da Boqueria, onde comem os comerciantes). A multidão passeando é um anteparo perfeito para os batedores de carteira —então, fique de olho na bolsa quando apreciar as estátuas vivas ou fizer compras. E mesmo que pareça fácil ganhar, se for jogar cartas ou dadinho com alguém na rua, lembre que a responsabilidade é toda sua.

dela, dizem, nunca mais vai sair de Barcelona.

Església de Betlem
Ramblas 107 ☎933 183 823. Diariam 8h-18h. É difícil acreditar que as Ramblas foram zona de conflito na Guerra Civil espanhola, em 1936. George Orwell foi pego no fogo cruzado (um episódio que ele narra em seu livro *Homenagem à Catalunha*) e, com os anarquistas saqueando as igrejas da cidade, o rico interior da Església de Betlem (1681) foi destruído pelo fogo. Só a fachada no Carrer del Carme sobreviveu: ela ainda exibe um belo portal esculpido e um relevo da Natividade.

Palau Moja
Ramblas 188 ☎933 162 740. Livraria seg-sex 9h-20h, sáb 9h-14h e 16h-20h; Sala Palau Moja ter-sáb 11h-20h, dom 11h-15h. Acesso à galeria costuma ser gratuito. O Palau Moja data de fins do século 18 e ainda preserva sua escadaria externa e um elegante saguão. O andar térreo, restaurado pela Generalitat, é hoje uma livraria cultural, e a galeria do palácio, a Sala Palau Moja, abre para exposições de arte ou outras manifestações culturais relacionadas às coisas catalãs —a entrada da galeria fica virando a esquina na Calle Portaferrissa. Dê uma olhada nos azulejos ilustrados sobre a fonte no início da Calle Portaferrissa, que mostram o portão medieval (a *Porta Ferriça*) e o mercado que havia aqui antes.

Palau de la Virreina
Ramblas 99 ☎933 017 775, ⓦwww.bcn.es/cultura. Galerias ter-sex 11h-14h e 16h-20h30, sáb 11h-20h30, dom 11h-15h; para exposições em cartaz ver ⓦwww.bcn.es/virreinaexposicions; centro de informações seg-sáb 10h-20h, dom 11h-15h. O gracioso Palau de la Virreina, do século 18, fica um pouco afastado das

▼ MONUMENTO A FRANCESC MACIÀ

▲ PORTA ESCULPIDA, ESGLÉSIA DE BETLEM

Ramblas. Antes uma casa particular, hoje tem suas duas galerias usadas para exposições de arte contemporânea e fotografia (às vezes é cobrado ingresso). No pátio, você geralmente vê os gigantes do Carnaval da cidade (*gegants*), representando o rei catalão do século 13, Jaume I, e sua esposa, Violant. O térreo do palácio também abriga o centro de informações do Institut de Cultura e a bilheteria para eventos culturais do Ajuntament (prefeitura). Também há uma loja (ter-sáb 10h-20h30), que vende objetos de arte de produção local e outros itens ligados à cidade.

Mercat de la Boqueria
Ramblas 91 ☎933 182 584, ⓦwww.boqueria.info. seg-sáb 8h-20h.

Outros mercados podem protestar, mas o principal mercado de comida da cidade merece alardear ser o melhor da Espanha. Seu nome oficial é Mercat Sant Josep, mas todos o chamam de La Boqueria. Erguido no local onde havia um convento –entre 1836 e 1840–, seu hall se estende por trás do alto arco da entrada de ferro trabalhado, defronte às Ramblas. É um tumulto de ruídos e cores, que atrai tanto locais que vêm às compras diárias como turistas. Tudo gira em torno das bancas centrais de peixe –pilhas brilhantes de frutas e legumes, maços de ervas e potes de temperos, cestas de cogumelos, queijos e salsichas, pães, presuntos dependurados e balcões de carne lotados. Caso resolva comprar, dê uma voltinha primeiro, pois as vistosas bancas de frutas e legumes junto à entrada têm preço bem mais alto do que aquelas mais internas. Não perca a *Petras*, banca de cogumelos e insetos secos (fica no fundo, junto ao restaurante *Garduña*). Mas, se você não é muito chegado em vermes e

Estátuas nas Ramblas

As Ramblas estão cheias de estátuas vivas. As estátuas gregas e os Charlie Chaplins deram lugar agora aos mais recentes heróis do cinema, imóveis em seus pequenos pedestais feitos em casa. Alguns entram na brincadeira –"Mr. Burns" e "Lisa Simpson" posam numa boa para fotos, um "Toureiro" agita a capa para a câmera, "Ronaldinho" faz embaixada diante de uma platéia encantada. Muitos são atores (ou pelo menos garçons que se dizem atores) e outros têm pretensões artísticas –se não, como explicar o "Cowboy de Prata" reclinado no corrimão do metrô Liceu, ou o "Espírito da Árvore" trepado como um camaleão em um dos plátanos das Ramblas. E há os francamente bizarros, como o "Gato no lixo", miando de dar dó sem ser visto, até emergir ao ouvir tilintar uma moeda na latinha.

besouros, há excelentes bares de *tapas* no mercado –o mais famoso é o *Pinotxo*.

Plaça de la Boqueria

O ponto que marca a metade das Ramblas é a Plaça de la Boqueria, que ostenta um grande **mosaico** redondo de Joan Miró no meio da calçada. Virou uma espécie de símbolo da cidade e é uma das várias obras públicas em Barcelona desse artista, que nasceu a uns dois minutos a pé das Ramblas, no Barri Gòtic. Perto daqui, na Ramblas 82, a **Casa Bruno Quadros** –o térreo é hoje a *Caixa Sabadell*– foi construída na década de 1890 para abrigar uma loja de guarda-chuvas. Sua fachada insólita é decorada com um dragão verde e com desenhos orientais, e cheia de sombrinhas. Do outro lado das Ramblas, no número 83, há mais arte modernista (Art Nouveau) na **Antiga Casa Figueras** (1902), repleta de vitrais e mosaicos; hoje funciona um prestigioso café.

Gran Teatre del Liceu

Ramblas 51–59 www.liceubarcelona.com. Bilheteria 934 859 913; visitas 934 859 914, diariam 10h, 11h30, 12h, 12h30 e 13h. € 4/8,50. A famosa casa de ópera de Barcelona foi fundada em 1847 e reconstruída após um incêndio em 1861, quando era o maior teatro da Espanha. Símbolo da burguesia e dos intelectuais da cidade no fim do século 19, foi de novo devastada em 1893 por um anarquista que atirou duas bombas durante uma apresentação de *Guilherme Tell* –20 pessoas morreram. O Liceu pegou fogo uma terceira vez, em 1994, quando o maçarico de um empregado ateou fogo ao cenário nas mudanças de última hora numa produção de ópera. Reformado de novo, o interior luxuoso pode ser visto em visitas, que começam em uma moderna extensão do teatro, o Espai Liceu –você vê e aprende mais na visita guiada das 10h (as outras, mais curtas e mais baratas, são autoguiadas). Para ver uma ópera ou recital (incluindo os populares concertos tarde da noite), consulte o site para detalhes e reserve com antecedência.

▼ O MOSAICO DE MIRÓ

▲ QUIOSQUE NAS RAMBLAS

Centre d'Art Santa Mònica
Ramblas 7 ☎933 162 810, ⓦwww.centredartsantamonica.net. Ter-sáb 11h-20h, dom 11h-15h. Gratuito.

O convento agostiniano de Santa Mònica data de 1626 –é o edifício mais antigo das Ramblas. Ele foi totalmente reformado na década de 1980 e agora sedia regularmente exposições de arte contemporânea no térreo. Tem ainda um escritório de informações e um café-bar no andar de cima. Artistas de rua e pessoas que lêem a mão armam suas bancas do lado de fora nas Ramblas e, nos fins de semana, à tarde, há uma feirinha de jóias, enfeites e acessórios étnicos artesanais.

Museu de Cera
Ramblas 4–6, entrada pela Ptge. de Banca ☎933 172 649, ⓦwww.museoceraabcn.com. Jul-set diariam 10h22h; out-jun seg-sex 10h-13h30 e 16h-19h30, sáb e dom 11h-14h e 16h30-20h30. € 7,50.

Tem de ser muito durão para não sentir nenhum prazer ao visitar o museu de cera da cidade. Localizado no edifício de um antigo banco do século 19, apresenta uma absurda série de ambientes em salas e corredores sombrios, retratando recitais e reuniões onde comparece uma série de personagens anacrônicos, que vão de Hitler à princesa Diana. É muito divertido, mas, mesmo que você não veja muita graça em um museu de cera, certamente vale a pena dar uma espiada no extraordinário bar

▼ LOJA DE DEPARTAMENTOS EL CORTE INGLÉS

em forma de gruta do museu, o *Bosc de les Fades*.

Lojas

Camper
Calle Pelai 13–37, El Triangle, e outras espalhadas pela cidade ☎902 364 598, @www.camper.com. A loja de calçados com mais estilo e a melhor relação custo-benefício da Espanha abriu a primeira filial em Barcelona em 1981. O segredo do seu sucesso é vender calçados modernos, bem-feitos e casuais por bom preço.

Casa Beethoven
Ramblas 97 ☎933 014 826, @www.casabeethoven.com. Uma loja antiga maravilhosa, que vende partituras, CDs e livros de música –não só erudita como também de rock, jazz e flamenco.

El Corte Inglés
Plaça de Catalunya 14 ☎933 063 800, @www.elcorteingles.es. Maior loja de departamentos da cidade, com nove andares, um supermercado no subsolo e –o melhor de tudo– um café na cobertura com lindas vistas.

Espai Liceu
Gran Teatre del Liceu, Ramblas 51–59 ☎934 859 913. A loja e café na extensão do teatro de ópera tem o maior acervo de CDs e DVDs de ópera da cidade, além de vender camisetas com o logo do Liceu, canecas de café, cerâmica e outros suveníres.

El Triangle
Plaça de Catalunya 4 ☎933 180 108. Este shopping tem como âncora a loja da FNAC, que se especializou em livros, CDs de música e artigos de informática. Tem ainda lojas Camper (calçados), Sephora (cosméticos), Habitat e várias lojas de roupas, além de um café no térreo perto da grande seção de jornais e revistas.

▲ ANTIGA CASA FIGUERAS

Cafés

Antiga Casa Figueras
Ramblas 83 ☎933 016 027, @www.escriba.es. Seg-sáb 9h-15h e 17h-20h30. Doces da renomada família Escribà numa confeitaria de design modernista, com algumas poucas mesas dentro e fora. Para muitas pessoas, esta é a melhor padaria de Barcelona.

Café de l'Òpera
Ramblas 74 ☎933 177 585, @www.cafeoperabcn.com. Diariam 8h30-14h. Surpreendentemente –apesar da localização, do ar antigo e das mesinhas fora–, este venerável café-bar não foi tomado de assalto por turistas. É o local

perfeito para uma passada antes e depois da ópera; tem uma variedade de bolos, lanches e *tapas*, e uma sangria de *cava* no fim da noite.

Café Zurich
Plaça Catalunya 1 ☎933 179 153, Ⓦwww.cafezurich.com. Seg-sex 8h-23h, sáb e dom 10h-23h, jun-set abre até 1h. O mais famoso café da cidade, fica bem no alto das Ramblas, embaixo do shopping El Triangle. Tem bons *croissants* e *bocadillos* (sanduíches) e um imenso terraço, mas prefira sentar-se dentro se não quiser ser incomodado pelos infindáveis artistas de rua e pedintes da área.

Cava Universal
Plaça Portal de la Pau 4 ☎933 026 184. Diariam 9h-22h. Um bom ponto para beber e tomar lanche na parte baixa das Ramblas, com preços razoáveis e um terraço ensolarado que dá de frente para o monumento a Colombo.

Restaurantes e bares de tapas

Amaya
Ramblas 20–24 ☎933 026 138 (bar), ☎933 021 037 (restaurante), Ⓦwww.restauranteamaya.com. Bar diariam 10h-12h30; restaurante diariam 13h30-16h e 20h30–24h. Nas Ramblas desde 1941, é restaurante de um lado e bar de *tapas* do outro, ambos servindo ótimas especialidades bascas em frutos-do-mar, como polvo, lula, moluscos anchovas e camarões. O bar é uma introdução barata e deliciosa à cozinha; se preferir, prove os pratos do restaurante, entre € 14–20.

Bar Central La Boqueria
Mercat de la Boqueria, Ramblas 91; sem telefone. seg-sáb 6h30-16h. O balcão cromado no corredor central é o local onde você encontra produtos ultrafrescos, servidos por gente de camiseta preta, e por um bom preço.

▲ AMAYA

Café-da-manhã, lanche ou almoço é tudo a mesma coisa para eles —postas de salmão, sardinhas, lulas, moluscos, filés de peixe, salsichas, costeletas de porco, aspargos e muito mais, jogados na frigideira com sal por cima. O café-da-manhã sai por poucos euros; e por € 5–15 você saboreia *tapas* ou um prato principal e uma bebida.

Bar Pinotxo
Mercat de la Boqueria, Ramblas 91 ☎933 171 731. Seg-sáb 6h-17h; fecha ago. Bar mais famoso do mercado —entrando, à direita—, atrai comerciantes, *chefs*, turistas e celebridades, que aguardam com paciência a vez nos horários de pico. Um *tallat* (expresso com leite) e um sanduíche grelhado é o café-da-manhã preferido dos habitantes locais; ou então deixe que os alegres atendentes sugiram *tapas* e especialidades do dia.

Garduña
Mercat de la Boqueria, Calle Jerusalem 18 ☎933 024 323. Seg-sáb 13h-16h e 20h–24h. Escondido no fundo do frenético mercado da Boqueria, é ótimo para almoçar, com um cardápio fixo —basicamente, os melhores produtos do dia a preços razoáveis. Se tiver sorte, você conseguirá um lugar ao ar livre com vistas do mercado.

Bares

Bosc de les Fades
Ptge. de Banca 5 ☎933 172 649. Seg-qui e dom 10h30-13h, sex e sáb 10h30-3h. Escondido numa viela junto ao museu de cera, o "Bosque das Fadas" é enfeitado com troncos de árvore de gesso retorcidos, galhos dependurados, fontes e estalactites. É brega, mas talvez esse seja o segredo de seu sucesso entre o pessoal mais jovem que agita as grutas e salas do lugar.

La Cazalla
Ramblas 25; sem telefone. Seg-sáb 10h-3h. Remanescente histórico, este pequeno bar (embaixo do arco, no início da Calle de l'Arc del Teatre) abriu em 1912. Ficou alguns anos fechado, mas agora reabriu, com café (em pé, no balcão) e cerveja, para uma clientela variada de locais, guardas, passantes e turistas perdidos.

Casa noturna

Club Fellini
Ramblas 27 ☎932 724 980, ⓦwww.clubfellini.com. Seg-sáb 24h–5h. Três salas com sons do techno ao soul para "vítimas da noite, modernos e *freaks*". Se isso lhe soa bem, pocure os folhetos —os clubes noturnos são bem divulgados.

Barri Gòtic

O pitoresco Barri Gòtic, ou Bairro Gótico, situado no lado leste das Ramblas, é o coração da cidade velha de Barcelona. Seus edifícios datam principalmente dos séculos 14 e 15, quando a cidade atingiu o auge de sua prosperidade medieval, e culminam na extraordinária catedral gótica, conhecida como La Seu. Daqui partem praças com arcos e ruelas com vários museus fascinantes e o que restou dos muros romanos da cidade. Você vai gastar quase o dia inteiro para ver tudo –e ainda mais tempo se decidir parar nos muitos cafés, antiquários, butiques e galerias. As principais áreas a ser exploradas ficam ao norte do Carrer de Ferran e do Carrer de Jaume I, em volta da catedral; e ao sul da Plaça Reial e do Carrer d'Avinyo até o porto –esta última parte é menos bem cuidada do que a área da catedral e você deve tomar cuidado à noite, principalmente nas ruas pouco iluminadas. As estações de metrô Liceu e Jaume I marcam os limites leste-oeste do Barri Gòtic.

La Seu
Plaça de la Seu ☎933 151 554, ⓦwww.catedralbcn.org. Diariam 8h-12h45 e 17h15-19h30, catedral e claustro gratuitos; ou de 13h-17h, € 4, com acesso a todas as partes.

A catedral de Barcelona é uma das grandes obras góticas da Espanha. Ela fica num local antes ocupado por um templo romano; foi iniciada em 1298 e concluída em 1448 –exceto a principal fachada neogótica, concluída na década de 1880 (e hoje coberta por andaimes). La Seu é dedicada a santa Eulàlia, martirizada pelos romanos por preferir o cristianismo, e seu túmulo ornado fica numa cripta sob o altar principal. No entanto, a parte mais famosa da catedral é o magnífico **claustro** do século 14, que dá para um jardim tropical, com altas palmeiras e gansos brancos. Não deixe de subir ao **telhado** (€ 2,20) –o elevador (*ascensor als terrats*) fica à esquerda dos degraus da cripta–, que oferece vistas

▲ LA SEU

mais próximas das torres da catedral e dos edifícios góticos dos arredores. Há exibições da dança nacional da Catalunha, a *sardana*, em frente à catedral (Páscoa-out sáb às 18h30 e dom às 12h o ano todo), e a ampla Avingunda de la Catedral, para pedestres, abriga uma feira de antiguidades toda quinta-feira e uma feira de artesanato de Natal em dezembro. Também vale a pena conhecer o **Museu Diocesá** (ter-sáb 10h-14h e 17h-20h, dom 11h-14h, € 5), que fica no alto de uma torre romana, que mais tarde fez parte da casa de caridade da catedral. Foi muito bem adaptada para mostrar sua importante coleção de arte e relíquias religiosas de toda Barcelona.

▲ RUA DO BARRI GÒTIC

Plaça del Rei

A área de maior concentração de monumentos históricos no Barri Gòtic é a que fica em volta da Plaça del Rei. A praça foi o pátio do palácio dos condes de Barcelona e, em volta dela, os degraus sobem até o **Saló del Tinell**, do século 14, que é o salão principal do palácio. Foi nos degraus que levam do Saló del Tinell até a Plaça del Rei que Fernando e Isabel receberam Colombo na volta triunfal de sua famosa viagem de 1492. Em certa época, a Inquisição se reunia aqui, tirando partido da crença popular de que os muros iriam se mover se alguém dissesse alguma mentira. Hoje, o local abriga exposições e, às vezes, concertos no salão, ou fora, na praça. Os edifícios do palácio incluem ainda: a **Capella de Santa Agata**, do século 14, com sua alta nave e o belo retábulo gótico; e a renascentista **Torre del Rei Martí**, que se ergue em um dos cantos da praça. Hoje, não há acesso público à torre, mas o interior da sala e da capela pode ser visto durante a visita ao Museu d'Història de la Ciutat.

Museu d'Història de la Ciutat

Plaça del Rei, entrada pelo Carrer del Veguer ☎933 151 111, ⓦwww. museuhistoria.bcn.es. Abr-set ter-sáb 10h-20h, dom 10h-15h; out-mar ter-sáb 10h-14h e 16h-19h, dom 10h-15h. € 5; primeira tarde de sáb do mês, gratuito. A principal atração do Museu de História da Cidade é sua incrível seção arqueológica do subsolo – nada menos do que os extensos restos da cidade romana de Barcino. Ao descer de elevador (o indicador de andares mostra "12 a.C."), você é depositado em passagens que correm pelos 4 mil metros quadrados escavados até agora, que se estendem sob a Plaça del Rei e as ruas em volta até a catedral. As ruínas datam do século 1º a.C. ao século 6º da nossa era e, embora não

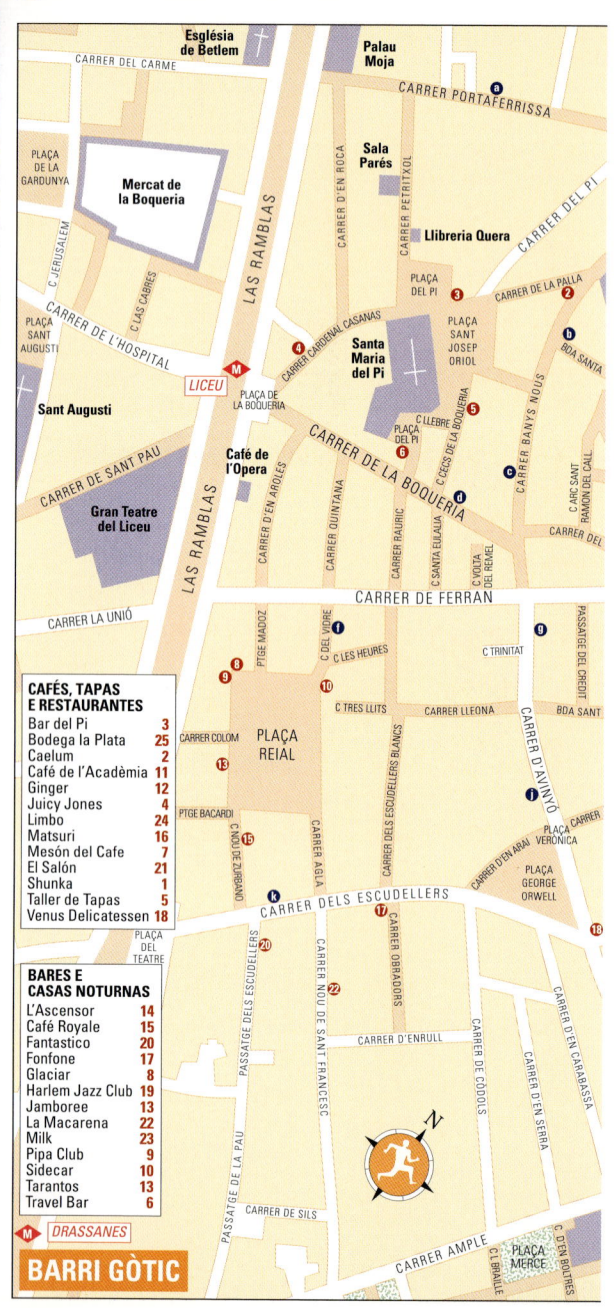

Barri Gòtic

ÁREA POR ÁREA

CAFÉS, TAPAS E RESTAURANTES

Bar del Pi	3
Bodega la Plata	25
Caelum	2
Café de l'Acadèmia	11
Ginger	12
Juicy Jones	4
Limbo	24
Matsuri	16
Mesón del Cafe	7
El Salón	21
Shunka	1
Taller de Tapas	5
Venus Delicatessen	18

BARES E CASAS NOTURNAS

L'Ascensor	14
Café Royale	15
Fantastico	20
Fonfone	17
Glaciar	8
Harlem Jazz Club	19
Jamboree	13
La Macarena	22
Milk	23
Pipa Club	9
Sidecar	10
Tarantos	13
Travel Bar	6

BARRI GÒTIC

Map locations include: Església de Betlem, Palau Moja, Carrer del Carme, Carrer Portaferrissa, Plaça de la Gardunya, Mercat de la Boqueria, Carrer d'en Roca, Sala Parés, Carrer del Pi, C Jerusalem, Las Ramblas, Carrer Petritxol, Llibreria Quera, Plaça del Pi, Carrer de la Palla, C Las Cabres, Plaça Sant Augusti, Carrer de l'Hospital, Carrer Cardenal Casanas, Santa Maria del Pi, Plaça Sant Josep Oriol, Bda Santa, Liceu, Plaça de la Boqueria, C Llebre, Plaça del Pi, C Cecs de la Boqueria, Carrer Bany's Nous, Sant Augusti, Café de l'Opera, Carrer de la Boqueria, Carrer Ramon del Call, Carrer de Sant Pau, Carrer d'en Aroles, Carrer Quintana, Carrer Rauric, C Santa Eulalia, C Volta del Remei, Carrer del, Gran Teatre del Liceu, Carrer de Ferran, Carrer la Unió, Ptge Madoz, C del Vidre, C Les Heures, C Trinitat, Passatge del Credit, Carrer Colom, Plaça Reial, C Tres Llits, Carrer Lleona, Bda Sant, Ptge Bacardi, Carrer dels Escudellers Blancs, Carrer d'Avinyó, Passatge dels Escudellers, Carrer d'en Arai, Carrer Veronica, Plaça George Orwell, Carrer d'en Carabassa, Plaça del Teatre, Carrer dels Escudellers, Carrer Obradors, Carrer Nou de Sant Francesc, Carrer d'Enrull, Carrer de Códols, Carrer d'en Serra, Passatge de la Pau, Carrer de Sils, Drassanes, Carrer Ample, C d'en Boulres, Plaça Merce, C Brull

61

ÁREA POR ÁREA — Barri Gòtic

LOJAS

Almacenes del Pilar	d
L'Arca del Avia	b
Art Escudellers	k
Artesania Catalunya	c
Cereria Subirà	e
Formatgeria La Seu	h
Gotham	i
Herborista del Rey	f
Loft Avignon	j
La Manual Alpargatera	a
El Mercadillo	g
Papabubble	m

Map labels

- C CUCURULLA
- C DELS ARCS
- C DELS BOTERS
- C RIPOLL
- C SAGRISTANS
- Collegi d'Arquitectes
- PLAÇA NOVA
- AVINGUDA CATEDRAL
- Museu Diocesà
- Palau Episcopal
- Casa de l'Ardiaca
- PLAÇA DE LA SEU
- Museu Frederic Marès
- C MONTJUÏC BISPE
- PLAÇA S. FELIP NERI
- C S. F. NERI
- Sant Felip Neri
- Museu del Calçat
- C SANT SEVER
- CARRER DE L'IRURITA
- C SANTA LLUCIA
- La Seu
- CARRER DELS COMTES
- PL SANT IU
- Saló del Tinell
- CARRER DELS MERCADERS
- C PARE GALLIFA
- EULALIA
- PLAÇA MANUEL RIBE
- Antiga Sinagoga
- C MARLET
- C S. DOMINGO DEL CALL
- CALL
- CARRER SANT HONORAT
- Palau de la Generalitat
- CARRER DEL BISBE
- CARRER PIETAT
- C PARADÍS
- C PARADÍS
- C SANT DOMÈNEC
- Palau Lloctinent
- C FRENERIA
- C VEGUER
- PLAÇA DEL REI
- PLAÇA RAMÓN BERENGUER EL GRAN
- Santa Agata
- Museu d'Història de la Ciutat
- VIA LAIETANA
- CARRER BORIA
- PLAÇA DE SANT JAUME
- CARRER JAUME I
- PLAÇA DE L'ÀNGEL
- JAUME I (M)
- C L'ENSENYANÇA
- Ajuntament
- CARRER CIUTAT
- CARRER D'HERCULES
- C D'ARLET
- C DAGUERIA
- PLAÇA SANT JUST
- Palau Palamós
- CARRER VIGATANS
- MIQUEL
- C FONT SANT MIQUEL
- PLAÇA SANT MIQUEL
- Església dels Sants Just i Pastor
- C PALMA SANT JUST
- CARRER DE LLEDÓ
- CARRER ARGENTERIA
- CARRER MANRESA
- CERVANTES
- C TEMPLARIS
- C BELLAFILA
- CARRER DELS SOTS - TINENT NAVARRO
- CARRER LA NAU
- C COMTESSA SOBRADIEL
- PLAÇA REGOMIR
- CARRER REGOMIR
- CARRER D'ATAULF
- AVDA VIDADRIOS
- C POM D'OR
- PLAÇA TRAGINERS
- C JUPI
- C ABAIXADORS
- C JOAN MASSANA
- CARRER D'AVINYÓ
- CARRER PALAU
- CARRER CORREU VELL
- C HOSTAL D'EN SOL
- CARRER ANGEL BAIXERAS
- C CONSELLERS
- CARRER DELS AGULLERS
- CARRER PORTADORS
- C DE MILANS
- C D'EN GIGNÁS
- CARRER FUSTERIA
- Correio
- CARRER AMPLE
- Església de la Mercè
- CARRER MANCIPET
- CARRER CONSOLAT DE MAR
- CARRER SIMÓ OLLER
- C DE LA MERCÈ
- C DE LA PLATA
- PLAÇA D'ANTONI LOPEZ
- PASSEIG D'ISABEL II

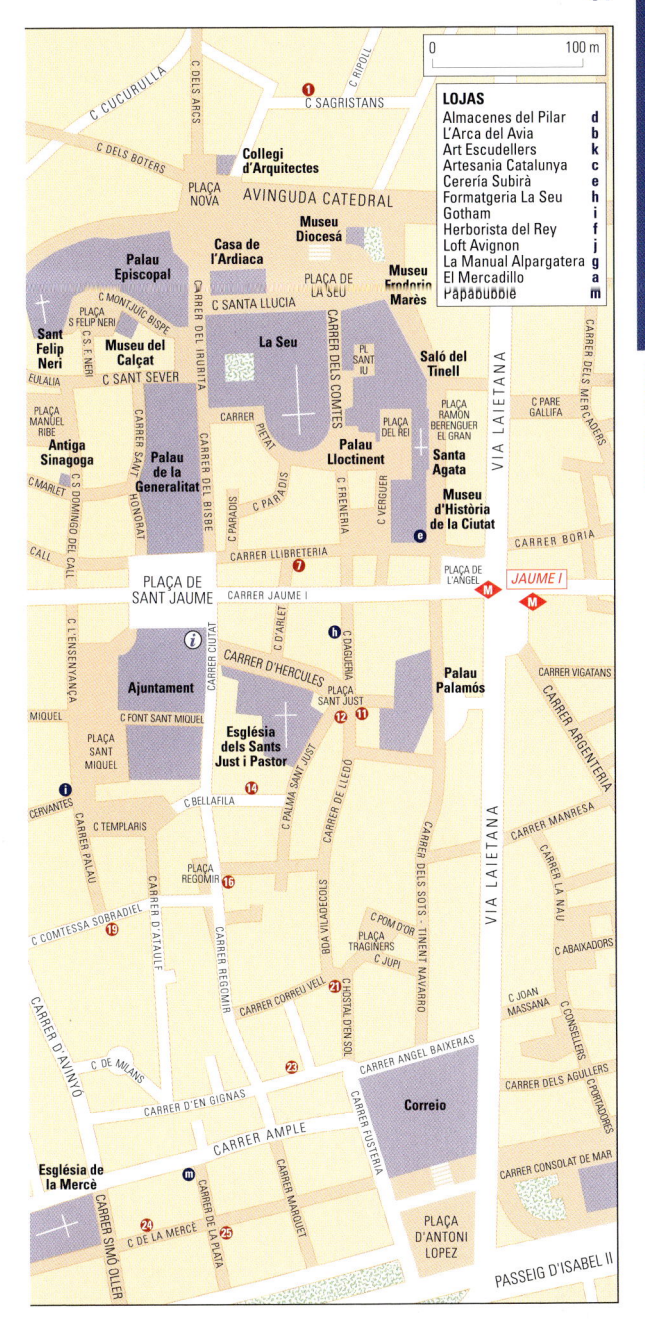

sobreviva muita coisa que fique acima da altura do peito, os diagramas explicativos mostram a extensão das ruas, muros e edifícios –desde torres de vigia até lavanderias–, enquanto maquetes, mosaicos, murais e peças escavadas dão uma idéia de como era a vida cotidiana em Bárcino.

O ingresso para o museu dá também acesso ao mosteiro de Pedralbes.

Museu Frederic Marès

Plaça de Sant Iu 5–6 ☎932 563 500, ⓦwww.museumares.bcn.es. Ter-sáb 10h-19h, dom 10h-15h. € 3, qua à tarde e primeiro dom do mês, gratuito.

O escultor, pintor e restaurador Frederic Marès (1893–1991), praticamente sem ajuda, restaurou os degradados tesouros medievais da Catalunha no início do século 20. O térreo e o subsolo do museu guardam sua coleção pessoal de escultura medieval –um importante acervo que inclui uma abrangente coleção de crucifixos de madeira que mostra o desenvolvimento estilístico dessa forma, do século 12 ao 15. Mas são os dois andares superiores, abrigos das coleções pessoais de Marès, que deixam todos de queixo caído. Salas inteiras são dedicadas a chaves e fechaduras, cachimbos, maços de cigarros e caixas de rapé, leques, luvas e broches, baralhos, utensílios de desenho, bengalas, casas de bonecas, teatros de brinquedo, velhos gramofones e bicicletas arcaicas –só para citar uma amostra do que há exposto. O grande pátio com arcadas do museu, cheio de laranjeiras, é um dos mais românticos da cidade inteira, e o café de verão daqui (*Café d'Estiu*; abr-set 10h-22h, fecha seg) é perfeito para uma pausa entre as atrações.

Església de Santa María del Pi

Plaça Sant Josep Oriol ☎933 184 743, ⓦwww.parroquiadelpi.com. Seg-sáb 8h30-13h e 16h30-21h, dom 9h-14h e 17h-21h. A cinco minutos a pé da catedral, esta igreja do século 14 fica no meio de três lindas pracinhas. Incendiada em 1936, e restaurada na década de 1960, a igreja ostenta uma porta românica, mas seu estilo é basicamente gótico catalão. O interior, bem simples, acaba destacando alguns vitrais maravilhosos, o mais impressionante deles contido numa roseácea de dez metros de diâmetro. A igreja fica junto à Plaça Sant Josep Oriol, a mais bonita das três praças adjacentes e um lugar ideal para tomar um café ao ar livre, ouvir os músicos de rua e bisbilhotar na **feirinha de arte** de fim de semana (sáb 11h-20h, dom 11h-14h).

O nome da igreja –como o das praças de cada um de seus lados, a Plaça del Pi e a Placeta del Pi –vem do pinheiro que

▼ FEIRA DE ARTISTAS, PLAÇA SANT JOSEP ORIEL

havia no local. Uma **feira de agricultores** toma a Plaça del Pi nas primeiras e terceiras sextas e sábados do mês, com mel, queijos, bolos e outros produtos, e o **Carrer de Petritxol** (junto à Plaça del Pi) é um bom lugar para tomar uma taça de chocolate quente –o *Dulcinea* no número 2 é a escolha tradicional– e dar uma olhada nas galerias de arte da rua.

▲ SALA PARÉS

Sala Parés
Carrer de Petritxol 5–8 ☎933 187 020, @www.salapares.com. Seg 16h-20h, ter-sáb 10h30-14h e 16h-20h, dom out-jun 11h30-14h; fecha em ago. Talvez a mais famosa galeria comercial de arte da cidade, de meados do século 19, a Sala Parés é conhecida como o local da primeira exposição individual de Picasso. Ela ainda trabalha exclusivamente com arte catalã dos séculos 19 e 20, realizando 20 exposições por ano, incluindo a semestral "Pinturas Famosas", de obras de alguns dos mais conhecidos artistas catalães e espanhóis.

Museu del Calçat
Plaça Sant Felip Neri 5 ☎933 014 533. Ter-dom 11h-14h. € 2,50. Antiga sede da corporação dos sapateiros da cidade (fundada em 1202), este museu reúne numa sala calçados originais de 1600 e extravagâncias como o maior sapato do mundo, feito para a estátua de Colombo na cidade. O museu é ladeado pela Plaça Sant Felip Neri, cuja igreja ainda guarda marcas dos bombardeios da Guerra Civil. É uma praça linda com uma fonte no meio; no verão, você pode comer ao ar livre no restaurante do *Hotel Neri*, que coloca mesas e velas na praça.

Antiga Sinagoga
Carrer Marlet 5, esquina com Carrer Sant Domènec del Call ☎933 170 790, @www.calldebarcelona.org. Seg-sex 11h-18h, sáb e dom 11h-15h; às vezes fecha aos sáb para cerimônias. € 2. O bairro judeu medieval de Barcelona fica ao sul da Plaça Sant Felip Neri, centralizado no Carrer Sant Domènec del Call (*Call* em catalão é "viela"). Aqui existiu uma pequena sinagoga desde o século 3º até o pogrom de 1391, mas, mesmo após essa data, o edifício sobreviveu sob várias formas e, desde então, vem sendo restaurado. Poucos param na sinagoga –mas se você parar terá um passeio personalizado a cargo de um membro da comunidade judaica local, que poderá colocá-lo a par

▼ ANTIGA SINAGOGA

da herança judaica de Barcelona, em grande parte oculta. Com bastante atraso, as autoridades da cidade sinalizaram as ruas em volta e outros pontos de interesse no que é conhecido como "El Call Major".

Plaça de Sant Jaume

A espaçosa praça no fim do agitado Carrer de Ferran já foi o local do fórum romano de Barcelona e um mercado; hoje é o centro dos assuntos políticos da cidade e da região. A polícia local, com seu apito, tenta manter as coisas em ordem na praça, enquanto táxis e grupos em bicicletas zanzam entre os pedestres. Também é o local tradicional de manifestações e festas locais, onde é quase certo que você vai deparar com a dança folclórica catalã, a *sardana*. As pessoas se dão as mãos em círculo, cada uma coloca algo no centro em sinal de partilha e, como é pouco vigorosa (o que provoca a zombaria de outros espanhóis), tanto jovens como velhos podem participar.

Ajuntament de Barcelona

Plaça de Sant Jaume ☎934 027 000. O público tem acesso apenas aos dom 10h-14h, entrando pelo Carrer Font de Sant Miquel. Gratuito. No lado sul da Plaça de Sant Jaume, fica o prédio da prefeitura de Barcelona, com partes que datam de 1373, e a fachada neoclássica acrescentada quando a praça foi construída no século 19. Aos domingos, há visitas autoguiadas aos esplêndidos salões de mármore, corredores e escadarias. Os destaques são a magnífica câmara do conselho, do século 14, conhecida como **Saló de Cent**, e os murais históricos no **Saló de les Cròniques** (Sala das Crônicas).

Palau de la Generalitat

Plaça de Sant Jaume ☎934 024 600. Visitas no segundo e no quarto, dom do mês (exceto ago), a cada 30-60min, 10h–14h; também em 23 abr e 11 e 24 set. Pede-se passaporte ou ID. Gratuito. A tradicional sede do governo catalão mostra seu lado melhor –ou ao menos o mais antigo– pelo Carrer del Bisbe, onde a antiga fachada do século 15 contém um medalhão com são Jorge e o dragão (aliás, a ponte gótica fechada sobre a estreita rua –a chamada Ponte dos Suspiros– é um

▲ AJUNTAMENT DE BARCELONA

anacronismo, acrescentado em 1928). Há um belo claustro no primeiro andar com lindos tetos em caixotões, e os intricados trabalhos da capela e do salão de Sant Jordi (são Jorge, padroeiro da Catalunha), e um terraço superior com laranjeiras. Você pode ver o interior numa visita guiada de uma hora, em domingos alternados (apenas uma ou duas visitas por dia são em inglês), enquanto a Generalitat costuma ficar aberta nos feriados, como no dia 23 de abril –**Dia de Sant Jordi** (são Jorge). Celebrado como feriado nacionalista na Catalunha, é também uma espécie de Dia dos Namorados, quando os homens dão uma rosa e recebem um livro (embora nos anos recentes a modernização venha pedindo também livros para mulheres e rosas para homens). Nesse dia, os arredores da Generalitat ficam cheios de bancas de livros e de vendedores de rosas e há filas para entrar no edifício.

Església dels Sants Just i Pastor

Plaça de Sant Just 6 ☎933 017 433. Abre para missa às 19h30 (dom às 12h) e ocasionalmente em outros horários. A Plaça de Sant Just é uma jóia medieval, ostenta uma fonte restaurada do século 14 e é rodeada de mansões modestas. Além do excelente *Café de l'Acadèmia*, que coloca mesas para comer na praça, o destaque aqui é a Església dels Sants Just i Pastor, cuja fachada simples em pedra contrasta com a elaborada decoração da capela e os vitrais do interior (entre por trás pelo Carrer de la Ciutat; as portas principais na Plaça de Sant Just ficam abertas com menor frequência). O nome celebra os antigos mártires cristãos da cidade.

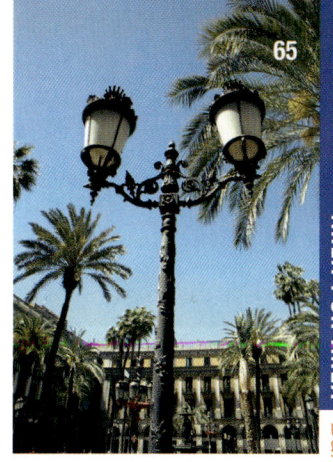

▲ LUMINÁRIAS DE FERRO NA PLAÇA REIAL

Plaça Reial

A elegante Plaça Reial, do século 19, fica escondida por um arco que sai das Ramblas. Construída por volta de 1850, a praça em estilo italiano é cheia de palmeiras e luminárias de ferro (design do jovem Antoni Gaudí), e rodeada por edifícios em arcada em cores pastel, tendo no centro uma fonte que retrata as Três Graças. Ao tomar sol em um dos bancos ou cafés na calçada, você terá a companhia de punks, músicos de rua, catalães excêntricos e turistas. A Plaça Reial era um pouco perigosa, mas a maioria dos personagens mais desagradáveis acabou indo embora ao longo dos anos, conforme os turistas foram chegando. Você só verá mais gente local ao cair da noite, quando cresce o agito nos bares. Aos domingos de manhã, há uma **feira de moedas e selos** (10h-14h).

Carrer d'Avinyó

O Carrer d'Avinyó, que segue rumo sul saindo do Carrer de Ferran em direção ao porto, atravessa a parte mais bonita do Barri Gòtic. Era área de prostituição e foi frequentada pelo jovem Picasso, cuja família se mudou para cá em 1895. Ainda tem uma atmosfera marginal –uma rua estreita com edifícios sombrios–, mas os cafés, as lojas de roupas e as butiques mostram que o bairro melhorou. Mas ainda há pontos mais rudes, como em torno da **Plaça George Orwell**, local bastante frequentado pela galera mais radical.

Carrer de la Mercè
No século 18, o bairro conhecido como La Mercè –a apenas uma quadra do porto– era um endereço aristocrático, onde viviam muitos nobres e gente que enriqueceu com o comércio marítimo. A maioria das famílias abastadas se mudou para o norte, para o Eixample, no fim do século 19, e as ruas de La Mercè ganharam um tom mais popular. Desde então, o Carrer de la Mercè e as ruas em volta abrigaram uma série de tabernas em um estilo antigo característico, conhecidas como *tascas* ou *bodegas* –tomar um copo de vinho do barril na *Bodega la Plata*, ou em um local similar, é uma das experiências mais autênticas na cidade velha.

Na Plaça de la Mercè, a **Església de la Mercè**, do século 18, é o foco da maior festa anual da cidade, as Festes de la Mercè, todo mês de setembro, dedicadas à co-padroeira de Barcelona, cuja imagem é trazida em procissão da igreja. É um pretexto para uma semana inteira de diversão, culminando com um espetacular show de fogos de artifício à beira-mar.

Lojas

Almacenes del Pilar
Carrer Boqueria 43 ☎933 177 984, www.almacenesdelpilar.com. Fecha ago. Um paraíso de franjas, rendas e tecidos, usados para fazer os trajes tradicionais da Espanha. Você pode comprar um leque decorado por poucos euros, mas os itens de qualidade são bem mais caros.

L'Arca del Avia
Carrer Banys Nous 20 ☎933 021 598, www.larcadelavia.com. Fecha ago. As noivas catalãs costumavam encher a arca de seu enxoval (*l'arca*) com roupa de cama bordada e rendada, e esta loja é um tesouro de tecidos antigos. Também vende ou aluga trajes de época (do século 18, 19 e começo do 20) –uma das roupas de Kate Winslet no filme *Titanic* veio daqui.

Art Escudellers
Carrer Escudellers 23–25 ☎934 126 801, www.escudellers-art.com. Loja enorme que vende ampla linha de cerâmica, vidro, jóias e azulejos decorados de diversas regiões da Espanha. Os itens podem ser despachados, e a loja tem ainda uma seção de vinhos e alimentos.

Artesania Catalunya
Carrer Banys Nous 11 ☎934 674 660, www.artesania-catalunya.com. O centro de promoção governamental de artes e artesanato tem um showroom na cidade antiga, com mostras interessantes. A maioria das obras é em estilo contemporâneo, desde cestaria até peças de vidro, mas os métodos tradicionais ainda são muito prestigiados.

Cerería Subirà
Bxda. Llibreteria 7 ☎933 152 606. Loja mais antiga de Barcelona (desde 1760), tem um interior lindo e vende velas artesanais.

Formatgeria La Seu
Carrer Dagueria 16 ☎934 126 548, Ⓦwww. formatgerialaseu.com. Fecha seg e ago. A melhor loja de queijos de produção independente do país. O dono vai introduzi-lo no mundo dos queijos com uma degustação de queijos e vinhos, ou você pode simplesmente provar antes de comprar.

Gotham
Carrer Cervantes 7 ☎934 124 647, Ⓦwww.gotham-bcn.com. O lugar mais indicado para mobília, iluminação e acessórios retrô (de 1930 a 1970), além de peças com design original.

Herborista del Rey
Carrer del Vidre 1 ☎933 180 512. Um antigo herbanário do século 19, escondido na Plaça Reial, com mais de 250 ervas medicinais para combater todos os males.

Loft Avignon
Carrer d'Avinyó 22 ☎933 012 420. Se uma loja pode ser indicação da recuperação de um bairro, esta é o melhor exemplo —a rua antes degradada virou sinônimo de última moda e design internacional.

La Manual Alpargatera
Carrer d'Avinyó 7 ☎933 010 172, Ⓦwww.lamanualalpargatera.com. Esta oficina tradicional faz e vende alpargatas (*espadrilles*) sob encomenda, além de outros produtos de palha e corda e cestaria.

▲ NO LA MANUAL ALPARGATERA, ALPARGATAS

El Mercadillo
Carrer Portaferrissa 17 ☎933 018 913. Dois andares de lojas de roupa urbana, de skatistas, clubbers e de praia —procure o camelo que indica a entrada. Tem um bar em cima com um agradável pátio ajardinado.

Papabubble
Carrer Ample 28 ☎932 688 625, Ⓦwww .papabubble.com. Fecha ago. Jovens lindos preparando doces caseiros ao som de música relaxante. Venha para vê-los trabalhar, prove doces e leve para casa um presente em uma bela embalagem.

Cafés

Bar del Pi
Plaça Sant Josep Oriol 1 ☎933 022 123. Seg–sáb 9h–23h, dom 10h-22h. Fecha 2 semanas em jan e ago. Pequeno café-bar mais conhecido por seu terraço em uma das praças mais lindas de Barcelona. O serviço pode ser lento —mas aqui não há pressa, pois é um dos melhores locais da cidade para observar pessoas.

Caelum
Carrer Palla 8 ☎933 026 993. Seg 12h–20h30, ter-dom 10h30–20h30. Fecha 2 semanas em ago. Os doces em lindas embalagens deste café-deli de alto nível são feitos em conventos e mosteiros da

▲ CARRER DE LA PALLA

Espanha inteira. A escolha vai de *frutas de almendra* (doces de marzipã) a conservas de beneditinos ou rosquinhas cistercienses.

Mesón del Cafe
Carrer Llibreteria 16 ☎933 150 754. Seg-sáb 7h–23h. Bar para quem foge do comum, onde você talvez tenha de ficar em pé para provar os doces e o ótimo café –ou um cappuccino com creme de leite.

Restaurantes e bares de tapas

Bodega la Plata
Carrer de la Mercè 28 ☎933 151 009. Diariam 10h–16h e 20h–23h. Um clássico da cidade velha, com balcão de mármore que dá para a rua e vinho barato direto do barril. A especialidade da casa são anchovas (salgadas e com molho de tomate por cima ou bem fritas), que atraem um público bem variado de locais, que vai de pré-clubbers a executivos.

Café de l'Acadèmia
Carrer Lledó 1 ☎933 198 253. Seg-sex 9h–12h, 13h30–16h e 20h45–23h30. Fecha 2 semanas em ago. Cozinha catalã criativa em um restaurante com interior de pedra, além de um lindo terraço de verão na praça medieval. Os pratos vão de bacalhau com espinafre e *pinoli* a terrinas de berinjela com queijo de cabra, mais grelhados, peixe fresco e arroz. Os preços são razoáveis (€ 11–17) e está sempre cheio, por isso, faça reserva. O cardápio fixo compensa pela qualidade; também serve um bom café-da-manhã.

Ginger
Carrer Palma Sant Just 1 ☎933 105 309. Ter–sáb 19h–3h. Fecha 2 semanas em ago. Coquetéis e *tapas* criativas em um cenário década de 1970 reformulado. Bem distante do esquema *patatas bravas* e lulas –pense em pato assado ao vinagrete, atum tártaro e *satay* vegetariano por cerca de € 6–7,50.

Juicy Jones
Carrer Cardenal Casañas 7 ☎933 024 330. Diariam 10h–24h. Com certeza está acima dos vegetarianos comuns –os sucos e os milkshakes de soja são preparados no bar da frente, enquanto o restaurante fica nos fundos em uma adega cheia de grafitagens. Tem uma grande lista de saladas e sanduíches, e um cardápio do dia que abrange todos os cantos do mundo –como a sopa de caju, cenoura e coentro seguida por enrolado de legumes com molho de tamarindo. Uma nova filial no Raval (Carrer de l'Hospital 74) oferece mais espaço e o mesmo cardápio.

Limbo

Carrer de la Mercè 13 ☎933 107 699. Seg–sex 13h30–16h e 20h30–24h, sáb 20h30–24h. Restaurante com fino design que consegue um clima intimista em um interior cinza-claro com tijolos aparentes e vigas de madeira. O cardápio mediterrâneo contemporâneo inclui massas frescas feitas no dia ou suflê de queijo de cabra ou atum com cebolas caramelizadas. Os pratos custam entre € 7 e € 18, mas no almoço de meio de semana o cardápio do dia tem boa relação custo-benefício.

Matsuri

Plaça Regomir 1 ☎932 681 535, ⓦwww.matsuri-restaurante. com. Seg–qui 13h30-15h30 e 20h30-23h30, sex 13h30-15h30 e 20h30-24h, sáb 20h30-24h. Cozinha criativa do sudeste asiático, concentrada no macarrão estilo tailandês, saladas e curries, além de sushi. Os sabores são bem catalães –nada apimentado demais ou muito ousado–, mas o serviço é bom e a mobília de estilo indonésio e as cores de terracota permitem uma refeição tranquila. Cerca de € 25 por pessoa.

El Salón

Carrer l'Hostal d'en Sol 6–8 ☎933 152 159. Seg–sáb 13h30–16h30 e 20h30–24h. Fecha 2 semanas em ago. Um lugar charmoso para jantar, com velas nas mesas, em um salão gótico. Pratos mediterrâneos sazonais são servidos em um clima descontraído de bistrô, com pratos de verão como salada de rúcula com peras ou carneiro com molho de mostarda e mel. As saladas e entradas custam entre € 7-10 e os pratos principais saem entre € 12-16. O cardápio de almoço é mais barato.

Shunka

Carrer Sagristans 5 ☎934 124 991. Ter–sex 13h30–15h30 e 20h30–23h30, sáb e dom 14–16h e 20h30–23h30. Fecha 2 semanas em ago. Para os habitantes locais é o melhor restaurante japonês da cidade velha –está sempre lotado, por isso, faça reserva. A cozinha aberta e o atendimento rápido são metade do show, e a comida –do sushi ao macarrão udon– é boa de fato. Cerca de € 30.

Taller de Tapas

Plaça Sant Josep Oriol 9 ☎933 018 020, ⓦwww.tallerdetapas.com. Seg–sáb 9h30–24h, dom 12h–24h, sex e sáb até 1h. Esta "oficina de petiscos" atrai turistas com sua ótima localização junto à igreja de Santa Maria del Pi –com terraço ao ar livre o ano inteiro. A cozinha aberta prepara *tapas* frescas, e o peixe é a especialidade do jantar. É um pouco caro, mas vale a pena. Tem filial no Born no Carrer Argenteria 51.

Venus Delicatessen

Carrer d'Avinyó 25 ☎933 011 585. Seg–sáb 12h–24h. Não é uma delicatéssen, apesar do nome, mas uma boa opção para comer para quem faz compras nas butiques do Carrer d'Avinyó, servindo cozinha de bistrô mediterrâneo de dia e de noite. Bom também para vegetarianos, com lasanhas, cuscuz, mussaca e saladas sem carne. Entre € 5-9.

Bares

L'Ascensor

Carrer Bellafila 3 ☎933 185 347. Diariam 18h30–3h. Antigas portas de elevador marcam a entrada deste bar popular. Não é

ÀREA POR ÀREA | Barri Gòtic

voltado para turistas e tem um clima agradável –bom para um drinque de fim de noite.

Café Royale
Carrer Nou de Zurbano 3 ☎934 121 433. Diariam 19h–2h30. Lounge bar onde pessoas bonitas se juntam para dançar jazz latino, soul e funk.

Glaciar
Plaça Reial 3 ☎933 021 163. Seg–qui 16h–2h, sex e sáb 16h–3h, dom 9h–2h. Neste tradicional ponto de encontro de Barcelona, o terraço fica lotado nas noites de verão e nos fins de semana.

Milk
Carrer Gignàs 21 ☎932 680 922, ⓦwww.milkbarcelona.com. Seg–sáb 18h30–3h, dom 11h–3h. Bar e bistrô de dono irlandês que virou ponto de reunião do bairro. Não tem nada de espetacular, mas a comida é decente e os coquetéis agradam. A trilha sonora é boa. Faça reserva nos fins de semana se quiser comer, e venha cedo para o popular *brunch* de domingo.

Pipa Club
Plaça Reial 3 ☎933 024 732, ⓦwww.bpipaclub.com. Diariam 22h–3h. Antigo reduto de fumantes de cachimbo, é um lugar de fim de noite, em madeira, com jazz –toque a campainha para entrar e suba a escada.

Travel Bar
Carrer Boqueria 27 ☎933 425 252, ⓦwww.travelbar.com. Seg–qui e dom 9h–2h, sex e sáb 9h–3h. Mochileiros catalães trouxeram sua experiência para casa a fim de oferecer um bar onde os viajantes possam se reunir e encontrar gente com a mesma cabeça, combinar viagens, trocar e-mail e relaxar.

Casas noturnas

Fantastico
Ptge. dels Escudellers 3 ☎933 175 411, ⓦwww.fantasticoclub.com. Qua–sáb 23h–3h. Lugar animado para o pessoal pop, electro e indie que gosta de ouvir Kaiser Chiefs, Arctic Monkeys, The Killers, The Pigeon Detectives e outros do tipo.

Fonfone
Carrer dels Escudellers 24 ☎933 171 424, ⓦwww.fonfone.com. Diariam 22h–3h. Atrai público jovem para dançar música rápida e pesada, mas muda o tom no meio da semana, com noites de soul, disco e de sucessos da década de 1980.

Harlem Jazz Club
Carrer Comtessa de Sobradiel 8 ☎933 100 755. Fecha em ago. Por muitos anos, foi o ponto quente para jazz, mas não se influencie pelo nome –abriga todos os estilos de jazz, de africano e cigano a flamenco e fusion. Tem música ao vivo toda noite às 23h e 24h30 (nos fins de semana 23h30 e 1h). Em geral, é gratuito no meio de semana, ou então cobra ingresso de € 10.

Jamboree/Tarantos
Plaça Reial 17 ☎933 191 789, ⓦwww.masimas.com. Duas casas noturnas no mesmo endereço que oferecem sessões de jazz no Jamboree (a partir de 21h; € 8), e shows curtos e exuberantes de flamenco no Tarantos (às 20h30, 21h30 e 22h30; € 6), e você pode continuar para dançar funk, swing, hip-hop e R&B, das 24h às 5h. Um dos melhores fins de noite da cidade.

La Macarena
Carrer Nou de Sant Francesc 5; sem telefone, ⓦwww.macarenaclub.

com. Seg–qui e dom 24h–4h, sex e sáb 24h–5h. Antes era um local onde canções flamencas eram oferecidas a La Macarena, a Virgem de Sevilha. Hoje é um templo do funk e da música eletrônica, com uma galera tolerante –tem de ser assim, pois há pouco espaço. Entrada gratuita até 1h, depois € 5.

Sidecar
Plaça Reial 7 ☎933 021 586, ⓦwww.sidecarfactoryclub.com. Ter–dom 20h–16h30. Casa noturna da moda com música ao vivo geralmente a partir das 22h30 e DJs (a partir das 24h30). É um lugar para quem curte rock, pop, fusion e estilos urbanos. A local *mestiza* (ou seja, a fusion de Barcelona) é tocada aqui regularmente, por isso este é o lugar para ouvir o mais recente hip-hop catalão, além de rumba e flamenco. Ingressos a € 5-7, e alguns shows por até € 15.

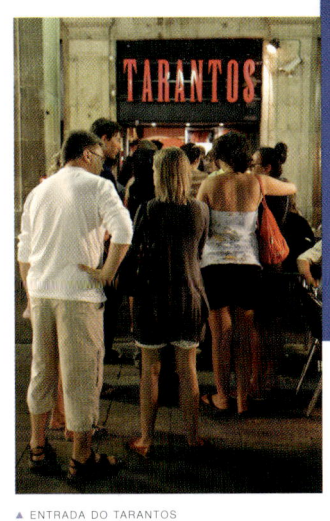

▲ ENTRADA DO TARANTOS

Port Vell e Barceloneta

Barcelona tem uma área litorânea urbana que se funde sem transições com a cidade velha, oferecendo uma fuga fácil das claustrofóbicas ruas medievais. O porto no fim das Ramblas foi totalmente reformulado nos últimos anos e o Port Vell (Porto Velho), como é conhecido agora, apresenta uma série de atrações turísticas importantes, desde barcos para passeios a um museu marítimo –sem falar das lojas, bares e restaurantes do centro de entretenimento chamado Maremàgnum. Como contraste, a Barceloneta –porção de terra a leste, por trás da marina– preserva sua atmosfera do século 18, e o antigo bairro de pescadores ainda é o melhor lugar da cidade para comer *paella*, peixe e frutos-do-mar. A estação de metrô Drassanes, no final das Ramblas, é o melhor ponto de partida para o Port Vell; a Barceloneta tem sua própria estação de metrô.

Mirador de Colón

Plaça Portal de la Pau ☎933 025 224. Jun–set diariam 9h–20h30; out–mai diariam 10h–18h30. € 2,50 ou € 6,70 combinando o ingresso com o Museu Marítim. O belo monumento no final das Ramblas celebra a visita que Cristóvão Colombo fez a Barcelona em junho de 1493, quando o navegador genovês foi recebido para homenagens pelos reis católicos Fernando e Isabel. Colombo fica no alto de uma majestosa coluna de ferro, de 52m de altura, guardada por leões, com relevos que contam a história de sua vida e de suas viagens –aqui, o velho mercenário ainda é o "descobridor da América". Você pode pegar o elevador até o mirante que fica aos pés da estátua, de onde se tem uma incrível vista de 360 graus. Enquanto isso, do cais em frente ao monumento a Colombo, os barcos Las Golondrinas partem para viagens regulares de passeio o ano todo, pelo interior do porto.

▼ MIRADOR DE COLÓN

Museu Marítim

Avgda. de les Drassanes ☎933 429 920, ⓦwww.museumaritimbarcelona. org. Diariam 10h–20h. € 6,50, gratuito nas tardes do primeiro sábado de cada mês; há ingressos combinados para passeios nas Golondrinas e visita ao monumento a Colombo. Os estaleiros medievais de Barcelona, as Drassanes, datam do século 13 e foram operantes –equipando e armando a frota de guerra da Catalunha ou seus navios mercantes– até o século 18. Hoje, os imensos edifícios de pedra são a sede do Museu Marítimo, cuja principal peça é uma cópia em tamanho natural de um galeão real do século 16 que foi originalmente construído aqui. Em volta dele, há diferentes seções temáticas que tratam das relações da Catalunha com o mar, com barcos, bustos, mapas antigos, instrumentos de navegação e outros artefatos náuticos. Você aproveitará ao máximo a visita se pegar o guia de áudio (incluído no preço do ingresso). Também há um bom restaurante no museu, e o café tem mesinhas no belo pátio –que no verão vira um lounge bar.

▲ DETALHE DO EDIFÍCIO DO PORTO DE BARCELONA

Santa Eulàlia
Moll de la Fusta; sem telefone. Mai–out ter–sex 12h–19h30, sáb e dom 10h–19h, nov–abr fecha 17h30. € 2,40, gratuito com o ingresso para o Museu Marítim. A escuna de três mastros *Santa Eulàlia* é a peça central do museu marítimo. Datando de 1908, e anteriormente chamada de *Carmen Flores*, ela antes fazia a viagem entre Barcelona e Cuba, mas foi mais tarde adquirida pelo museu e totalmente reformada. Uma curta visita permite andar pelo tombadilho e também ver seu interior.

Maremàgnum
Moll d'Espanya ☎932 258 100, @www.maremagnum.es. Diariam 10h–22h. Perto da estátua de Colombo, a ponte de madeira suspensa Rambla de Mar cruza o porto até o Maremàgnum no Moll d'Espanya. É uma peça típica de design catalão, com as altas linhas de vidro do complexo de lazer contrabalançadas pelas ondulantes passarelas de

▲ MAREMÀGNUM

madeira em volta. Dentro, há dois andares de lojas de presentes e butiques, mais uma série de cafés e restaurantes com mesinhas que dão para o lado do cais. No exterior, bancos e áreas do parque oferecem lindas vistas do porto e da cidade.

L'Aquàrium
Moll d'Espanya ☎932 217 474, Ⓦaquariumbcn.com. Diariam: jul e ago 9h30-23h; set-jun 9h30-21h, até 21h30 nos fins de semana. € 16. Junto ao Maremàgnum, o aquário de alto padrão de Port Vell atrai famílias e excursões escolares o ano todo para ver "um mundo mágico, cheio de mistério". Ou, para sermos mais exatos, para ver 11 mil peixes e criaturas marinhas em 35 tanques temáticos que representam cavernas, áreas de marés, recifes tropicais, os oceanos do planeta e outros hábitats marinhos. O ingresso é bem caro, e, apesar de ser local excelente, oferece poucas novas experiências, exceto talvez a longa passagem submarina de 80m que deixa você cara a cara com arraias e tubarões. Há algumas mostras e atividades voltadas para crianças, e dá-se ênfase a questões de ecologia e conservação, até que você é lançado na loja do aquário para que possa gastar um pouco mais do seu dinheiro.

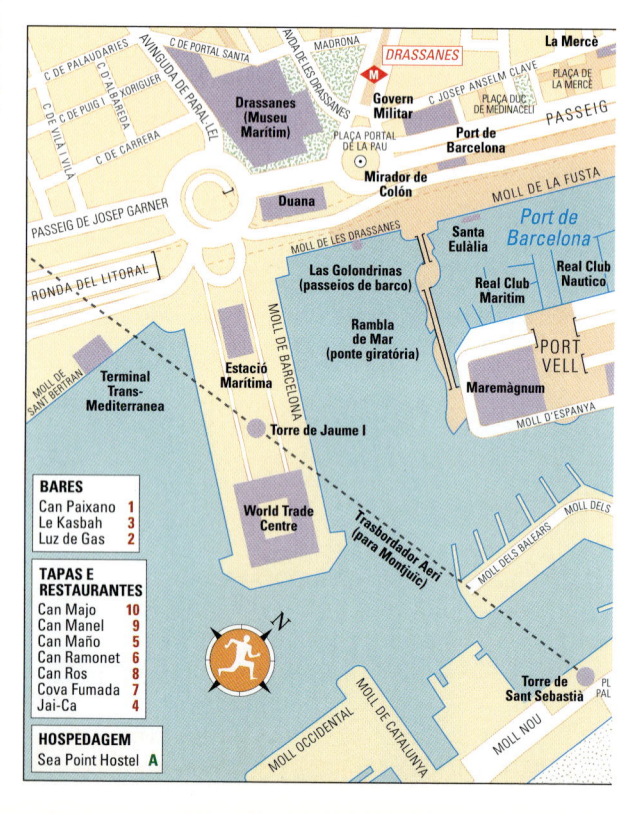

BARES
Can Paixano 1
Le Kasbah 3
Luz de Gas 2

TAPAS E RESTAURANTES
Can Majo 10
Can Manel 9
Can Maño 5
Can Ramonet 6
Can Ros 8
Cova Fumada 7
Jai-Ca 4

HOSPEDAGEM
Sea Point Hostel A

IMAX Port Vell

Moll d'Espanya ☎932 251 111, ⓦwww.imaxportvell.com. Projeções 11h–22h30, mais tarde nos fins de semana. Ingressos € 7,50 ou € 11, dependendo do filme. O cinema IMAX de Barcelona fica perto do aquário, com três telas exibindo filmes a cada hora em 3D ou em formato gigante. Os temas são familiares –os mistérios do corpo humano, as forças da natureza, explorações heróicas, extraterrestres etc.–, mas os filmes são todos em espanhol ou catalão.

Museu d'Història de Catalunya

Palau de Mar, Plaça de Pau Vila 3 ☎932 254 700, ⓦwww.mhcat.net. Ter e qui–sáb 10h–19h, qua 10h–20h, dom e feriados 10h–14h30. € 3; primeiro dom do mês e feriados, gratuito. O único armazém que sobreviveu no cais de Port Vell é conhecido como Palau de Mar e sedia um museu que narra a história da Catalunha desde a Idade da Pedra até o século 20. Há mostras temporárias no térreo, e um elevador leva as pessoas até as exposições permanentes: no segundo andar, que abrange até a Revolução Industrial, e no terceiro, que trata de períodos e eventos até 1980 (embora se planeje ir além desse período). Você pode pegar informações em inglês

PORT VELL E BARCELONETA

▲ LAGOSTA, PORT VELL

na recepção, e há muito para ver, desde o interior de um navio de carga romano aos diversos projetos de arquitetura apresentados para o Eixample. No quarto andar, o café-bar tem uma linda vista do porto desde seu imenso terraço, incluindo o Tibidabo, Montjuïc e o resto da cidade —você não precisa de ingresso do museu para ter acesso.

Os restaurantes de frutos-do-mar na arcada do **Palau de Mar** embaixo do museu estão entre os mais procurados da cidade e lotam nos fins de semana. Daqui dá para ver a *marina*, onde os catalães estacionam seus iates como se fossem carros —um grudado no outro—, e no verão ambulantes vendem jóias e óculos de sol.

Barceloneta

Não há lugar melhor para almoçar em um dia de sol do que a Barceloneta, limitada de um lado pelo porto e do outro pelo Mediterrâneo. Concebida em 1755 como uma planta clássica em grade, suas ruas longas e estreitas ainda estão como foram planejadas, tendo a intervalos pequenas praças —como a Plaça de la Barceloneta, com sua fonte do século 18 e a igreja neoclássica de **Sant Miquel del Port**. Há também um mercado local, o **Mercat de la Barceloneta** (abre a partir das 7h, fecha seg e sáb à tarde), com um par de ótimos restaurantes, enquanto os famosos locais de frutos-do-mar da Barceloneta se espalham pelas ruas em forma de grade, embora sejam mais concentrados no **Passeig Joan de Borbó**, ao longo do cais.

Passeig Marítim

Uma fileira dupla de palmeiras guarda a sinuosa esplanada de pedra que vai da praia da Barceloneta, Platja de Sant Sebastià, até o Port Olímpic. É uma caminhada de 15 minutos da Barceloneta até o porto, mas alguns fazem em menos tempo —o Passeig Marítim é um paraíso para patinadores, skatistas e para quem quer correr, oferecendo uma linda vista do mar.

No caminho, pouco antes do hospital e do porto, você vai passar pelo **Parc de la Barceloneta**, uma extensão com uma fonte modernista (1905), que se eleva como um minarete acima das palmeiras.

Trasbordador Aeri

Torre de Sant Sebastià, Barceloneta
☎932 252 718. Diariam 10h30–19h, jun–set até 20h. € 9 ida, € 12,50 volta.

O passeio mais emocionante no centro da cidade é cruzar o porto de bondinho, passando acima da água da Barceloneta até Montjuïc. As vistas são impressionantes e você pode ver com facilidade as torres mais conhecidas da La Seu e da Sagrada Família, enquanto as árvores ao longo das Ramblas parecem a língua dividida de uma serpente. Há saídas a cada 15 minutos, mas no verão e nos fins de semana você talvez tenha de esperar um tempo no alto das torres para embarcar, pois os bondinhos só carregam 20 pessoas de cada vez.

Restaurantes e bares de tapas

Can Majo
Carre Almirall Aixada 23 ☎932 215 818. Ter-sáb 13h–16h e 20h–23h, dom 13h–16h. Neste restaurante de frutos-do-mar de alto padrão, você pode sentar-se quase na praia –o terraço de verão é limitado por uma cerca azul, e enquanto o mundo segue seu rumo você mergulha num bom arroz, *fideuà* (macarrão com frutos-do-mar), *suquet* (ensopado de peixe) ou peixe grelhado. O cardápio muda diariamente segundo a pesca do dia; você deve gastar € 40-50 por pessoa (e faça reserva se quiser uma mesa fora nos fins de semana).

Plats del Dia	
Pebrot del Padro	8.00 €
Camarons	20.00 €
Xipirons a l'andalusa	15.50 €
"Tallarinas"	17.00 €
"Berberechos"	12.00 €
"Percebes"	22.00 €
Ostres	2.80 €
Gambes Grossa de Palamós	18.00 €
Calamarsets de platja planxa	15.00 €
Cloïsses gallegues mitjane a la marinera	18.00 €
Turbot al forn	23.50 €
Llagosta Mediterrani (per 1 Kg)	130.00 €
Paella de marisc i Llamantol del País	35.00 €
Arròs melós de escamarlans	22.00 €
Vi reconenat	
Viña del Vero Gewüztraminer	15.88 €

▲ CARDÁPIO DO DIA

Can Manel
Pg. Joan de Borbó 60 ☎932 215 013. Diariam 13h–16h e 20h24h. Uma instituição desde 1870, que lota rápido porque a comida é boa e barata. Se quiser almoçar do lado de fora no terraço à sombra, chegue até 13h30. *Paella*, *fideuà* (macarrão com frutos-do-mar) e *arròs a banda* (arroz com frutos-do-mar) são bastante comuns –a partir de € 13 por pessoa–, enquanto o peixe do dia, em geral apenas grelhado, vai de € 10 a € 22 conforme o peixe.

Can Maño
Carrer Baluard 12 ☎933 193 082. Seg-sex 8h–17h30 e 20h–23h, sáb 12h–17h; fecha ago. É difícil encontrar algum turista neste restaurante à antiga, cheio de mesas de fórmica. Peixe frito ou grelhado é o forte daqui (sardinhas, tainha, lulas), complementado por frutos-do-mar e pratos de carne. O vinho é rústico, da casa, e não há sofisticação, mas é uma experiência única, que custa menos de € 12 por pessoa.

Can Ramonet
Carrer Maquinista 17 ☎933 193 064. Diariam 13h–16h e 20h–24h; fecha dom no jantar e ago. É o mais antigo restaurante da área do porto e tem como destaque adicional um terraço sombreado de frente para o mercado vizinho. A comida é muito boa, se bem que com peixe e frutos-do-mar como pratos principais por volta de € 17–25 as refeições podem sair caras. Mas sempre é possível optar pelo bar rústico na frente, onde as *tapas* (a partir de € 8) ficam empilhadas em barris de madeira –o *pernil* é a especialidade casa.

Can Ros

Carrer Almirall Aixada 7 ☏932 215 049. Diariam 13h–17h e 20h–24h; fecha qua. Este é um dos melhores locais para *paella*, *arròs negre* (arroz preto, feito com tinta de lula) ou o *fideuà* (macarrão) com moluscos e camarões, tudo por volta de € 12 –como em quase toda parte, as porções são para duas pessoas. O único senão é não ter mesinhas ao ar livre, mas, mesmo um pouco apertado, o local é agradável.

Cova Fumada

Carrer Baluard 56 ☏932 214 061. Seg–sex 9h–15h e 18h–20h, sáb 9h–15h; fecha ago. Venha para um almoço gregário neste bar tradicional sempre cheio (fica depois das portas marrons de madeira da praça do mercado, sem placa). O peixe vem direto do mercado, e a especialidade da casa é a *bomba* (bolinho de carne frito apimentado).

Jai-Ca

Carrer Ginebra 13 ☏932 683 265. Diariam 10h–23h. Um bar de *tapas* clássico. Dê uma olhada nas travessas do bar ou no que seu vizinho pediu –uma porção de *navajas* (moluscos), anchovas ou camarões fritos. Enquanto isso, as frigideiras na cozinha dão duro nas lulas crocantes e nos pimentões verdes espargidos com sal. Sente-se em uma mesa de junco com tampo de azulejos ou fora, no pequeno pátio.

Bares

Can Paixano

Carrer de la Reina Cristina 7 ☏933 100 839. Seg–sáb 9h–22h30. Fecha 2 semanas em ago. Obrigatório em qualquer roteiro, este local é composto apenas de balcão, onde a bebida preferida –tudo bem, a única bebida– é o *cava* (champanhe catalão) na taça ou na garrafa, com pequenos sanduíches, e pronto. É muito, muito popular, por isso você vai ter algum trabalho para entrar.

Le Kasbah

Plaça Pau Vila, atrás do Palau de Mar ☏932 380 722, ⓦwww.ottozutz.com. Ter–dom 22h–3h. O terraço é a grande atração do verão aqui, quando tudo o que se quer é um coquetel revigorante e um pouco de ar fresco, embora o interior meio oriental tenha um certo charme tranquilizante.

Luz de Gas

Moll del Diposit, defronte ao Palau de Mar ☏932 097 711, ⓦwww.luzdegas.com. Mar–out diariam 12h–3h. Tome um drinque no deque deste barco ancorado e aproveite para curtir o porto e a marina. No verão sempre há filas, e todas as mesas com guarda-sol ficam ocupadas, porém é muito especial ao entardecer, quando se pode ver as luzes da cidade brilhando.

▼ PLAÇA DE LA BARCELONETA

El Raval

O bairro de El Raval, na cidade velha, do lado oeste das Ramblas, ficou tradicionalmente conhecido como área de prostituição. Ainda tem alguns cantos meio deteriorados (como ao sul do Carrer de Sant Pau), mas está mudando rapidamente, em especial o "alto do Raval" em volta do Museu de Arte Contemporânea de Barcelona, MACBA, de onde brotam galerias de alto padrão e restaurantes e bares da moda. Historicamente, El Raval (do termo árabe para subúrbio) ficava fora dos muros medievais da cidade, abrigando hospitais, igrejas, mosteiros e negócios insalubres como matadouros (*tallers*, daí o nome da rua de Carrer dels Tallers), que não cabiam no mais refinado bairro gótico. Ao longo da maior parte do século 20, o bairro ficou famoso por seu degradado Barri Xinès (Bairro Chinês), embora a reurbanização tenha regenerado boa parte do El Raval, e agora uma população mais jovem, ligada às artes, e mais rica fique lado a lado com os imigrantes asiáticos e norte-africanos da área e com os moradores mais velhos e tradicionais. As estações de metrô Catalunya, Liceu, Drassanes e Paral.lel passam por este bairro.

Museu d'Art Contemporani de Barcelona (MACBA)

Plaça dels Àngels 1 ☏934 120 810, Ⓦwww.macba.es. Meados jun a meados set seg e qua 11h–20h, qui e sex 11h–24h, sáb 10h–20h, dom e feriados 10h–15h; resto do ano fecha em dias de semana 19h30; fecha às ter o ano todo. € 4 ou € 7,50 dependendo das exposições visitadas, qua € 3. Ancorando a parte norte do Raval, fica o icônico Museu d'Art Contemporani de Barcelona (MACBA), cuja fachada principal é toda em vidro. Uma vez dentro dele, você passa do térreo até o quarto andar por uma série de rampas, que pemitem uma visão contínua da praça embaixo —geralmente cheia de skatistas. O acervo representa os principais movimentos artísticos desde 1945, principalmente (mas não de forma exclusiva) da Catalunha e na Espanha, e é mostrado em exposições que se revezam, por isso, dependendo da época de sua visita, você pode deparar com obras de

▼ SKATE DO LADO DE FORA DO MACBA

EL RAVAL

ÁREA POR ÁREA

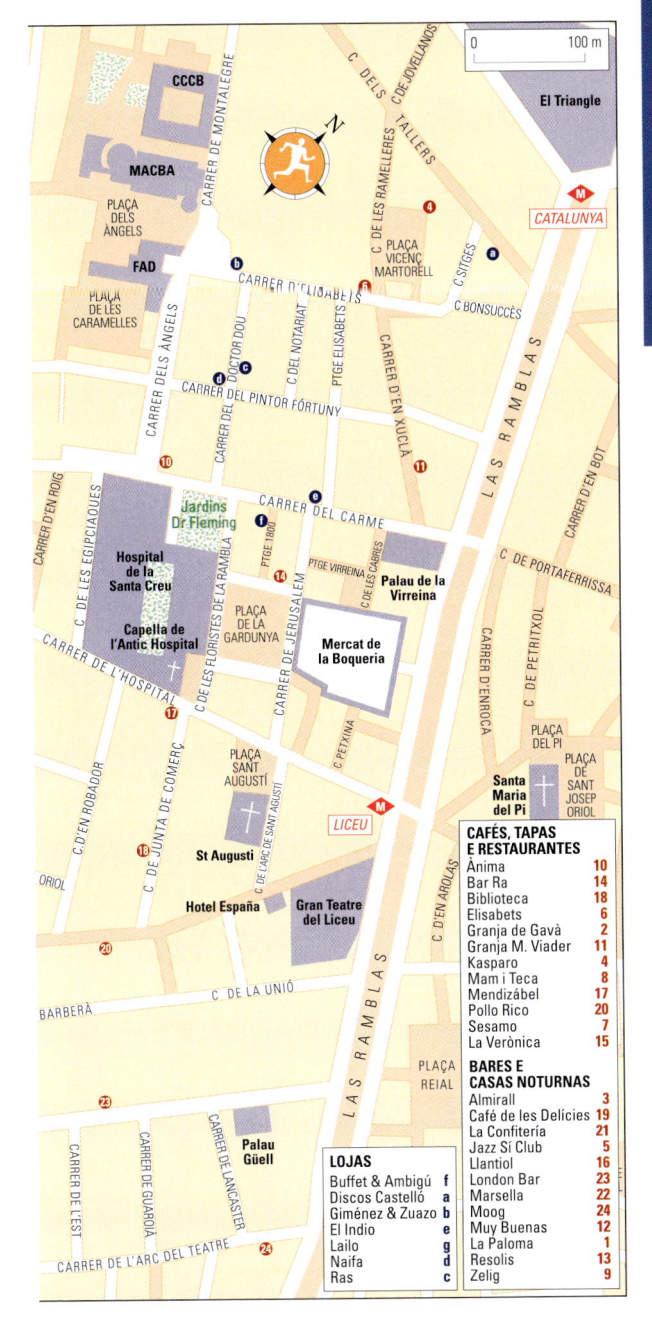

El Raval

CAFÉS, TAPAS E RESTAURANTES

Ànima	10
Bar Ra	14
Biblioteca	18
Elisabets	6
Granja de Gavà	2
Granja M. Viader	11
Kasparo	4
Mam i Teca	8
Mendizábal	17
Pollo Rico	20
Sesamo	7
La Verònica	15

BARES E CASAS NOTURNAS

Almirall	3
Café de les Delícies	19
La Confitería	21
Jazz Sí Club	5
Llantiol	16
London Bar	23
Marsella	22
Moog	24
Muy Buenas	12
La Paloma	1
Resolis	13
Zelig	9

LOJAS

Buffet & Ambigú	f
Discos Castelló	a
Giménez & Zuazo	b
El Indio	e
Lailo	g
Naifa	d
Ras	c

grandes nomes, como Joan Miró ou Antoni Tàpies, ou com mostras de artistas catalães conceituais contemporâneos. Talvez a melhor maneira de conhecer o acervo seja fazer a visita guiada gratuita (em inglês, às seg às 18h, ou diariam às 18h, dom e feriados às 12h, e visitas noturnas no verão). A loja do museu vende de tudo, de xícaras de café de designer a livros de arte, e há também um café nos fundos que é parte do CCCB (Centro de Cultura Contemporânea).

Foment de les Artes Décoratives (FAD)

Plaça dels Àngels 5–6 ☎934 437 520, Ⓦwww.fadweb.org, Ⓦwww.tallersoberts.org. Ter–sex 11h–20h, dom 11h–16h. Gratuito. Uma parte do antigo Convent dels Àngels abriga hoje a sede do Foment de les Artes Décoratives (FAD) –entidade de artes decorativas e design fundada em 1903–, cujos espaços de exposição (que incluem a antiga capela do convento) são dedicados a design industrial e gráfico, artesanato, arquitetura, joalheria e moda. O FAD também coordena o evento anual **Tallers Oberts** (ou Oficinas Abertas; em geral, dois fins de semana em maio), quando os visitantes podem ir a centros de artesanato na cidade antiga e acompanhar o trabalho e as oficinas.

Centre de Cultura Contemporània de Barcelona (CCCB)

Carrer Montalegre 5 ☎933 064 100, Ⓦwww.cccb.org. Ter–dom 11h–20h, qui até 22h. € 4,40 ou € 6 dependendo das exposições visitadas. O Centro de Cultura Contemporânea de Barcelona (CCCB) abriga exposições temporárias de arte e de questões da cidade, além de cinema e uma programação variada de concertos. O edifício restaurado com muita imaginação é um ótimo exemplo de justaposição entre o velho e o novo. Construído em 1714 no local de um convento do século 14, foi por centenas de anos um reformatório e um hospício. Na entrada do centro, na hoje chamada Plaça de les Dones, você pode ver os antigos painéis de azulejos e a fachada num belo pátio, no qual se destaca uma pequena estátua de Sant Jordi, padroeiro da Catalunha. Na parte de trás do edifício, o café-bar *C3* tem um lindo terraço na moderna praça que liga o CCCB ao MACBA. Fica aberto até tarde para jantar, bebida e música, e você pode também fazer uma tranquila refeição subindo a rua em um pátio com arcadas e azulejos, o **Pati Manning** (Carrer Montalegre 7), onde um café diurno serve um almoço ao ar livre por bom preço.

Plaça de Vicenç Martorell

Uma das mais lindas praças

O som da rua

Mestiza –o som de Barcelona– é uma fusão musical das culturas dos imigrantes do Raval. Manu Chao, nascido em Paris e residente em Barcelona, deu o primeiro impulso ao gênero, mas nas lojas de música do Carrer dels Tallers você encontra CDs de outros expoentes desta música –Cheb Balowski (fusão catalã-argelina), Ojos de Brujo (flamenco catalão e rumba), GoLem System (dub e reggae) e Macaco (rumba, raga e hip-hop).

▲ LARANJEIRAS NO PÁTIO DO HOSPITAL DE LA SANTA CREU

sem trânsito de Barcelona fica junto às Ramblas, poucos minutos a pé do MACBA. Não há muitos lugares na cidade velha onde as crianças possam brincar em segurança, por isso o pequeno playground daqui (com balanços e escorregador) é mais do que bem-vindo para as famílias locais. Além disso, tem um café de primeira, o *Kasparo*, cujas mesinhas na arcada ficam cheias desde a manhã até de noite –um verdadeiro achado para quem quer descansar entre uma atração e outra. E, dobrando a esquina, os estreitos **Carrer del Bonsuccés**, **Carrer Sitges** e **Carrer dels Tallers** abrigam uma concentrada seleção das melhores lojas de música independente e de roupa urbana da cidade.

Hospital de la Santa Creu

Entrada pelo Carrer del Carme e Carrer de l'Hospital. Diariam 10h–entardecer. Gratuito. Informações sobre exposições na La Capella no site www.bcn.es/virreinaexposicions. Este atraente complexo de edifícios góticos foi fundado como principal hospital da cidade em 1402 e manteve esse papel até 1930. As espaçosas alas deste hospital do século 15 foram mais tarde convertidas para uso cultural e educacional, abrigando a Biblioteca de Catalunya. Os visitantes podem andar à vontade pelo agradável jardim do claustro medieval (acesso por ambas as ruas), e há um lindo café-terraço do lado do Carrer de l'Hospital. Além disso, logo à entrada do Carrer del Carme (à direita), você vê lindos azulejos decorativos do século 17 e um pátio renascentista. A antiga capela do hospital, **La Capella**, com entrada separada pelo Carrer de l'Hospital, é um prestigioso espaço de exposições, com uma programação de obras de jovens artistas de Barcelona.

Rambla de Raval

A mais óbvia expressão da mudança no perfil do El Raval é esta alameda com palmeiras que foi aberta entre os antigos cortiços e ruelas, oferecendo uma imensa área para pedestres entre o Carrer de l'Hospital e o Carrer de Sant Pau. Esta rambla é singular, com bancas de churrasco grego, restaurantes

▲ ESCULTURA DE GATO, RAMBLA DE RAVAL

de curry, açougues *halal* (em conformidade com as regras do islã), postos de telefone e mercearias, além de modernos cafés e bares −frequentados por locais e turistas. Aos sábados, há uma feira de rua o dia inteiro.

Ao final desta rambla −à saída do Carrer de l'Hospital−, o estreito **Carrer de la Riera Baixa** é o centro das lojas de roupas usadas. Há mais de uma dúzia destas pequenas e divertidas lojas de roupas independentes.

Hotel España
Carrer de Sant Pau 9–11 ☎933 181 758, ⓦwww.hotelespanya.com.
Alguns dos mais influentes nomes da arquitetura e do design modernista catalães se juntaram na virada do século 20 para transformar o degradado hotel *España* (construído em 1860) em um dos mais luxuosos da cidade. Com um salão de jantar projetado por Domènech i Montaner, um bar com uma linda lareira de mármore de Eusebi Arnau e um salão de danças com murais de marinhas feitos por Ramon Casas, o hotel causou sensação na sua época. Tem sido bem cuidado desde então, e você pode dar uma boa olhada nele pelo preço de um almoço ou mesmo passar a noite aqui −embora os quartos não cheguem perto da beleza das áreas comuns.

Palau Güell
Carrer Nou de la Rambla 3–5. O edifício mais destacado de El Raval é o Palau Güell (1886–90), extraordinária mansão projetada pelo jovem Gaudí para o rico industrial Eusebi Güell i Bacigalupi. Numa época em que os arquitetos procuravam esconder os suportes de ferro dentro dos edifícios, Gaudí usou-os a seu favor, exibindo-os como aspectos decorativos

▼ DETALHE DO HOTEL ESPAÑA

▲ DETALHE DE TELHADO, PALAU GÜELL

nas majestosas salas do andar principal, revestidas com mármore escuro das pedreiras da família Güell. As colunas, os arcos e os tetos são modelados, esculpidos e retorcidos no estilo elaborado que viraria marca registrada de Gaudí, e o terraço de cobertura culmina numa fantástica série de chaminés decoradas com padrões sinuosos feitos com cacos de azulejo, vidro e cerâmica. Infelizmente, as visitas guiadas ao edifício estão suspensas durante o trabalho de restauração, mas o local reabre em 2008.

Església de Sant Pau del Camp

Carrer de Sant Pau 101 ☎934 410 001. Seg 17h–20h, ter–sex 10h–13h30 e 17h–20h, sáb 10h–13h30. Ingresso para o claustro € 2. O nome da igreja de Sant Pau del Camp lembra que ela já se situou nos campos abertos além dos muros da cidade. Uma das igrejas mais interessantes de Barcelona, Sant Pau era uma fundação beneditina do século 10º, erguida depois que sua antecessora foi destruída pelos mouros em 985, e segue uma planta grega em cruz. Acima da entrada principal há entalhes curiosos, primitivos do século 13, de peixes, pássaros e rostos, e outras formas animais enfeitam os capitéis duplos do belo claustro do século 12. Por dentro, a igreja simples ganha vida com as pequenas janelas estreitas e os vitrais em círculo no alto da abóbada central.

Mercat de Sant Antoni

Carrer del Comte d'Urgell 1 ☎934 234 287. Seg–qui e sáb 7h–14h30 e 17h30–20h30, sex 7h–20h30. O grande mercado de alimentos do bairro contrasta com a Boqueria –para começar, há bem menos turistas– e, ao contrário de muitos outros mercados da cidade, é rodeado por corredores fechados cheios de bancas que vendem sapatos baratos, roupas íntimas, camisetas, roupa infantil, de cama, toalhas e artigos domésticos. Aos domingos, há uma feira de livros e moedas (9h–14h), e os colecionadores e aficionados chegam cedo para conseguir as melhores ofertas. O ponto tradicional para dar um tempo nas compras é o *Els Tres Tombs*, o restaurante-bar

▼ SANT PAU DEL CAMP

ÁREA POR ÁREA El Raval

do outro lado da rua. Aberto das 6h até tarde, atrai locais, funcionários do mercado, estudantes e turistas. Há planos de reformar o mercado entre 2008 e 2010, mas seu aspecto exterior deve ser mantido, e ele funcionará em um edifício provisório a ser instalado.

Lojas

Buffet & Ambigú
Ptge. 1800 s/n ☎932 430 178, ⓦwww.catalogobuffet.com. Para entender melhor o atual prestígio da Espanha no cenário da moderna culinária européia, visite a "biblioteca gastronômica", escondida em um corredor atrás do *Bar Ra*. Milhares de livros de culinária, muitos em inglês, mostram as receitas, explorações e filosofia dos mais recentes *chefs* e restaurantes, incluindo vários da moda em Barcelona.

▼ FACHADA DA LOJA EL INDIO

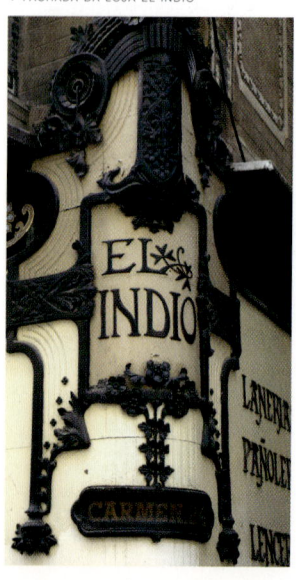

Discos Castelló
Carrer del Tallers 3 ☎933 182 041; nº 7 ☎933 025 946; nº 9 (estoque) ☎934 127 285; e nº 79 ☎933 013 575; ⓦwww.discoscastello.es. Você pode passar metade do dia indo de uma loja para outra, cada uma com sua especialidade e seu clima: clássicos no nº 3, um pouco de tudo no nº 7, hip-hop, rock alternativo, *mestiza*, hardcore e eletrônica no nº 9, e jazz e pop-rock década de 1970 no nº 79.

Giménez & Zuazo
Carrer Elisabets 20 ☎934 123 381, ⓦwww.boba.es. Duas coleções por ano de moda feminina de ponta, divertida e informal.

El Indio
Carrer del Carme 24 ☎933 175 442. O local mais tradicional da cidade para roupa de cama, travesseiros, cobertores e jogos de mesa –a fachada modernista, os longos balcões, os painéis de madeira e o piso de mármore sobrevivem desde os dias de glória do século 19.

Lailo
Carrer de la Riera Baixa 20 ☎934 413 749. Loja de roupas usadas e antigas com um estoque imenso e variadíssimo. Se você leva a sério roupas antigas, este é o lugar –e, se não encontrar o que procura, é só descer a rua e vasculhar as butiques vizinhas.

Naifa
Carrer Dr. Joaquim Dou 11 ☎933 024 005. Coleções para homens e mulheres, coloridas, informais –e a um preço bem razoável.

Ras
Carrer Dr. Joaquim Dou 10 ☎934 127 199, ⓦwww.rasbcn.com. Abre 13h, fecha seg. Especializada em

livros e revistas sobre desenho gráfico, arquitetura, fotografia e arte. Vale sempre a pena dar uma olhada nas exposições temporárias nos fundos.

Cafés

Granja de Gavà
Carrer Joaquim Costa 37 ☎933 175 883. Seg-sex 8h–1h, sáb 8h–2h30. Café tradicional com azulejos e ares artísticos –como os rabiscos nas paredes, a mulher de 3m de altura no bar e as leituras semanais de poesia. É um local tranquilo, que se proclama "sem TV, só boa música", e serve café-da-manhã, sanduíches, shakes, sucos, crepes e saladas.

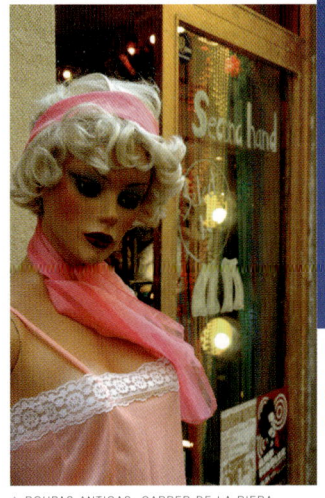

▲ ROUPAS ANTIGAS, CARRER DE LA RIERA BAIXO

Granja M. Viader
Carrer Xuclà 4–6 ☎933 183 486. Seg 17h–20h45, te-sáb 9h–13h45 e 17h–20h45. A mais antiga *granja* (leiteria) da cidade, inventora do *cacaolat* (uma bebida popular de chocolate), mas você pode provar também o *mel i mató* (queijo de coalho e mel), a *llet Mallorquina* (leite fresco com canela e raspas de limão) ou um chocolate quente espesso com creme de leite por cima.

Kasparo
Plaça Vicenç Martorell 4 ☎933 022 072. Diariam 9h–22h, até meia-noite no verão. Fecha 2 semanas em jan. Perfeito para relaxar, numa esquina com arcadas de uma praça tranquila, com lugar para se sentar ao ar livre durante o ano todo. Serve *muesli*, iogurte grego e torradas com geléia para os madrugadores. Mais tarde, sanduíches, *tapas* e *platos del ia* variados –coisas como homus e pão, quiche de legumes, cuscuz, além de massas.

Mendizábal
Carrer Junya de Comerç 2, sem telefone. Diariam 10h–24h, jun-set até 1h. Este alegre balcão para se consumir em pé, em frente ao Hospital de la Santa Creu, serve sucos, shakes, cerveja e sanduíches. Quem tem mais sorte consegue uma mesa na pequena e simpática praça sombreada.

Restaurantes e bares de tapas

Ànima
Carrer dels Àngels 6 ☎933 424 912. Diariam 13h–16h e 21h–24h. Local com toque artístico, atrai uma galera jovem, que vem atrás da cozinha fusion com influência da estação –pratos de verão típicos são o tempurá de abobrinha e mexilhões ou o peixe com crosta de alho e pistache, tudo por volta de € 14. É um bom lugar para almoçar, ainda mais se você conseguir mesa fora.

Bar Ra
Plaça de la Garduña 3 ☎615 959 872, ⊛www.ratown.com. Seg–sáb 9h–2h. Local da moda, atrás do mercado da Boqueria, com som baseado no groove e um terraço ensolarado. "Não é um restaurante", eles proclamam, mas quem estão querendo enganar? O café-da-manhã é a partir das 10h, o local serve um cardápio do dia (mesmo nos fins de semana) das 13h–16h, com jantar a partir das 21h até a meia-noite. O cardápio é eclético, para dizer o mínimo –do rolinho primavera tailandês à linguiça catalã–, mas, com o mercado nos fundos, é tudo comida boa.

Biblioteca
Carrer Junta del Comerç 28 ☎934 126 261, ⊛www.bibliotecarestaurant.com. Seg–sex 20h–24h, sáb 13h–15h30 e 20h–24h. Fecha 2 semanas em ago. Um dos locais mais agradáveis para provar o que Barcelona tende a chamar de "cozinha criativa". O nome é um tributo ao acervo de livros de cozinha, todos ao que parece levados em conta, pois o peixe pode ser cozido no estilo japonês ou basco, os moluscos servidos com presunto cru, o cordeiro com o tratamento local (com pastinaca e nabo), e a torta de vitela servida com um purê diferente a cada dia. Os pratos saem por volta de € 40, e o pessoal que serve é solícito, garantindo uma boa experiência gastronômica. É bom fazer reserva.

Elisabets
Carrer d'Elisabets 2 ☎933 175 826. Seg–sáb 8h–23h; fecha ago. Cozinha catalã caseira confiável nas mesas apertadas entre paredes de tijolo da sala dos fundos, ou lanches e drinques no bar. O almoço substancial (13h–16h) tem preço imbatível, e há uma grande variedade de *tapas* e *bocadillos* (sanduíches).

Mam i Teca
Carrer de la Lluna 4 ☎934 413 335. Seg, qua–sex e dom 13h–16h e 20h30–24h, sáb 20h30–24h. Lugar intimista (ou seja, bem pequeno) com *tapas* ótimas e vinhos finos, dirigido por um gourmet que adora vinhos. Carne orgânica, queijos regionais bem escolhidos e ingredientes frescos do mercado compõem pratos como massas, travessas de legumes grelhados ou porções de cordeiro. Termine com trufas de chocolate ou sorvete caseiro. Há apenas quatro mesas, mas você pode ficar no bar.

Pollo Rico
Carrer de Sant Pau 31 ☎934 413 184. Diariam 10h–24h; fecha qua. Local bem popular e rústico, ótimo para um frango no espeto e um vinho da casa, servidos no bar. O salão no andar de cima é mais sofisticado (só um pouquinho) –em ambos os casos, você vai gastar até € 12 por bons pratos de básicos espanhóis e catalães.

Sesamo
Carrer Sant Antoni Abat 52 ☎934 416 411, ⊛www.sesamo-bcn.com. Seg e qua–sáb 13h–17h e 20h–1h, dom 20h–1h. Cozinha vegetariana inovadora mas barata que se baseia em ingredientes frescos, na maioria orgânicos, e em influências do mundo todo. O almoço sai por ótimo preço, e mesmo à noite, comendo *à la carte*, você dificilmente paga mais de € 25. As refeições são servidas de 13h–15h30 e de 21h–22h30; fora dos horários da cozinha, você pode entrar para um drinque.

La Verònica

Rambla de Raval 2–4 ☎933 293 303. Diariam 12h–1h. Fecha 2 semanas em ago. Ao mudar do Barri Gòtic, a singular pizzaria La Verònica se encaixou bem no novo visual da Rambla de Raval. Serve pizza crocante (a maioria vegetariana, entre € 9 e € 12) e saladas criativas, dedicada a um pessoal jovem que sai para uma noitada.

Bares

Almirall

Carrer de Joaquin Costa 33 ☎933 189 917. Diariam 19h–3h. Datado de 1860, o bar mais antigo de Barcelona –confira as portas e o balcão modernistas– é um venerado reduto da esquerda.

Café de les Delícies

Rambla de Raval 47 ☎934 415 714. Diariam 18h–2h, sex e sáb até 3h. Uma das primeiras novidades nesta área remodelada, e talvez ainda a melhor; bonito, aconchegante e artístico, com terraço de verão e comida para dividir.

La Confitería

Carrer de Sant Pau 128 ☎934 430 458. Seg–sáb 20h–3h, dom 19h–2h. Esta antiga padaria e confeitaria modernista –bar de madeira entalhada, chão de azulejos desbotados, murais, lustres antigos– é hoje um ponto de reunião popular, com um ambiente amistoso e relaxado.

London Bar

Carrer Nou de la Rambla 34 ☎933 185 261. Ter–dom 19h–4h. Fecha 2 semanas em ago. Inaugurado em 1910, este conhecido reduto modernista atrai hoje principalmente turistas, mas vale a pena ir lá pelo menos uma vez. Tem música na maioria das noites, e você pode sempre contar com um drinque grátis nas altas horas.

Marsella

Carrer de Sant Pau 65 ☎934 427 263. Seg–qui 22h–2h, sex e sáb 22h–2h. Fecha 2 semanas em ago. Um bar autêntico, de clima sedutor –com o nome do porto francês de Marselha–, onde o absinto é o drinque da hora. Mantém o espírito do antigo Barri Xines.

Muy Buenas

Carrer del Carme 63 ☎934 425 053. Ter–sáb 9h–3h. Talvez o melhor local para beber do Raval, com atendimento solícito. Uma longa cuba de mármore serve de bar, e a cerveja é tirada de máquinas antigas.

Resolis

Carrer Riera Baixa 22 ☎934 412 948. Seg–sáb 11h–1h. A equipe por trás do restaurante *Ànima* resgatou este decadente bar de um século

▼ LA CONFITERÍA

de idade e fez dele um reduto de excelentes *tapas*. Não foi preciso muito —uma pintura, polir os painéis, remendar os tijolos–, mas agora os clientes transbordam para a rua de "roupas usadas" e todos se divertem.

Zelig
Carrer del Carme 116 ☎934 415 622. Ter-dom 19h–2h, sex e sáb até 3h. Com as fotos nas paredes de granito e o bom estoque de bebidas, o Zelig parece um bar comum, mas ele se destaca por receber com um bom papo, pelo som década de 1980 e por um toque brega.

Casas noturnas

Jazz Sí Club
Carrer Requesens 2 ☎933 290 020, ⓦwww.tallerdemusics.com. Shows bons e baratos (€ 4-7) num pequeno clube associado à escola de música. Toda noite, a partir de 20h ou 21h, tem algo diferente, de rock, blues, jazz e canjas às populares noites cubanas (quintas) e de flamenco (sextas).

Llantiol
Carrer Riereta 7 ☎933 299 009, ⓦwww .llantiol.com. Fecha seg. Teatro na língua local não é acessível a quem não fala catalão, mas vale a pena ir a este bizarro café-cabaré —as atrações são uma mistura de mímica, canções, *clowns*, mágica e dança. Os shows (€ 9-12) começam normalmente às 21h e 23h (18h e 21h aos dom, com um show especial tarde da noite aos sábados).

Moog
Carrer Arc del Teatre 3 ☎933 017 282, ⓦwww.masimas.com. Diariam 12h–5h. Clube da moda que toca techno, electro, drum'n'bass, house e funk para uma galera animada. Ingresso € 9.

La Paloma
Carrer Tigre 27 ☎933 016 897, ⓦwww.lapaloma-bcn.com. O fabuloso salão de baile e local de concertos foi um sucesso durante anos, reunindo jovens e não jovens para passos de rumba e chachachá, com DJs assumindo o comando depois da meia-noite, vindo do trabalho em outras casas noturnas. Fechou por problemas com a prefeitura em 2007, mas deve reabrir —cheque o site.

Sant Pere

Talvez a parte menos visitada da cidade antiga seja o bairro medieval de Sant Pere, a área que fica imediatamente a leste da Via Laietana e do Barri Gòtic e a norte do Carrer de la Princesa. Tem dois edifícios importantes –a sala de concertos modernista conhecida como Palau de la Música Catalana e um mercado com projeto sofisticado, o Mercat Santa Caterina. O bairro ganhou várias intervenções e melhorias nos últimos anos: estão sendo abertas novas avenidas e surgiu uma leva de bares e restaurantes muito bem montados, alguns deles uma atração imperdível. Para conhecer a região, você pode começar descendo na estação de metrô Urquinaona, perto do Palau de la Música Catalana. A estação de metrô Jaume I marca o extremo sul de Sant Pere.

Palau de la Música Catalana

Carrer Sant Pere Més Alt ☏902 442 882, ⓦwww.palaumusica.org. Bilheteria abre seg-sáb 10h-21h. Visitas guiadas diariam 10h-15h30, mais jul-set 10h-19h, em inglês a cada hora. € 9. A chegada à estupenda sala de concertos do arquiteto modernista Lluís Domènech i Montaner vindo do estreito Carrer Sant Pere Més Alt é algo de tirar o fôlego. Construída em 1908, a estrutura de tijolo aparente é escondida por azulejos e mosaicos, com a fachada altamente elaborada apoiada em três grandes colunas, como pernas de elefantes. As ampliações e reformas sucessivas no interior deixaram o local mais espaçoso –o Petit Palau oferece um auditório menor e, ao lado, a fachada envolvente de vidro, o pátio e o terraço oferecem acesso ao público. A temporada de concertos vai de outubro a junho e inclui apresentações do grupo coral Orfeo Català e da orquestra de Barcelona, mas há espaço para muito mais –de

▲ PALAU DE LA MÚSICA CATALANA

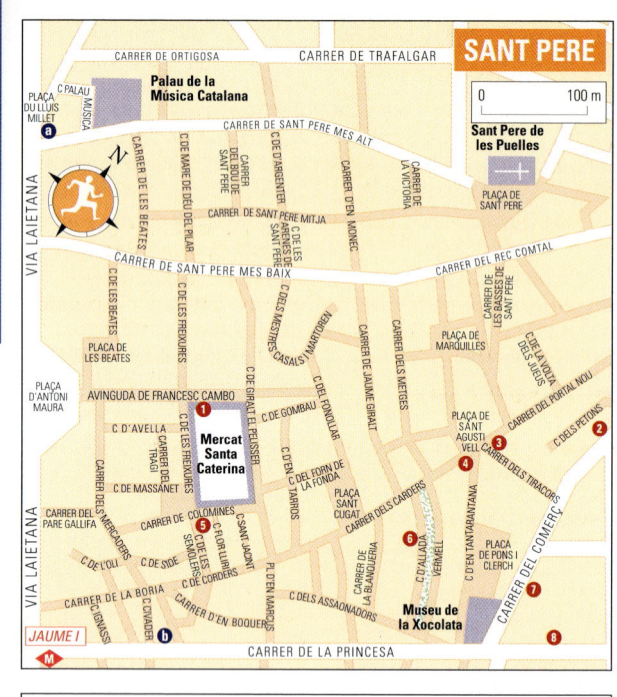

TAPAS E RESTAURANTES		L'Econòmic	3	BAR		LOJAS	
Comerç 24	2	Mosquito	4	Casa Paco	6	Les Muses del Palau	a
Cuines Santa Caterina	1	Santa Maria	7			El Rei de la Magia	b
Espai Sucre	8	Wushu	5				

flamenco a world music. Metade do prazer de qualquer apresentação é apreciar o impressionante interior. A começar pelos azulejos do lobby e o vitral em abóbada coroando o segundo andar do auditório –que os críticos da época consideraram como uma impossibilidade da engenharia. Você pode também ver o interior numa visita guiada, embora o número de pessoas seja limitado e você tenha de fazer reserva, pessoalmente ou por telefone, na bilheteria (entrada pelo Carrer Palau de la Música 4-6), ou ligando para a loja de presentes vizinha, Les Muses del Palau, Carrer Sant Pere Més Alt 1.

Església de Sant Pere de les Puelles

Plaça de Sant Pere ☎932 680 742. Seg-sáb 8h45–13h e 17h–19h30, dom 10h–14h. A praça central de Sant Pere tem o nome, como o próprio bairro, da sua igreja monástica, cujos altos muros e portal gótico se elevam acima da fonte em ferro fundido da praça. A igreja foi reconstruída em 1147 sobre alicerces ainda mais antigos, mas seu interior veio sendo restaurado ao longo dos séculos, até perder importância. Mas as três ruas medievais que convergem para a igreja, Carrers de Sant Pere Més Alt (de cima), Mitja (do meio) e Baix (baixo), contêm os melhores edifícios

▲ PLACA DE RUA

do bairro e as melhores lojas –pequenas butiques e negócios familiares antigos.

Mercat Santa Caterina

Avgda. Francesc Cambò 16 ☏933 195 740, ⓦwww.mercatsantacaterina. net. Seg 8h–14h; ter, qua e sáb 8h–15h30; qui e sex 8h–20h30.

O foco do bairro é o Mercat Santa Caterina, cuja esplêndida restauração preservou seus muros com balaustrada do século 19 e acrescentou portas e janelas com ripas de madeira e um impressionante telhado ondulado. Durante os trabalhos de reforma, foram descobertos no local os alicerces de um importante convento medieval –partes dos muros são agora visíveis atrás de vidros na parte de trás do mercado. O Santa Caterina é um dos melhores locais da cidade para comprar comida, e seu restaurante e bar valem uma visita especial. Nas ruas em volta, há vários outros bares e restaurantes.

Plaça de Sant Agusti Vell

A linda e arborizada Plaça de Sant Agusti Vell é um bom endereço para almoçar, com várias opções de restaurantes na área. Fica no meio dos projetos mais ambiciosos de recuperação do bairro de Sant Pere: estão em andamento obras para criar dois blocos ao norte, que terão o nome de Jardins Pou de la Figuera. A extensão sul, cruzando o Carrer dels Carders, foi concluída nos anos 1990 e já se consolidou. Agora, o **Carrer d'Allada Vermell** é uma das mais agradáveis ramblas da cidade velha, com suas altas árvores e pequenos playgrounds intercalados por cafés e bares ao ar livre. E, saindo da Plaça de Sant Agusti Vell, desça o **Carrer dels Carders** –antiga "rua dos cordoeiros"–, que hoje é uma área comercial com mercearias,

▼ MERCAT SANTA CATERINA

ÁREA POR ÁREA

Sant Pere

cafés e lojas de roupas, arte e artesanato africano e asiático, e jóias.

Museu de la Xocolata
Carrer del Comerç 36 ☎932 687 878, www.pastisseria.com. Seg e qua-sáb 10h–19h, dom 10h–15h. € 3,90. Não são muitas as cidades que podem contar com um museu inteiramente dedicado ao chocolate. O de Barcelona fica no antigo Convent de Sant Agusti, cujo claustro do século 13, redescoberto quando o edifício foi restaurado, pode ainda ser visto. O museu narra a história do chocolate, desde suas origens como produto sagrado e medicinal da América Central pré-histórica até sua introdução na Europa como confeito, no século 16. Se você vai entrar ou não irá depender provavelmente do quanto estiver a fim de ver maquetes de prédios de Gaudí ou de ícones religiosos esculpidos em chocolate. Seja como for, o museu do café serve uma ótima xícara de chocolate quente –e o balcão de chocolates é irresistível–, enquanto na adjacente Escola de Pastisseria, janelas de vidro permitem ver os estudantes aprendendo nas cozinhas.

Lojas

Les Muses del Palau
Carrer Sant Pere Més Alt 1 ☎902 442 882. Parada obrigatória para quem quer comprar qualquer coisa relacionada ao Palau de la Música e ao *modernisme* –presentes, jóias e acessórios, postais e CDs.

El Rei de la Magia
Carrer Princesa 11 ☎933 193 920. A mais antiga loja de mágica da Espanha oferece todos os truques do ofício, de frangos de borracha a capas de Drácula. O local também apresenta shows de mágica.

Restaurantes e bares de tapas

Comerç 24
Carrer Comerç 24 ☎933 192 102, www.carlesabellan.com. Ter–sáb 13h30–15h30 e 20h30–24h30. Fecha

▲ CHOCOLATE NO MUSEU DE LA XOCOLATA

2 semanas em ago. O *chef* Carles Abellan apresenta a cozinha "glocal" (global + local): pratos do mundo todo, interpretados localmente por um mestre da invenção. Num interior muito bonito, a comida vem no estilo *tapas*, misturando sabores e texturas com aparente liberdade, mas para um efeito calculado (hambúrguer de *foie gras* e trufas, copinhos de sopa espumante, pizza de atum ou sashimi). Os preços são altos (cerca de € 70-80 por pessoa), e é aconselhável fazer reserva, embora você possa fazer uma refeição mais barata e menos formal no bar de *tapas* Abellan's Eixample, *TapaÇ24*, onde a comida tem o mesmo padrão.

Cuines Santa Caterina
Mercat Santa Caterina, Avgda. Francesc Cambó s/n ☎932 689 918. Bar diariam 8h–24h, restaurante 13h–16h e 20h–23h30. O restaurante do mercado tem design encantador, com janelões e mesas de refeitório dispostas sob altos vigamentos de madeira. A comida passa por todos os básicos –de massas a sushi, de pratos catalães de arroz a curries tailandeses– e, embora as porções não sejam grandes, tampouco são caras (entre € 9-12). Ou então você pode apenas beber e saborear ótimas *tapas* no bar em ferradura, curtindo o movimento frenético do mercado.

Espai Sucre
Carrer de la Princesa 53 ☎932 681 630, www.espaisucre.com. Ter–qui 9h–22h30, sex e sáb 8h30–23h; fecha em ago. O "Espaço Açúcar" aborda a seu modo a moda atual de desconstrução da comida servindo quase só sobremesas –criações inspiradas de Jordi Butrón, que junta sabores e texturas com talento de mágico. Há um cardápio sazonal de pudins com três ou cinco pratos, com vinhos para combinar, mais uma pequena coleção de saborosos pratos "principais" para completar. Confira no site uma programação de *demos* de sobremesas e pratos.

L'Econòmic
Plaça de Sant Agusti Vell 13 ☎933 196 494. Seg-sex 12h30–16h30; fecha ago. O salão com belos azulejos data de 1932 e compõe um ambiente perfeito para um almoço substancioso, servido, como diz o nome, por um preço razoável –por volta de € 10 por uma refeição de três pratos, mais vinho, que muda com a estação. Talvez você tenha de esperar uma mesa sob os arcos do lado de fora.

Mosquito
Carrer dels Carders 46 ☎932 687 569, www.mosquitotapas.com. Ter–dom 17h–1h, sex e sáb até 2h30. Deliciosas *tapas* pan-asiáticas, incluindo coisas como asas de frango balinesas, macarrão tailandês ou de Cingapura, *pakoras* crocantes de espinafre ou *chaat* de batata. Também tem um cardápio de sushi/sashimi, e, levando em conta o serviço atencioso, o café Fair Trade, a world music e os preços bastante razoáveis, trata-se de uma ótima opção.

Santa Maria
Carrer Comerç 17 ☎933 151 227, www.santamaria.biz. Ter–sáb 1h30–13h30 e 20h30–24h30. Fecha 2 semanas em ago. O bar de *tapas* new-wave de Paco Guzmán tem uma cozinha com frente de vidro e delícias como sushi catalão, confit de polvo, perna

▲ CASA PACO

de rã na soja e gengibre, lascas de iúca ou codorna ao molho. Por menos de € 40 por pessoa, você ainda encerra com o famoso "Dracula" –tacinha de morangos e creme de baunilha que irá deixar você nas nuvens.

Wushu
Carrer Colomines 2 ☎933 107 313, ⓦwww.wushu-restaurant.com. Ter–sáb 13h-23h. Se for comer apenas um prato não catalão em Barcelona, venha a este bar asiático de dono australiano, que serve superautênticos *pads* tailandeses, *laksas* malaios, rolinhos de papel de arroz vietnamitas, curries vermelho e verde, e macarrão chinês. Entrada, prato principal e vinho saem por menos de € 25. São poucas mesas, por isso reserve, mas o serviço é contínuo, por isso é um lugar de Barcelona onde você pode vir jantar antes das 22h.

Bar

Casa Paco
Carrer d'Allada Vermell 10 ☎935 073 719. Seg–qui e dom 9h–2h, sex e sáb 9h–3h, out–mar abre 18h. O bar quente do bairro é este local de música, casual, um sucesso na cena DJ de fim de semana. Tem um grande terraço sob as árvores, e, se estiver lotado, há meia dúzia de outros ao ar livre na alameda sem trânsito. Como há a associada *Pizza Paco* atravessando a rua (também com terraço), você pode jantar por aqui mesmo.

La Ribera

Os destaques tradicionais do antigo bairro de artesãos de La Ribera são a linda igreja de Santa María del Mar e o Museu Picasso, este último a maior atração turística isolada de Barcelona. Mais recentemente, o bairro também tem sido escolhido por designers e artesãos, cujas butiques e oficinas dão a ele uma atmosfera de criatividade. Galerias de arte e museus de arte aplicada ocupam as mansões medievais do Carrer de Montcada –a rua mais bonita do bairro–, e a parte mais moderna desta área fica em volta do Passeig del Born, cujos cafés, restaurantes e bares compõem um dos principais centros da vida noturna da cidade. O acesso mais direto a La Ribera é pela estação de metrô Jaume I.

Museu Picasso
Carrer de Montcada 15–23 ☎932 563 000, ⓦwww.museupicasso.bcn.es. Ter–dom 10h–20h. € 6, exposições especiais € 5, museu e exposições € 8,50, primeiro dom do mês gratuito.

Embora não tenha nenhuma de suas obras mais famosas, o Museu Picasso permite rastrear a evolução do artista a partir de suas primeiras pinturas até as obras maduras de seus últimos anos. Seus primeiros desenhos são particularmente interessantes. Picasso –ainda assinando seu nome completo, Pablo Ruiz Picasso– tenta neles copiar as pinturas naturalistas em que seu pai se especializou. As pinturas de seus dias de aluno da escola de arte de Barcelona (1895–97) mostram vislumbres da cidade que o jovem Picasso começava a explorar, enquanto obras no estilo de Toulouse-Lautrec, como o cardápio que fez para a taberna *Els Quatre Gats* em

Picasso em Barcelona

Embora nascido em Málaga, **Pablo Picasso** (1881-1973) passou parte da juventude –dos 14 aos 23 anos– em Barcelona. O tempo que viveu aqui abrange o período da sua Fase Azul (1901–04) e forneceu muitas influências da sua arte. Perto do Museu Picasso ficam muitos dos edifícios onde morou e trabalhou, como a Escola de Belles Arts de Llotja (Carrer Consolat del Mar, perto da Estació de França), onde seu pai lecionou desenho e onde o próprio Picasso teve seu treino acadêmico. Os apartamentos em que a família morou quando chegou a Barcelona –Pg. d'Isabel II 4 e Carrer Reina Cristina 3, ambos perto da Escola– também podem ser vistos, mas só do exterior, e o primeiro estúdio de Picasso (em 1896) ficava no Carrer de la Plata nº 4. Poucos anos depois, muitas obras de sua Fase Azul foram concluídas no estúdio do Carrer del Comerç 28. Sua primeira exposição foi em 1901 na extravagante taberna *Els Quatre Gats* (Carrer Montsió 3, Barri Gòtic; ⓦwww.4gats.com); você ainda pode comer aqui atualmente.

▲ CAMISETAS, MUSEU PICASSO

1900, refletem seu interesse pela arte de Paris. Outras obras selecionadas são da famosa Fase Azul (1901-04) e da Fase Rosa (1904-06) e de suas fases cubista (1907-20) e neoclássica (1920-25). Os vazios na coleção principal realçam as grandes mudanças de estilo e clima do pintor, bem ilustradas no ano de 1957, em que fez 44 interpretações da obra-prima *As meninas,* de Velásquez.

As obras menores –esboços, desenhos e gravuras– cobrem a maioria das fases da carreira do artista até 1972, incluindo sua obra como ceramista.

Desde que você leve em conta que o museu está sempre cheio de gente e que não vai encontrar nenhum quadro famoso de Picasso no acervo permanente, com certeza não sairá daqui desapontado. Uma visita guiada gratuita é a melhor maneira de conhecer o museu –em inglês, às quintas às 18h e aos sábados às 12h. Há um café com terraço num dos pátios e, é claro, uma loja cheia de lembranças relacionadas ao pintor.

Museu Textil i d'Indumentaria
Carrer de Montcada 12–14 ☎933 197 603, ⓦwww.museutextil.bcn.es. Ter–sáb 10h–18h, dom 10h–15h. € 3,50, primeiro dom do mês gratuito; o ingresso vale também para o Museu de Ceràmica e o Museu de les Artes Decoratives em Pedralbes. O Palau de Lliò, do século 14, contém as vastas coleções do Museu de Têxteis e Roupas da cidade. Itens selecionados, desde tecidos romanos até vestidos de coquetel da década de 1930 –em bela apresentação–, demonstram a arte e a técnica por trás da confecção de roupas, bordados, rendas e tapeçarias. O andar de cima abriga a obra de designers espanhóis e catalães das décadas de 1970 a 1990, com uma sala dedicada a Pedro Rodríguez (1895-1990), primeiro estilista de alta-costura a montar um ateliê em Barcelona. Exposições especiais no museu têm muito prestígio (por isso, cobra-se geralmente ingresso à parte), e o Textil Café do pátio é um dos melhores da cidade velha. Na loja você encontra joalheria, gravatas de seda, velas, utensílios de cozinha, mochilas e outros itens de design para presente.

Museu Barbier-Mueller
Carrer de Montcada 14 ☎933 104 516. Ter–sex 11h–19h, sáb10h–19h, dom 10h–15h. € 3, primeiro dom do mês, gratuito. Uma fascinante coleção de arte pré-colombiana fica abrigada no Palau Nadal, palacete reformado do século 16, vizinho ao Museu de Têxteis e Roupas. As exposições temporárias –todas muito bem apresentadas– destacam amplo espectro de temas e inspiram-se em uma inigualável coleção de escultura, cerâmica, joalheira e tecidos, assim como em itens do cotidiano, de fivelas de cinto decoradas da Mongólia a mobília africana entalhada. Em seguida, dê uma olhada na loja do museu, que tem uma variedade de artefatos, como

objetos para dependurar na parede, joalheria, vasos de terracota e bonecos. Se você procura um chapéu-panamá, o lugar é aqui.

Església de Santa María del Mar

Plaça de Santa Maria 1, at Pg. del Born ☎933 102 390. Diariam 0h, 13h30 e 16h30–20h; dom missa coral às 13h. A principal igreja de La Ribera foi iniciada por ordem do rei Jaume II em 1324 e concluída em apenas cinco anos. Erguida no que era praia no século 14, Santa María ficava no bairro marítimo e comercial da cidade medieval (o Carrer Argentería, por exemplo, tem esse nome por causa dos artesãos de prata que trabalhavam aqui), quando a cidade assumiu a supremacia comercial na Coroa de Aragão, da qual era capital. Exemplo de arquitetura gótica catalã, com uma ampla nave central e naves laterais altas e estreitas, apesar de seu exterior de decoração contida, ainda é mais cara ao coração da maioria dos locais do que a catedral, a única outra igreja da cidade com a qual se compara. Os enfeites barrocos foram destruídos

LOJAS
Almacen Marabi	a
Atalanta Manufactura	d
La Botifarrería de Santa Maria	e
Casa Gispert	b
Custo Barcelona	g
Czar	c
U-Casas	f
Vila Viniteca	h

CAFÉS, TAPAS E RESTAURANTES
Àbac	18
La Bascula	3
Café del Born	13
Rosal	9
Textil Café	2
Cal Pep	16
Casa Delfin	12
Euskal Etxea	8
Mar de la Ribera	11
Salero	17
Senyor Parellada	1
El Xampanyet	7

CASAS NOTURNAS E BARES
Berimbau	10
Espai Barroc	5
La Fianna	6
Mudanzas	15
El Nus	4
La Vinya del Senyor	14

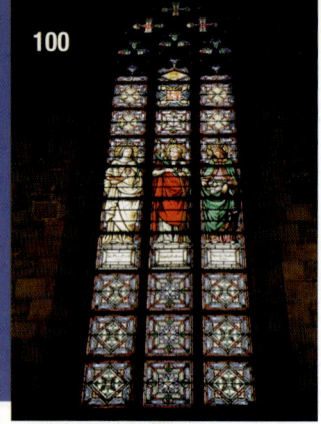

▲ SANTA MARÍA DEL MAR

durante a Guerra Civil, o que não foi de todo mau, já que o longo trabalho de restauração se concentrou em mostrar os espaços simples do interior; os vitrais são especialmente belos.

Atrás da igreja fica a praça **Fossar de les Moreres**, que marca o local onde, após a derrota de Barcelona em 11 de setembro de 1714, os mártires catalães que lutavam pela independência contra o rei da Espanha, Felipe V, foram executados. Uma cimitarra de aço vermelha com uma chama eterna comemora a data.

Passeig del Born

Diante da igreja de Santa María del Mar fica o bonito Passeig del Born, antigo local de feiras medievais e torneios, e hoje uma avenida arborizada cheia de bares chiques e lojas. Os cafés no extremo leste colocam mesas diante do velho Mercat del Born (1873-76). Ele já foi o maior de Barcelona no século 19 e o principal centro atacadista para hortifrútis até 1971. Prestes a ser demolido, foi salvo por protestos dos locais, que queriam transformá-lo em biblioteca e centro cultural. O trabalho já dura anos, dificultado pela escavação de lojas, fábricas, casas e tabernas do século 18 encontrados sob o mercado. Os restos arqueológicos serão preservados e ficarão visíveis quando o projeto for concluído. Há butiques e oficinas de artesanato nas ruelas medievais de ambos os lados do *passeig* –os Carrers Flassaders e Vidreria são famosos pelas galerias de roupas, sapatos e jóias. À noite, o Born vira uma das maiores áreas de bares de Barcelona, com inúmeros locais para beber –desde bares de coquetéis no estilo antigo até megacasas de música.

Lojas

Almacen Marabi

Carrer Flassaders 30, sem telefone, Ⓦ www.almacenmarabi.com.
Mariela Marabi, argentina, faz a mão bonequinhas de feltro para pôr nos dedos, móbiles, bonecas e animais de incrível criatividade. Sua oficina também tem peças de edição limitada de outros artistas e designers selecionados.

▲ PASSAGENS ESTREITAS NO PASSEIG DEL BORN

▲ CAFÉ NO PASSEIG DEL BORN

Atalanta Manufactura
Pg. del Born 10 ☎932 683 702.
Butique-ateliê de artefatos de linho e seda tingidos e pintados, incluindo lenços e enfeites de parede.

La Botifarreria de Santa Maria
Carrer Santa Maria 4 ☎933 199 123.
Se você alguma vez duvidou do prestígio da linguiça de porco catalã, venha até esta grande mercearia, onde os catalães, habitualmente educados, se empurram no balcão disputando a *botifarra caseira*, e mais pernis, queijos, patês e salames. Há camisetas da *Botifarreria* à venda, para os verdadeiros fãs.

Casa Gispert
Carrer Sombrerers 23 ☎933 197 535, @www.casagispert.com. Há mais de 150 anos no ramo de nozes, café e especiarias, é uma loja muito agradável, com aromas tentadores, que vende também produtos gourmet.

Custo Barcelona
Plaça de les Olles 7 ☎932 687 893, @www.custo-barcelona.com. Onde as estrelas compram camisetas de designers, muito coloridas (e caras), além de tops e malhas para ambos os sexos. Também nas Ramblas 109, no Carrer de Ferran 36, Barri Gòtic, e no shopping L'Illa.

Czar
Pg. del Born 20 ☎933 107 222.
Milhares modelos de sapatos, para correr, botinhas, para boliche e beisebol –se o seu Starsky and Hutch Adidas SL76 está gasto, aqui você acha outro par.

U-Casas
Carrer Espaseria 4 ☎933 100 046, @www.casasclub.com. A Casas tem quatro tipos de lojas de

▼ LOJA DE ARTE

ÁREA POR ÁREA | La Ribera

sapatos na Espanha, e a marca U-Casas fica na faixa jovem. Sem falar dos sapatos, as lojas são espetaculares, ainda mais aqui no Born, onde um enorme sofá em forma de sapato rouba a cena. Há filiais no Calle Tallers 2 (Raval), Calle Portaferrissa 25 (Barri Gòtic) e nos shoppings L'Illa e Maremàgnum.

Vila Viniteca
Carrer Agullers 7 e 9 ☎932 683 227, ⓦwww.vilaviniteca.es. Especialista em vinhos catalães e espanhóis. Escolha sua garrafa e volte para a rua atrás de uma boa mercearia para completar a operação.

Cafés

Café del Born
Plaça Comercial 10 ☎932 683 272. Seg–qui e dom 9h–13h, sex e sáb 9h–3h30. Sem truques, ou arte duvidosa ou comida fusion –apenas um café-bar de sucesso com piso de madeira, pé-direito alto e cardápio mediterrâneo simples. O *brunch* de domingo é muito concorrido.

Rosal
Pg. del Born 27; sem telefone. Diariam 9h–2h. O terraço no final do Born tem sol o dia inteiro e virou um ponto de encontro popular, embora lotado nas noites de verão.

Textil Café
Carrer de Montcada 12–14 ☎932 682 598, ⓦwww.textilcafe.com. Ter e qua 10h–20h30, qui 10h–24h, sex e sáb 10h–1h, dom 10h–24h, ter–qui no inverno, só de dia. Todo mundo gosta deste café boêmio, no pátio medieval sombreado com piso de pedra do Museu de Têxteis e Roupa. A comida é ótima para dividir –homus, tzatziki, guacamole, babaganuch e tapenade, além de quiches, saladas, lasanhas e sanduíches. E tem ainda um cardápio do dia para almoço e jantar.

Restaurantes bares de tapas

Àbac
Carrer del Rec 79 ☎933 196 600, ⓦwww.restaurantabac.com. seg 8h30–23h, ter–sáb 13h30–16h30 e 20h30–23h. Fecha 2 semanas em jan e 3 em ago. Reduto minimalista do *chef* Xavier Pellicer, que oferece comida catalã com criatividade –por exemplo, com sua marca registrada, o cordeiro no leite de baunilha. É caro (mais de € 100 por cabeça), mas o local é uma das melhores opções gastronômicas da cidade.

La Bascula
Carrer Flassaders 30 ☎933 199 866. Te–sáb 13h–24h. Uma nova versão hippie-chique de uma velha fábrica de chocolate em uma rua escondida. É um local acolhedor que serve massas, sanduíches, empanadas, crepes, travessas com molhos e saladas, junto com dezenas de chás orgânicos, cafés, vinhos, sucos e shakes.

Cal Pep
Plaça de les Olles 8 ☎933 107 961. Seg 20h–24h, ter–sáb13h30–16h e 20h–24h; fecha em ago. Não há igual na cidade para *tapas* fresquinhas, recém-pescadas ou recém-trazidas do mercado, e se não quiser enfrentar fila, chegue ao abrir e pegue lugar no balcão. Os preços podem ser altos para o que

na verdade é um bar que serve refeições (até € 40), mas vale a pena quando se trata de camarão frito, pimentão verde quente, peixe grelhado, linguiça catalã e lulas com grão-de-bico –tudo com a supervisão do próprio Pep, sempre atrás do balcão.

Casa Delfin
Pg. del Born 36 ☎933 195 088. Seg–sáb 8h–17h; fecha em ago. Bar-restaurante da velha escola com toalha de mesa de papel, bem no fim da via principal, que oferece um *menú del dia* barato e variado –até dez opções de peixe e carne, de grelhados a cozidos, rematados por sobremesas caseiras ou frutas. Com café, sai tudo por menos de € 15.

Euskal Etxea
Plaça de Montcada 1–3 ☎933 102 185. Seg 18h30–24h, ter–sáb 12h–16h e 18h30–24h; o restaurante abre às 13h30 e 20h30. O bar em frente ao centro da comunidade basca local é ótimo para *pintxos* –aquelas *tapas* pequenas, presas por um palito e expostas no balcão, por isso é só apontar para a que você quer (e não jogar o palito fora para o garçom possa calcular a conta no final). Há um restaurante mais caro nos fundos com mais especialidades bascas.

Mar de la Ribera
Carrer Sombrerers 7 ☎933 151 336. Seg 8h–23h30, ter–sáb 13h–16h e 8h–23h30. Lugar pequeno e acolhedor que serve frutos-do-mar no simples estilo galego, por preços (€ 6-12) que estimulam refeições longas e tranquilas. Prove o peixe misto frito e a *paella*, ou os filés de peixe –merluza, salmão, atum, linguado, lulas– com óleo, alho e salsinha picada, acompanhados por saborosos legumes grelhados.

Salero
Carrer Rec 60 ☎933 198 022. Seg–sáb 13h30–16h e 20h30–24h. Fecha 2 semanas em ago. Este espaço moderno é um antigo armazém de bacalhau reformado –se a sua cor é o branco, você vai gostar daqui. A comida é asiático-mediterrânea, com delícias como o curry de berinjela com coco ou o *mee goreng* (macarrão frito) do dia. Os pratos custam € 10-16.

Senyor Parellada
Carrer Argenteria 37 ☎933 105 094. Diariam 13h–16h e 20h30–24h. A reforma belíssima deste edifício do século 18 manteve as arcadas do interior e pintou as paredes de amarelo. A comida é bem catalã –moluscos e bacalhau, rolinhos caseiros de repolho, pato com figos, *papillote* de feijão com ervas–, com um longo cardápio que não separa entradas de pratos principais. A maioria das opções fica entre € 8 e € 15, e há mais de uma dúzia de pudins de sobremesa.

▼ CARRER DE LA MONTCADA

El Xampanayet
Carrer de Montcada 22 ☎933 197 003. Ter–sáb 12h–16h e 18h30–23h, dom 12h–16h; fecha em ago. Bar tradicional de azulejos azuis que faz sucesso com o espumante *cava* e a sidra. Anchovas salgadas são a especialidade, mas tem ainda atum marinado, mexilhões, carne fatiada e queijos. Como é usual, a bebida é barata e as *tapas* são caras, mas o local tem um ambiente excelente.

Bares

Berimbau
Pg. del Born 17 ☎933 195 378. Diariam 18h–2h30. Bar brasileiro mais antigo da cidade ainda é ótimo lugar para boa música e coquetéis sensacionais.

Espai Barroc
Palau Dalmases, Carrer de Montcada 20 ☎933 100 673. Ter–sáb 20h–2h, dom 18h–22h. Uma da série de belas mansões do Carrer de Montcada, o Palau Dalmases abre de noite com um majestoso bar. Você pode tomar vinho, champanhe ou conhaque no fino ambiente ou, uma vez por semana, apreciar melodias de ópera ao vivo (qui às 23h; € 20, primeiro drinque incluído).

La Fianna
Carrer Banys Vells 19 ☎933 151 810, www.lafianna.com. Seg–qua e dom 18h–1h30, qui–sáb 18h–2h30. Candelabros, abajures de pergaminho, paredes de estuque e cores vivas compõem o clima gótico deste lounge bar numa mansão cheia de estilo. Relaxe em sofás de veludo, ou faça reserva para comer –o restaurante fusion fica aberto a partir de 20h30 e é muito concorrido para o *brunch* de domingo.

Mudanzas
Carrer Vidrería 15 ☎933 191 137. Diariam 10h–2h30. Os locais vêm atrás do clima relaxado (especialmente se você puder se esconder na sala de cima), e os frequentadores, atrás da maior seleção de runs do mundo todo.

El Nus
Carrer Mirallers 5 ☎933 195 355. Diariam exceto qua 19h30–2h30. Ainda tem um toque da loja que foi, como a antiga caixa registradora, mas agora é um jazz-bar e galeria –calmo, à moda antiga para um fim de noite.

La Vinya del Senyor
Plaça Santa Maria 5 ☎933 103 379. Ter–qui 12h–1h, sex e sáb 12h–2h, dom 12h–24h. Aconchegante vinheria com mesas ao ar livre junto à linda igreja de Santa María del Mar. Carta de vinhos imensa –parte dela servida por copo–, e as *tapas* incluem ostras, salmão defumado e outras de primeira linha.

▼ UM *CAVA* BORBULHANTE

Parc de la Ciutadella

Quando precisar dar um tempo nas intrigas históricas da cidade antiga e em suas ruas labirínticas, vá até o espaço verde predileto da cidade, o Parc de la Ciutadella, na parte leste de La Ribera. Ele tem uma série de atrações –o edifício do Parlamento catalão (fechado ao público), viveiros de plantas, museus e um zoológico–, embora nos dias quentes de verão haja pouco incentivo para fazer mais do que passear pelos sombreados caminhos ajardinados e andar de barco a remo pelo plácido lago ornamental. O parque data da demolição em 1869 de uma cidadela dos Bourbon, erigida aqui em meados do século 18, após a resistência de Barcelona na Guerra da Sucessão Espanhola. A Ciutadella foi mais tarde sede da Exposição Universal de 1888 –e desse período data uma série de edifícios e monumentos dos pioneiros arquitetos modernistas da cidade. Os portões principais do parque ficam no Passeig de Picasso (a curta caminhada de La Ribera) e há também uma entrada pelo Passeig de Pujades (estação de metrô Arc de Triomf); para acesso direto ao zoológico, use o metrô Ciutadella-Vila Olímpica.

Arc de Triomf

Pg. Lluís Companys. O grande arco de tijolos na ponta norte do Passeig Lluís Companys já faz antever o esplendor arquitetônico do Parque da Ciutadella. Romano na escala, mas reinterpretado pelo arquiteto modernista Josep Vilaseca i Casanovas como uma firme declaração das intenções catalãs, ele é revestido de figuras e motivos de cerâmica e encimado por dois pares de domos. Os relevos na fachada principal mostram a cidade de Barcelona dando boas-vindas aos visitantes da Exposição Universal de 1888, realizada na parte sul do parque.

Cascada

Parc de la Ciutadella. O parque abre diariam de 8h–entardecer. Talvez a

▼ ARC DE TRIOMF

estrutura mais notável do parque seja a monumental fonte no seu canto nordeste. Foi projetada por Josep Fontseré i Mestrès, arquiteto que supervisionou a conversão da antiga área da cidadela num parque, e que teve como assistente o jovem Antoni Gaudí, então estudante: a extravagância barroca da estatuária da Cascada (note seus dragões) sugere a decoração berrante que se tornaria mais tarde a marca de Gaudí. O melhor local para contemplar a fonte é o pequeno café ao ar livre logo ao sul. Aqui há também um lago, onde por alguns euros você aluga um barco a remo para passear entre os patos.

Museu de Zoologia

Pg. de Picasso ☎933 196 912, ⓦwww.bcn.es/museuciencies. Ter–dom 10h–14h30, qui e sáb até 18h30. € 3,50, primeiro dom do mês, gratuito. O Museu de Ciência Natural da cidade divide suas coleções entre dois edifícios do Parque da Ciutadella. O de visual mais interessante é o do museu zoológico –projeto de tijolo vermelho similar a

▲ CASCADA

um castelo, de Domènech i Montaner, destinado a abrigar o café-restaurante da Exposição Universal. Apelidado de "Castell dels Tres Dragons", tornou-se um centro das artes modernistas, onde contemporâneos de Domènech testavam novos materiais e refinavam suas técnicas. O museu apresenta ainda uma série de mostras sobre fauna ibérica, mas as exposições temporárias de ciências despertam maior interesse. Você pode deixar a visita mais animada para crianças menores de 12 anos pedindo o kit de atividades educacionais gratuitas.

Hivernacle e Umbracle
Pg. de Picasso. Ambos abertos diariam de 8h-entardecer. Gratuito.
Duas atrações pouco divulgadas da Ciutadella são os viveiros de plantas, de ambos os lados do Museu Geológico. O Umbracle (viveiro de palmeiras) é uma bela estrutura com telhado em barril de ripa apoiado em pilares de ferro, que deixa passar feixes de luz sobre as palmeiras e samambaias. Os materiais e o conceito se repetem no Hivernacle, com estufas divididas por um terraço com teto de vidro. O refinado café-bar do Hivernacle é o melhor ponto do parque para beber e comer.

▼ MUSEU DE ZOOLOGIA

Museu de Geologia

Pg. de Picasso ☎933 196 895, ⓦwww.bcn.es/museuciencies. Ter–dom 10h–14h30, qui e sáb até 18h30. € 3,50, primeiro dom do mês, gratuito.

O outro edifício do Museu de Ciência Natural foi o primeiro museu da cidade, o Museu Geológico, de 1882. É obra de época, com vitrines do século 19 em um edifício clássico com frontões. De um lado, ficam os minerais, e do outro, os fósseis, com muitas das peças oriundas da Catalunha, desde pedras fluorescentes a ossos de mamute.

Parc Zoològic

Carrer de Wellington ☎932 256 780, ⓦwww.zoobarcelona.com. Diariam: jun–set 10h–19h; mar–mai e out 10h–18h; nov–fev 10h–17h. € 15. O zoológico da cidade ocupa a maior parte do sudeste do Parc de la Ciutadella. É lotadíssimo, tanto de animais como de visitantes, e muito caro, mas mesmo assim é procurado pelas famílias, pois além dos animais de praxe tem minitrem e passeios de pônei, uma fazendinha de animais para crianças e shows de golfinhos. Há ainda um aviário, um gorila em exposição permanente e uma vasta coleção de répteis. Entre as espécies em extinção do zoológico estão o lobo ibérico e grandes felinos como o leopardo-do-sri-lanka, o leopardo-das-neves e o tigre-de-sumatra. Mas os dias do zoológico no formato atual estão contados –talvez os políticos tenham percebido a ironia de sua localização junto ao edifício do Parlamento, e estejam cansados de explicar aos dignitários em visita a origem do forte cheiro que impregna a área. Há planos adiantados para mudar pelo menos os animais marinhos para uma nova área do zoológico no litoral, perto da Diagonal Mar (possivelmente em 2010).

▲ UMBRACLE

Museu de Carrosses Fúnebres

Carrer Sancho de Ávila 2 ☎934 841 700. Seg–sex 10h–13h e 16h–18h, sáb e dom 10h–13h. Gratuito.

Compareça à recepção dos Serveis Funeraris (serviço funerário) de Barcelona (junto à placa azul do Banc Sabadell) para uma das atrações mais esotéricas da cidade. Você será escoltado até as entranhas do edifício e as luzes serão acesas revelando um bizarro conjunto de 22 carruagens funerárias, cada uma estacionada em seu próprio palco pavimentado, com atendentes, cavalos e cocheiros em uma encenação congelada. Usadas nos funerais a partir do século 19, a maioria das carruagens e ataúdes é decorada de modo extravagante, em dourado, preto ou branco. Velhas fotos mostram algumas das carruagens em uso pelas ruas da cidade, e vitrines destacam uniformes antigos, roupas de luto e trajes de cocheiros.

▲ PASSEANDO NO PARC DE LA CIUTADELLA

Café

Hivernacle

Pg. de Picasso ☎932 954 017. Diariam 10h–24h. Um terraço relaxante em meio a palmeiras, num viveiro de plantas do século 19. É uma parada agradável para tomar um drinque de dia, saborear *tapas* ou fazer uma excelente refeição catalã, com música ao vivo e noites de jazz duas vezes por semana.

ÀREA POR ÀREA | Parc de la Ciutadella

Montjuïc

Você vai precisar de pelo menos um dia para ver Montjuïc, a montanha e o parque que se elevam acima da cidade a sudoeste. O nome vem da comunidade judaica que antigamente vivia em suas encostas, e o cume é ocupado por um castelo desde meados do século 17. Mas é como parque de lazer que o Montjuïc se posiciona hoje, ancorado nas importantes coleções do Museu Nacional d'Art de Catalunya (MNAC). Este é suplementado por duas excelentes galerias, a de arte contemporânea do Caixa Forum e a do famoso artista catalão Joan Miró, na Fundació Joan Miró. Além disso, há vários outros museus menores e as atrações ao ar livre do Poble Espanyol (Aldeia Espanhola), bem separado dos locais associados aos Jogos Olímpicos de 1992. A estação de metrô Espanya dá fácil acesso ao Caixa Forum, ao Poble Espanyol e ao MNAC; o Trasbordador Aeri (bondinho que cruza o porto vindo da Barceloneta) e o Funicular de Montjuïc (perto da estação de metrô Paral.lel) deixam você perto da Fundació Joan Miró, e a área olímpica pode ser alcançada pelas escadas rolantes atrás do MNAC.

Plaça d'Espanya

Quando Montjuïc foi escolhido como local da Exposição Internacional de 1929, suas encostas foram dotadas de jardins, terraços, fontes e edifícios monumentais. A porta de entrada para a Exposição era a ampla Plaça d'Espanya, baseada em projeto do célebre arquiteto Josep Puig i Cadalfach. Disposta em torno de uma imensa fonte neoclássica, a praça é bem diferente das demais de Barcelona e se afasta radicalmente do *modernisme* tão em moda nas demais partes da cidade naquela época. Duas torres gêmeas de 47m de altura erguem-se no início da imponente Avinguda de la Reina Maria Cristina, que sobe até Montjuïc, ladeada por imensas salas de exposição, ainda usadas para feiras de negócios. No fim dos monumentais degraus da avenida (e das modernas escadas rolantes), a montanha ascende

▲ ÔNIBUS MONTJUÏC TURÍSTIC

▲ A FONT MÀGICA VISTA DOS DEGRAUS DO MNAC

até o Palau Nacional (sede do MNAC), passando por cascatas de água e sob os muros, bustos e quiosques de dois majestosos pavilhões em estilo vienense.

Ônibus Montjuïc Turístic

Trajeto azul a partir da Plaça d'Espanya, vermelho a partir da Plaça Portal de la Pau ☏934 414 982. Diariam 26 jun a 15 set, ou só nos fins de semana. Saídas a cada 40min, 10h–21h. € 3. O seviço de ônibus aberto de Montjuïc tem dois trajetos, um que sai da Plaça d'Espanya (estação de metrô Espanya), o outro da parte baixa das Ramblas, na Plaça Portal de la Pau (estação de metrô Drassanes). O serviço cobre as principais atrações da montanha, incluindo o castelo e os jardins botânicos. Há cinco pontos de conexão, por isso você pode mudar de um trajeto a outro à vontade e subir e descer onde quiser, pois o bilhete vale para o dia inteiro. O outro ônibus para Montjuïc é o chamado "PM" (os bilhetes de transporte da cidade valem para ele), que cobre mais ou menos o mesmo trajeto, e há ainda o Bus Turístic (ver pág. 202), que também pára nas principais atrações de Montjuïc. Você encontra pontos para todos esses ônibus logo à saída da estação elevada do Funicular de Montjuïc.

Font Màgica

Plaça de Carles Buigas. Mai–set qui–dom 20h–24h, a música começa às 21h30; out–abr sex e sáb só às 19h, 19h30, 20h e 20h30. Gratuito. Em noites escolhidas, a fonte ao pé dos degraus de Montjuïc vira um impressionante (e um pouco *kitsch*) show de luzes e sons –os esguichos e véus de água colorida parecem dançar ao som de Holst e do Abba.

Caixa Forum

Avgda. del Marquès de Comillas 6–8 ☏934 768 600, www.fundacio. lacaixa.es. Ter–dom 10h–20h. Gratuito. A antiga fábrica da tecelagem Casamarona (1911) junto ao Montjuïc esconde um incrível centro de artes e cultura. As salas de exposições ocupam os antigos edifícios da fábrica, cuja estrutura foi preservada –vigas mestras, pilares e paredes com ameias originais ficaram visíveis.

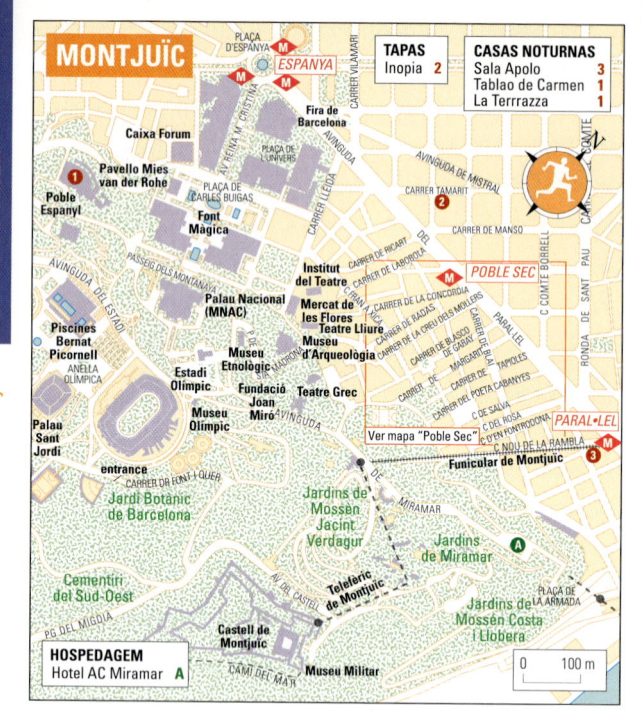

TAPAS		CASAS NOTURNAS	
Inopia	2	Sala Apolo	3
		Tablao de Carmen	1
		La Terrraza	1

A torre Casamarona, com azulejos amarelos e azuis, eleva-se acima dos muros, fácil de identificar como as imensas estrelas-do-mar de Miró ao longo do edifício. A importante coleção de arte contemporânea do centro focaliza o período de 1980 até hoje, com centenas de artistas, de Antoni Abad a Rachel Whiteread. As obras são exibidas em um rodízio parcial, junto com exposições itinerantes, e há também uma biblioteca e um centro de recursos, o espaço multimídia Mediateca, atividades para crianças, e auditório para 400 pessoas com programação de música, arte, poesia e eventos literários. O café-restaurante é um local arejado e agradável.

Pavelló Mies van der Rohe

Avgda. del Marquès de Comillas ☎934 234 016, ⓦwww.miesbcn. com. Diariam 10h–20h; visitas guiadas qua e sex 17h–19h. € 3,50.

A reconstrução feita em 1986 por arquitetos catalães do Pavelló Mies van der Rohe relembra a contribuição alemã para a Exposição Internacional de 1929. O projeto de Mies van der Rohe foi sala de recepção durante a Exposição, e é um exemplo de arquitetura moderna racional. Tem uma bela combinação de linhas retas e superfícies aquosas, com seu ônix verde-escuro polido alternando com vidro brilhante. Fica aberto à visita, mas, a não ser que haja alguma exposição (o que é frequente), há pouco para fazer dentro, além de comprar postais e livros da pequena livraria e escolher entre um *mousepad* Mies ou uma camiseta com os dizeres "Less is More".

Poble Espanyol

Avgda. del Marquès de Comillas ☎935 086 330, ⓦwww.poble-espanyol.com. Seg 9h–20h, ter–qui 9h–2h, sex e sáb 9h–16h, dom 9h–24h. € 7,50, ingresso combinado com MNAC € 12. A Aldeia Espanhola –um parque híbrido ao ar livre com reconstruções de edifícios espanhóis característicos ou famosos– é a mais extraordinária relíquia da Exposição Internacional de 1929. "Conheça a Espanha em uma hora" é a promessa do lugar, que abriga coisas interessantes para ver. O passeio é como um intensivo de arquitetura regional –tudo bem identificado, com informações precisas. A praça principal é cheia de cafés, e as ruas, alamedas e edifícios em volta contêm cerca de 40 oficinas –de entalhe, tecelagem, cerâmica e outros artesanatos. Inevitavelmente, há o lado comercial –vende-se de tudo, de castanholas a porcelana Lladró, de imagens religiosas a camisas do Barcelona– e os preços estão inflacionados, mas as crianças vão adorar (e você pode deixá-las à vontade pois não há trânsito). Chegue cedo para evitar aglomerações –depois que chegam os grupos de excursões, tudo fica tumultuado. Ou então no fim do dia, quando a aldeia vira um agitado foco de vida noturna, com algumas das melhores casas noturnas da cidade.

Museu Nacional d'Art de Catalunya (MNAC)

Palau Nacional ☎936 220 376, ⓦwww.mnac.es. Ter–sáb 10h–19h, dom e feriados 10h–14h30. € 8,50, ingresso válido por 48h, primeiro dom do mês, gratuito; para exposições especiais, o preço do ingresso varia. A galeria de arte da Catalunha ocupa o imponente Palau Nacional, em Montjuïc, no alto do longo lance de escadas que sai da fonte. É uma das visitas obrigatórias em Barcelona –e um dos melhores museus da Espanha–, que mostra mil anos de arte catalã em um local maravilhoso. Para quem vai pela primeira vez, é difícil saber por onde começar, mas se tiver pouco tempo concentre-se na coleção medieval, dividida em duas seções principais, uma de arte românica, outra de arte gótica –períodos em que os artistas catalães tiveram grande destaque na Espanha.

A coleção de afrescos românicos é o destaque do museu. Extraídos de igrejas dos Pireneus catalães, eles são apresentados em uma reconstrução de seu local original, para que você possa

▼ POBLE ESPANYOL

ÁREA POR ÁREA | Montjuïc

▲ ASCLÉPIO NO MUSEU D'ARQUEOLÒGIA

ver seu tamanho e onde eles ficavam nos edifícios das igrejas. Muitas das obras renascentistas e barrocas expostas vieram de coleções privadas legadas ao museu, principalmente do famoso acervo Thyssen-Bornemisza. Para arrematar em grande estilo, o MNAC oferece sua insuperável coleção de arte catalã dos séculos 19 e 20 (até a década de 1940 –tudo o que se refere à década de 1950 e obras posteriores é coberto pelo MACBA no Raval). Aqui o forte é a pintura e escultura modernista e *noucentista* (do século 19), as duas escolas principais do período, mas há fascinantes incursões pelo design de interiores modernista, pela escultura de vanguarda e pela fotografia histórica.

Grandes exposições, e mostras especiais baseadas nos arquivos do museu, são muito populares (cobram-se preços especiais). O museu tem um café-bar, uma lojinha e uma livraria dedicada a livros de arte, e um ótimo restaurante chamado *Oleum* (ter-dom, só almoço), com lindas vistas da cidade.

Museu Etnològic

Pg. Santa Madrona 16–22 ☎934 246 807, ⓦwww.museuetnologic.bcn.es. Jun-set ter–sáb 12h–20h, dom 11h–15h, out–mai ter e qui 10h–19h, qua e sex–dom10h–14h. € 3. O Museu Etnológico abriga vastas coleções do mundo todo. Esse tipo de reunião de artefatos muitas vezes é um exercício insosso, mas não neste museu, que promove ótimas exposições em rodízio, com um ano ou dois de duração, que focalizam determinados assuntos ou áreas geográficas. Felizmente, as peças da península não foram negligenciadas, e as coleções espanholas cobrem todas as províncias do país, com exposições que tratam por exemplo das minúcias da vida e do trabalho rural na Catalunha, ou de entalhes medievais ou dos primórdios da industrialização. Além disso, o museu abriu suas salas reservadas, onde os restauradores e sua equipe geralmente trabalham, para que você circule entre vitrines de armazenamento, cheias de peças que vão de máscaras africanas a leques espanhóis.

Museu d'Arqueològia

Pg. Santa Madrona 39–41 ☎934 246 577, ⓦwww.mac.es. Ter–sáb 9h30–19h, dom e feriados 10h–14h30. € 2,40. A coleção de arqueologia de Montjuïc abrange desde a Idade da Pedra até a época dos visigodos, com os períodos romano e grego muito bem representados. Os achados do sítio arqueológico mais bem preservado da Catalunha –as ruínas gregas de Empúries, na Costa Brava– são notáveis, e há um andar superior que interpreta a vida em Barcino (a Barcelona romana), com uma coleção de pedras funerárias, estátuas, inscrições e frisas encontradas por toda a cidade.

Teatre Grec e o Festival de Barcelona

Pg. Santa Madrona 38 ☎933 161 000, ⓦwww.barcelonafestival.com. O palco central do festival de cultura de Barcelona, realizado todo ano no verão, é esta reprodução de um teatro grego escavado numa antiga pedreira na encosta do Montjuïc. O festival começa na última semana de junho (e segue por julho e agosto), com teatro, música e dança –alguns dos trabalhos são encenados aqui no teatro grego, desde produções de Shakespeare a shows de artistas catalães performáticos de vanguarda, como La Fura dels Baus. Há também concertos, peças e espetáculos de dança em outros espaços da cidade, apresentando desde grupos locais a superastros internacionais –no total, são cerca de 50 diferentes eventos num período de seis semanas. Mais informações (e venda de ingressos) no Palau de la Virreina, nas Ramblas.

La Ciutat del Teatre

Mercat de les Flors ☎934 261 875, ⓦwww.mercatflors.org; Teatre Lliure ☎932 289 747, ⓦwww.teatrelliure. cat; Institut del Teatre ☎932 273 900, ⓦwww.institutdelteatre. org. Descendo a partir do Palau Nacional, logo a leste, há degraus que descem a encosta até uma área de teatro conhecida como La Ciutat del Teatre, que ocupa um canto na parte de trás do velho bairro operário de Poble Sec. Os edifícios de teatro ficam espremidos junto ao Carrer de Lleida, com o **Mercat de les Flors** –que já foi um mercado de flores e hoje é um centro de dança e "artes do movimento" –e o progressista **Teatre Lliure** (Teatro Livre) ocupando as instalações estilo western-espaguete do Palau de l'Agricultura, construído para a Exposição de 1929. Ambos têm uma programação extensa de teatro e dança, enquanto o Mercat de les Flors abriga um festival de artes anual, que dura dois dias seguidos (o Mataró de l'Espectacle, ou Maratona do Entretenimento) em junho.

Enquanto isso, o elegante **Institut del Teatre** reúne as principais escolas de teatro e dança da cidade, além de vários conservatórios, bibliotecas e centros de estudos.

Poble Sec

O bairro de Poble Sec, ou "Povoado Seco" (com esse nome por não ter suprimento de água até o século 19), contrasta com as encostas ajardinadas do Montjuïc. Não há nada de especial para ver aqui, mas suas ruas íngremes são cheias de boas mercearias, padarias, lojas e restaurantes com boa relação

▲ SACADAS DO POBLE SEC

POBLE SEC

TAPAS E RESTAURANTES
- Bella Napoli 2
- Quimet i Quimet 6
- La Tomaquera 3
- Tivoli's Bistro 5

BARES E CASAS NOTURNAS
- Cervesería Jazz 4
- Mau Mau 7
- Tinta Roja 1

LOJA
- Elephant Books a

custo-benefício. Imigrantes asiáticos deixaram sua marca em muitas lojas do bairro, e o Poble Sec está virando um pouco um "novo Raval", pois alguns barzinhos bem montados foram inaugurados há pouco –a rua de pedestres Carrer de Blai é um bom local para uma noitada. O bairro tem sua estação de metrô e fica a curta caminhada de El Raval, enquanto o funicular de Montjuïc tem sua estação inferior no limite sul do bairro, na estação de metrô Paral.lel.

Estadi Olímpic

Museu Olímpic i de l'Esport, Avgda. de l'Estadi 21 ☎934 262 089, ⓦwww.fundaciobarcelonaolimpica. es. Seg e qua–dom 10h–20h, out–mar até 18h. € 8. O Estádio Olímpico, para 65 mil pessoas, foi o local das cerimônias de abertura e encerramento dos Jogos Olímpicos de Barcelona, em 1992. O estádio foi originalmente construído para a Exposição de 1929, e, embora todo reequipado, teve mantida a fachada neoclássica. Diante do estádio, um amplo terraço oferece uma das melhores vistas da cidade. Longos canais cheios de água cortam a extensão de concreto e mármore, enquanto a imponente curva tipo era espacial da torre de comunicações de Santiago Calatrava domina o horizonte.

Atravessando a rua do estádio, a história dos próprios Jogos –e da bem-sucedida experiência de Barcelona como sede– é contada no Museu Olímpico e dos Esportes. É uma experiência totalmente interativa, mas, pelo preço, só se você for muito fanático por Olimpíadas.

Piscines Bernat Picornell

Avgda. de l'Estadi 30–38 ☎934 234 041, ⓦwww.picornell.com. Seg–sex

7h–12h, sáb 7h–21h, dom 7h30–16h. Piscina ao ar livre € 4,90; coberta € 8,90, inclui academia e sauna. Reformadas e ampliadas para as Olimpíadas, as piscinas cobertas favoritas da cidade ficam abertas o ano todo, e as descobertas abrem só no verão (jun–set diariam 9h–21h). Durante o festival Grec de verão, a piscina abriga uma popular sessão de filme-e-natação –um dos eventos culturais mais fora do padrão de Barcelona.

Fundació Joan Miró

Parc de Montjuïc ☎934 439 470, ⓦwww.bcn.fjmiro.es. Ter–sáb 10h–19h, jul–set até 20h, qui 10h–21h30, dom e feriados 10h–14h30. € 7,50, exposições € 4. O museu de arte mais ousado de Barcelona abriga a obra de Joan Miró (1893-1983), um dos maiores artistas catalães. Seu amigo, o arquiteto Josep-Luis Sert, projetou o impressionante edifício branco, situado em lindos jardins acima da cidade, que abriga uma coleção permanente de pinturas, desenhos, tapeçarias, esculturas, esboços e anotações, a maioria doada pelo próprio Miró e que cobre o período de 1914 a 1978. As pinturas e desenhos, em particular, são imediatamente reconhecíveis, ficando no limite entre o surrealismo e a arte abstrata. Você verá desenhos de Miró por toda a cidade, especialmente a estrela-do-mar, que é o logo do banco Caixa de Pensions, e o mosaico na calçada, no meio das Ramblas. A fundação também mostra obras que outros artistas fizeram em homenagem a Miró, das quais a de maior impacto é a Fonte de Mercúrio, de Alexander Calder, que este construiu para o pavilhão republicano na Exposição Universal de Paris de 1936-37 –a mesma exposição para a qual Picasso pintou *Guernica*.

O museu fica a poucos minutos a pé das estações de funicular e teleférico de Montjuïc. Ele sedia excelentes exposições temporárias, projeções de filmes, palestras e teatro infantil, com destaque ainda para noites musicais de verão (em jun e jul). Há

▼ PISCINES BERNAT PICORNELL

▲ TORRE DE COMUNICAÇÕES, MONTJUÏC

também uma biblioteca, com livros e publicações sobre arte contemporânea, uma livraria que vende pôsteres e um café-restaurante (almoço 13h30-15h, ou então drinques, doces e sanduíches) com mesas ao ar livre num pátio ensolarado –você não precisa de ingresso para o museu para ir até o café.

Funicular de Montjuïc
Dentro da estação de metrô Paral.lel, Avgda. del Paral.lel ⓦwww.tmb.net. A cada 10 min diariam 9h-22h (out-mar até 20h). € 1,30, valem os bilhetes e passes de transporte público. O jeito mais rápido de chegar às altitudes baixas de Montjuïc é pegar o funicular, que sai da estação de metrô Paral.lel e leva uns dois minutos para subir a montanha. Na estação lá em cima você pode passar para o bondinho de Montjuïc ou para os ônibus de Montjuïc, ou então andar alguns minutos até a Fundació Joan Miró.

Telefèric de Montjuïc
Avgda. de Miramar ⓦwww.tmb.net. Diariam, jun-set 10h-21h; abr, mai e out 10h-19h; nov-mar 10h-18h. € 5,70 ida, € 7,90 volta. O teleférico de Montjuïc leva você até o castelo e traz de volta em lindos bondinhos com janelas panorâmicas, onde os passageiros balançam sobre os terrenos ajardinados. O passeio e a vista são muito estimulantes. Há uma estação intermediária, a Mirador, na qual você pode descer para apreciar vistas mais amplas.

Jardins de Mossèn Costa i Llobera
Carrer de Miramar. Diariam 10h-pôr-do-sol. Gratuito. O bondinho que cruza o porto saindo da Barceloneta deixa você num jardim de cactos íngreme de onde se vê todo o porto. Degraus descem até bancas floridas de cactos da América Central e do Sul, da Índia e da África, alguns com até 6m de altura. São poucos os visitantes de Montjuïc que têm o privilégio de conhecer estes jardins, embora as pessoas descansando nos degraus e à sombra das espécies maiores sugiram que se trata de um segredo compartilhado pelos locais.

Castell de Montjuïc
Carretera de Montjuïc ☎933 298 613. Arredores: diariam 7h-20h; gratuito. Museu Militar: meados mai–meados nov ter–dom 9h30-20h; meados nov–meados mar ter–dom 9h30h-17h; € 2,50. Marcando o cume da montanha e o fim da linha –o castelo de Barcelona serviu de base militar e prisão por muitas décadas, e foi aqui que o último presidente do governo catalão pré-Guerra Civil, Lluís Companys, foi executado por ordem de Franco em 1940.

Como propriedade do Exército (e, portanto, do Estado), ele ocupa posição anacrônica na capital catalã desde a autonomia, embora haja planos para devolver o castelo à cidade. Enquanto isso, o antiquado museu militar do castelo continua, embora seja o edifício em si e sua bonita localização que justificam a visita. Você pode andar em volta dos muros de graça, e há um pequeno café ao ar livre dentro do recinto. Mas é preciso pagar para entrar no castelo, onde há outro café, um *mirador* (mirante) e um amplo pátio de desfiles, depois do qual há o **Museu Militar**, com suas infindáveis espadas, armas, medalhas, uniformes, mapas e fotografias.

Abaixo dos muros do castelo, um caminho panorâmico –o **Camí del Mar**– foi cortado da encosta do rochedo e oferece vistas bonitas, primeiro do Port Olímpic e das praias ao norte e depois a sudoeste, conforme o caminho dá a volta no castelo. O caminho tem apenas 1km de extensão e termina atrás das ameias do castelo, perto do Mirador del Migdia, onde há um café ao ar livre (nos fins de semana a partir de 10h) e um local que aluga bicicletas para passear pelas trilhas do bosque nos arredores.

Jardí Botànic de Barcelona

Carrer Dr Font i Quer 2 ☏934 264 935, ⓦwww.jardibotanic.bcn.es. Jun–ago diariam 10h–20h, abril, mai e set seg–sex 10h–18h, sáb, dom e feriados 10h–20h; out–mar diariam 10h–17h. € 3. O principal dos muitos jardins de Montjuïc é o Jardim Botânico nos terraços das encostas, que oferecem ótimas vistas da cidade. Os ônibus de Montjuïc chegam até aqui, e a entrada fica a apenas cinco minutos a pé indo por trás do Estádio Olímpico. É um jardim contemporâneo muito bem mantido, com caminhos amplos, fáceis de andar, e áreas dedicadas à flora mediterrânea, das ilhas Canárias, da Califórnia, do Chile, da África do Sul e da Austrália. Só não venha no auge do calor de um dia de verão, pois há pouca sombra. Há visitas guiadas em espanhol/catalão todo fim de semana (exceto em

▼ VISTA DO CASTELL DE MONTJUÏC

agosto), mas de qualquer modo você recebe um guia de áudio em inglês e um mapa, incluídos no preço do ingresso.

Loja

Elephant Books
Carrer Creu dels Molers 12 ☎934 430 594, ⓦwww.lfantbooks.4t.com. Só livros em inglês, e baratos —novelas atuais, clássicos, livros infantis e usados.

Restaurantes e bares de tapas

Bella Napoli
Carrer Margarit 14 ☎934 425 056. Ter–dom 1h30–16h30 e 20h30–0h30. Autêntica pizzaria napolitana, com garçons brincalhões e música. As pizzas —as melhores da cidade— saem de um forno em formato de colmeia, e há ainda uma imensa variedade de massas, risotos e escalopes de vitela, tudo entre € 8 e € 12.

Inopia
Carrer Tamarit 104 ☎934 245 231. Ter–sex 19h–23h, sáb 13h30–15h30 e 19h–23h. Você vai ter de fazer uma viagem especial a este incrível bar de *tapas*, bem fora do circuito turístico, mas vale a pena. É uma criação de Albert Adrià, irmão de Ferran Adrià (do restaurante com fama de melhor do mundo, El Bulli), que oferece as melhores "*tapas* clássicas" da cidade. Os vinhos regionais têm preços bem razoáveis, e não perca o prato mais famoso da casa, as *patatas bravas* (batatas fritas picantes), o atum na chapa, as *brochettes* de cordeiro ou a *fritura de verdura* (tempurá de verdura); você come e bebe por € 25.

Quimet i Quimet
Carrer Poeta Cabanyes 25 ☎934 423 142. Ter–sáb 12h–16h e 19h–23h, dom 12h–16h; fecha ago. Lugar de *tapas* mais aconchegante de Poble Sec —quando lota as pessoas se acotovelam. As garrafas ficam nas prateleiras, enquanto pequenas travessas de petiscos vão saindo do minúsculo balcão —cebolas assadas, cogumelos marinados, tomates recheados, beringelas grelhadas ou azeitonas embrulhadas em anchovas.

La Tomaquera
Carrer Margarit 58; sem telefone. Ter–sáb 13h30–15h45 e 20h30–22h45; fecha ago. Sente-se nesta taberna para um bom papo e o pão vai chegar com um prato de azeitonas e dois ovos de codorna —e as delícias não param, conforme os cozinheiros vão cortando bifes e pedaços de costela. O frango assado é o melhor que você já provou, e os *entrecôtes* são enormes. Os locais fazem o "aquecimento" com caracóis fritos com chouriço e tomate. A maioria dos pratos principais custa entre € 7-11.

Tivol i's Bistro
Carrer Magalhaes 35 ☎934 414 017, ⓦwww.tivolisbistro.com. Ter 8h45–23h, qua–sáb 13h30–16h e 20h45–23h; fecha meados ago a meados set. Comida tailandesa caseira, em tom mais baixo para o gosto local, mas de preço razoável e gerida por um casal catalão–tailandês, que também dá aulas de culinária. O jantar (€ 25 por pessoa, bebida à parte; os pratos mudam todo mês) costuma incluir uma entrada ou duas, curry vermelho ou verde, um prato de legumes e peixe, e macarrão tailandês ou arroz.

O almoço é mais simples e sai pela metade do preço.

Bares

Cervesería Jazz
Carrer Margarit 43 ☎934 433 259. Seg–sáb 19h–2h30. Arrume um banquinho no bar esculpido e jogue conversa fora tomando uma cerveja importada neste agradável bar de bairro. Toca também reggae e outros sons suaves, além de jazz.

Tinta Roja
Carrer Creu dels Molers 17 ☎934 433 243. Qua, qui e dom 20h–1h30, sex e sáb 20h–3h. Fecha 2 semanas em ago. Tango-bar superteatral com várias salas carmesim enfeitadas que levam a um palco nos fundos. Apresenta música de cabaré e música ao vivo (tango, rumba, cubana, flamenco) –em geral de graça– duas noites por semana. Shows especiais saem por € 10.

Casas noturnas

Mau Mau
Carrer Fontrodona 33 ☎934 418 015, ⓦwww.maumaunderground.com. Qui 23h–2h30, sex e sáb 23h–3h. Grande lounge-club *underground*, centro cultural e local para relaxar, com sofás, projeções de filmes e vídeos, exposições e muitos DJs convidados. No sentido estrito, é um clube privê, mas para ficar sócio é só pagar € 5. Geralmente, permite a entrada de visitantes estrangeiros.

Sala Apolo
Carrer Nou de la Rambla 113 ☎934 414 001, ⓦwww.sala-apolo.com, ⓦwww.nitsa.com. Este salão de baile dos velhos tempos é hoje um belo local de shows com música ao vivo e uma programação eclética, com destaque para a maratona techno-eletrônica do *Nitsa Club* (sex e sáb 12h30–6h30).

Tablao de Carmen
Avgda. Marquès de Comillas, Poble Espanyol ☎933 256 895, ⓦwww.tablaodecarmen.com. Ter–dom, shows às 19h45 e 22h. O clube flamenco do Poble Espanyol pelo menos parece autêntico, pois fica em uma réplica de rua andaluza e apresenta vários estilos de flamenco, tanto com artistas experientes como com novos talentos. Os preços começam em € 35 para o show e uma bebida, e vão até € 65 ou mais para o show mais o jantar. Faça reserva.

La Terrrazza
Avgda. Marquès de Comillas, Poble Espanyol ☎932 724 980, ⓦwww.laterrrazza.com. Mai–out qui–sáb 24h–6h. Clube de verão ao ar livre muito na moda. Tem dança o tempo inteiro, house e techno, mas é bom chegar lá pelas 3h da manhã e cuidar bem do estilo. A entrada fica entre € 15-20.

Port Olímpic e Poble Nou

O principal legado das Olimpíadas de 1992 na orla da cidade foi o **Port Olímpic**, a vistosa obra da marina que se estende por 15 minutos de caminhada ao longo do passeio, a partir da Barceloneta. Os locais adoraram a novidade, pois puderam passar a aproveitar as praias e os calçadões, e agora vêm sempre nos fins de semana para almoçar ou para um drinque nos muitos restaurantes e bares. E esse padrão começa a se repetir mais ao norte no antigo bairro operário de **Poble Nou**, que agora acrescenta ao seu caráter tradicional o agito proporcionado por uma das mais quentes cenas de casas noturnas e de artes. Para chegar aqui, as opções são as estações de metrô de **Ciutadella-Vila Olímpica** e **Poble Nou**, ou o ônibus 59 que vem das Ramblas, passa pela Barceloneta até chegar ao Port Olímpic.

Port Olímpic

De qualquer ponto do Passeig Marítim, as altas torres gêmeas do porto olímpico são visíveis no horizonte, e uma miragem de dourado brilhante acima do passeio aos poucos revela ser um imenso **peixe de cobre** (cortesia de Frank Gehry, arquiteto do Museu Guggenheim de Bilbao). Estas são as peças mais marcantes da imensa obra litorânea realizada para as Olimpíadas de 1992, que inclui uma vila olímpica para 15 mil pessoas, cujos edifícios de apartamentos foram convertidos em residências

▼ PASSEIG MARÍTIM

fixas depois dos jogos. Atrás do porto –local de muitas das competições esportivas olímpicas na água– estão os dois edifícios mais altos, a **Torre Mapfre** e o **Hotel Arts Barcelona**, com sua estrutura de aço, ambos com 154 metros de altura. Dois cais concentram a maior atividade: o Moll de Mestral tem um deque mais baixo junto à marina, cheio de bares e terraços, e o Moll de Gregal ostenta dois andares de restaurantes de frutos-do-mar. A praia vira um balneário no verão, com o apoio de uma série de casas noturnas de primeira linha ao longo do Passeig Marítim, frequentados pelos jovens ricos locais e por uma lista de celebridades.

Rambla de Poble Nou

Subindo a orla, a bela Rambla de Poble Nou, sem trânsito, arborizada, passa pela parte mais atraente do bairro de Poble Nou (Vila Nova), do século 19. É modesta –sem

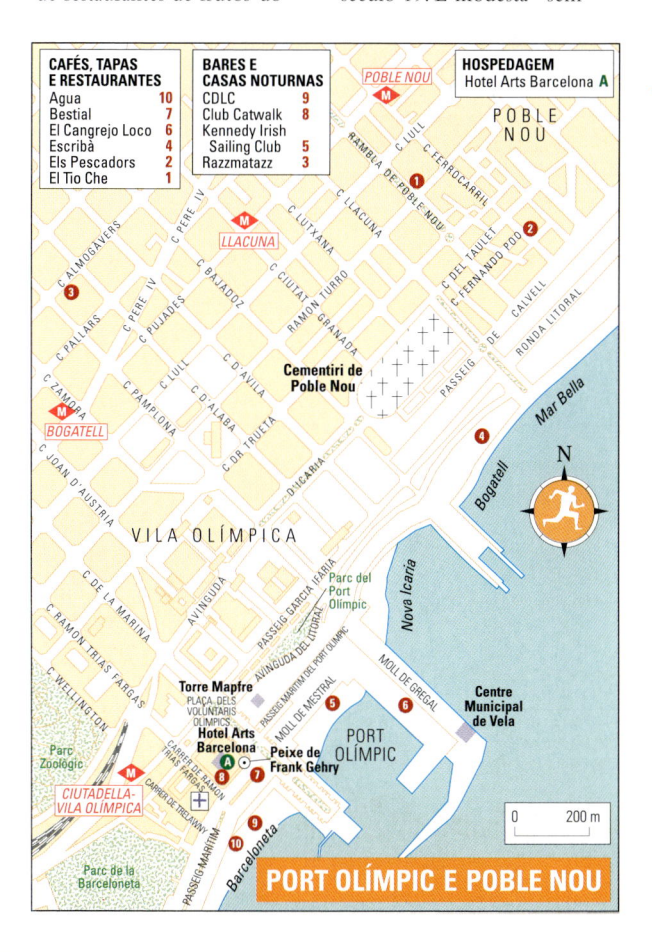

CAFÉS, TAPAS E RESTAURANTES		BARES E CASAS NOTURNAS		HOSPEDAGEM	
Agua	10	CDLC	9	Hotel Arts Barcelona	A
Bestial	7	Club Catwalk	8		
El Cangrejo Loco	6	Kennedy Irish Sailing Club	5		
Escribà	4	Razzmatazz	3		
Els Pescadors	2				
El Tio Che	1				

PORT OLÍMPIC E POBLE NOU

▲ RAMBLA DE POBLE NOU

estátuas vivas ou jogadores de cartas, apenas uma série de lojas e cafés de bairro frequentados pelos locais que saem para seu passeio diário. Dê uma parada para beber algo no *El Tio Che* ou almoce nos *Els Pescadors* –o metrô na estação Poble Nou (linha amarela 4) vai poupá-lo de voltar a pé até a Ciutadella, Barceloneta ou o centro.

Cementiri de Poble Nou
Avgda. d'Icaria. Diariam 8h–18.
Este grande cemitério do século 19 tem os túmulos sobrepostos, em paredes de até 7m de altura, cuidados por famílias que têm de subir grandes escadas para alcançar as prateleiras mais altas. O ruído do trânsito é abafado pelos altos muros, e ouvem-se pássaros cantando. Assim, passear pelas alamedas floridas, pátios tranquilos e capelas daqui é um alívio para o corre-corre da cidade.

Praias da cidade
Há uma série de praias ao norte, depois do Port Olímpic, em um trecho de 5km de areia até o rio Besòs. São trechos de nomes diferentes (Nova Icària, Bogatell etc.), todos com calçadões, chuveiros e fontes, e algumas praias têm playgrounds, arte de rua e cafés e bares ao ar livre. Para Barcelona, é muito bom contar

Diagonal Mar
A orla ao norte de Poble Nou assistiu à última transformação da cidade, na esteira do Fórum Universal da Cultura (realizado aqui em 2004). A área é chamada de **Diagonal Mar** e tem como foco o shopping Diagonal Mar (estação de metrô El Maresme Fòrum ou bonde T4), além de vários hotéis de luxo, centros de convenções e salas de exposições nos arredores. O impressionante **Edifici Fòrum** é obra de Jacques Herzog (arquiteto do Tate Modern de Londres), o centro de convenções é o maior do sul da Europa e o espaço aberto é a segunda maior praça do mundo (150 mil m²), atrás da praça Tiananmen de Pequim. Este imenso espaço se estende em direção ao mar, culminando numa cobertura gigante com painéis solares que dá de frente para a nova marina e para as áreas reurbanizadas da praia e do parque. No verão, bares temporários, pistas de dança, cinemas ao ar livre e áreas de descanso são criadas no **Parc del Fòrum**, e a prefeitura transferiu para cá alguns dos maiores festivais de música e eventos para injetar um pouco de vida fora da época das convenções. Às vezes, o lugar pode parecer um pouco sem vida, mas vale a pena fazer o trajeto de metrô ou bonde se você curte obras públicas em escala heróica.

com isso, especialmente no verão, quando ela ganha ares de balneário. Porém, em qualquer época do ano, uma mera sugestão de sol já faz seus moradores irem em massa à praia, e nos fins de semana o futebol e o vôlei são jogados em todo o litoral. Se pretende nadar, é melhor optar por uma piscina – as areias são regularmente limpas, mas a água do mar não é tão boa como poderia ser.

Café

El Tio Che
Rambla Poble Nou 44–46 ☎933 091 872, 🌐www.eltioche.com. Diariam 10h–24h. Expediente reduzido no inverno. Um café simples e honesto em um bairro com as mesmas características, dirigido pela mesma família há quatro gerações. As especialidades são o *granissat* de laranja ou limão (gelo picado) e a sua famosa *orxata* (bebida feita de leite de amêndoas doces), mas há também *torrons* (doce de amêndoa), chocolate quente, café, *croissants* e sanduíches.

▲ PORTEIRO NO HOTEL ARTS

▲ O BONDE NA DIAGONAL MAR

ÁREA POR ÁREA | Port Olímpic e Poble Nou

Restaurantes e bares de tapas

Agua
Pg. Marítim 30 ☏932 251 272, ⓦwww.aguadeltragaluz.com. Diariam 13h30–16h e 20h30–24h, sex e sáb até 17h e 1h. O melhor restaurante do calçadão, perfeito para um *brunch*, e se o tempo estiver ruim você pode optar pelo bonito salão em dois níveis. O cardápio sazonal é mediterrâneo –grelhados, pratos com arroz, massas, saladas e *tapas*– e os preços são razoáveis (refeição por volta de € 25), por isso costuma estar cheio.

Bestial
Carrer Ramon Trias Fargas 2–4 ☏932 240 407, ⓦwww.bestialdeltragaluz.com. Diariam 13h–16h e 20h–22h30, sáb e dom até 0h30. Bem ao lado do peixe de Frank Gehry (sob a ponte de madeira) fica este bonito jardim-terraço em frente à praia, ótimo para almoçar ao ar livre. Dentro, o ambiente é minimalista, e a comida é mediterrânea, mais para italiana, com toques originais. Arroz, massas e pizzas ao forno a lenha ficam entre € 9-14, com os outros pratos por volta de € 21. Nos fins de semana, tem música e drinques até 2h.

El Cangrejo Loco
Moll de Gregal 29–30 ☏932 211 748, ⓦwww.elcangrejoloco.com. Diariam 13h–1h. Os grandes terraços ao ar livre ou os janelões do lugar oferecem vistas do litoral e da marina. O peixe e os frutos-do-mar são de primeira e variam conforme a pesca do dia, mas a travessa de peixe frito misto e as favas com camarão são entradas tipicamente catalãs. A *paella* é excelente e o serviço, rápido. Cerca de € 30 ou mais.

Escribà
Ronda del Litoral 42, Platja Bogatell ☏932 210 729, ⓦwww.escriba.es. Ter–sáb 11h–1h, dom 11h–16h. Expediente restrito no inverno. Um barracão de prestígio na praia –um *xiringuito*, no

▲ CAFÉ DE POBLE NOU

dizer local–, mas que foge o suficiente do boxixo (15min a pé pelo passeio saindo do Port Olímpic) para indicar que você está por dentro das coisas. As *paellas* e *fideuàs* (macarrão) (€ 13–16) têm muita saída; pratos com peixe do dia ficam por € 20, e há uma sobretaxa de 10% no terraço –não dá para reclamar, a comida e as vistas são esplêndidas. As sobremesas são bolos e doces sensacionais da família Escribà de confeiteiros.

Els Pescadors
Plaça Prim 1 ☎932 252 018, ⓦwww.elspescadors.com. Diariam 13h–16h e 20h–24h. Se tiver de escolher um restaurante de peixe de alto nível em Barcelona, fique com este –está escondido numa linda praça atrás da Rambla de Poble Nou, e seu almoço ao ar livre num dia de sol é imbatível (faça reserva). O cardápio muda todo dia e inclui uma dúzia de opções de pratos de peixe fresco e meia dúzia de outros com arroz ou *fideuà*, além de uma seção para o bacalhau da casa (prove-o com *samfaina*, espécie de *ratatouille*). Em geral, os pratos saem por € 10-25 e se você não exagerar vai pagar até € 50 por pessoa.

Bar

Kennedy Irish Sailing Club
Moll de Mestral 26–27 ☎932 210 039, ⓦwww.kennedybcn.com. Diariam 18h–5h. A maioria dos bares do Port Olímpic é do mesmo tipo –som pulsante, projeções de vídeos e jovens produzidos–, mas este "pedacinho da Irlanda" em Barcelona é o paraíso do cervejeiro. Guinness e Murphy's da máquina, mais música ao vivo (rock de pub, covers, irlandesa) de qui a dom e esportes no telão.

Casas noturnas

CDLC
Pg. Marítim 32 ☎932 240 470, ⓦwww.cdlcbarcelona.com. Diariam 12h–3h; comida até 24h seg–qua, 1h qui–dom. Clube-restaurante da orla na moda, para jantar e dançar, o CDLC (Carpe Diem Lounge Club) apresenta uma fusão Ocidente-Oriente –comida e decoração–, preferida pelos ricos e famosos.

Club Catwalk
Carrer Ramon Trias Fargas 2–4 ☎932 216 161, ⓦwww.clubcatwalk.net. Qua–dom 24h–5h. Clube da área do porto preferido pelos bonitos de Barcelona, toca house, funk, soul e R&B para os ricos locais e em visita. Fica sob o Hotel Arts Barcelona, e se você conseguir convencê-los de que merece entrar o ingresso custa entre € 15-20.

Razzmatazz
Carrer dels Almogavers 122 & Carrer Pamplona 88 ☎932 720 910, ⓦwww.salarazzmatazz.com. Sex e sáb 1h–5h. O Razzmatazz é o local dos melhores shows de rock da cidade (cabem 3 mil pessoas na sala), e nos fins de semana o antigo armazém vira "cinco clubes em um", tocando indie, rock, pop, techno, electro e mais, em bares de nomes variados como "The Loft", "Pop Bar" ou "Lolita". A entrada para todos os bares, mais uma bebida, sai por € 15.

Dreta de l'Eixample

A região de ruas em forma de grade criada no século 19 como nova ampliação ao norte da Plaça de Catalunya é a principal área de compras e negócios da cidade. Ela foi projetada como parte de um revolucionário plano urbano, que dividia os bairros em blocos regulares, com ruas amplas e esquinas cortadas, e que sobrevive até hoje. Duas avenidas paralelas, o Passeig de Gràcia e a Rambla de Catalunya, são a espinha dorsal do Eixample, e tudo o que fica a leste é conhecido como Dreta de l'Eixample (o lado direito). É aqui que está a maioria dos famosos edifícios modernistas (Art Nouveau catalão), de ornamentos fantasiosos, que são uma das imagens urbanas mais cativantes da Europa. Mas qualquer visita pode igualmente se concentrar em outras atrações da Dreta –de visitas a museus e galerias a um passeio por algumas das lojas mais atraentes da cidade. Você pode começar sua exploração tanto pela estação de metrô Passeig de Gràcia como pela estação de metrô Diagonal.

Passeig de Gràcia

A vistosa avenida, que vai para noroeste, da Plaça de Catalunya até o sul de Gràcia,

▼ PASSEIG DE GRÀCIA

ganhou sua forma atual em 1827. Conforme o Eixample virava a parte mais chique da cidade para morar, a avenida se tornava uma vitrine do talento de arquitetos modernistas que recebiam encomendas de comerciantes e homens de negócios atrás de status. Ande pela extensão do Passeig de Gràcia saindo da Plaça de Catalunya até a Avinguda Diagonal (um passeio de 25min) e verá boa parte da arquitetura mais incrível da cidade, como o famoso grupo de três edifícios (casas Lleó Morera, Amatller e Batllò) conhecido como Mansana de la Discòrdia, ou "Quadra da Discórdia", por abrigar expressões tão variadas do espírito e estilo *modernistas*. Mais adiante fica o icônico prédio de apartamentos de Gaudí, La Pedrera, e no caminho postes de rua Art Nouveau em ferro trabalhado, lojas da moda, bares e hotéis chiques que dão o tom desta avenida de alto nível.

Casa Lleó Morera

Pg. de Gràcia 35. Sem acesso ao público. A Casa LLeó Morera (1906), de Domènech i Montaner, é o edifício menos extravagante da chamada Mansana de la Discòrdia e o que sofreu mais com as "melhorias" feitas pelos proprietários subsequentes, que removeram os arcos e esculturas do térreo. A loja Loewe, de roupas e acessórios de couro, ocupa o andar térreo, e a entrada principal do edifício é muito bem guardada, a fim de evitar que alguém entre para dar mais que uma espiada. Uma pena, pois o interior Art Nouveau é riquíssimo, com cerâmicas e sofisticados vitrais.

▲ FRASCOS NO MUSEU DEL PERFUM

Museu del Perfum

Pg. de Gràcia 39 ☎932 160 121, ⓦwww.museodelperfume.com. Seg–sex 10h30–13h30 e 16h30–20h, sáb 11h–14h. € 5. Talvez eles tenham de acender as luzes para você nos fundos da loja de perfumes Regia, mas não há como deixar de perceber a exposição pelo forte aroma que exala o ambiente. É uma coleção particular de mais de cinco mil frascos de perfumes e essências, do antigo Egito em diante, com peças bem raras, como o frasco turco de filigrana e cristal e os frascos indianos de bronze e prata em forma de elefante. Os tempos mais modernos estão representados por fragrâncias feitas para Brigitte Bardot, Grace Kelly e Elizabeth Taylor, e se procurar com cuidado nas prateleiras você verá o frasco de perfume desenhado por Salvador Dalí.

Modernisme

O **Modernisme**, desdobramento catalão do Art Nouveau, foi a expressão de um novo surto de nacionalismo catalão na década de 1870. Seu mais famoso expoente na arquitetura foi **Antoni Gaudí i Cornet** (1852-1926), cujos edifícios parecem vôos lunáticos da fantasia, mas se mostram perfeitamente funcionais. Suas influências arquitetônicas foram mouras e góticas, e ele embelezava seu trabalho com elementos do mundo natural. O ímpeto imaginativo que ele deu ao movimento foi inestimável, inspirando outros arquitetos catalães como **Lluís Domènech i Montaner** (1850-1923) –talvez o maior arquiteto modernista– e **Josep Puig i Cadafalch** (1867-1957). Foi no café-restaurante de Domènech no Parc de la Ciutadella que nasceu uma oficina após a Exposição Universal de 1888, em que os arquitetos modernistas da cidade puderam experimentar com azulejos de cerâmica, trabalhos de ferro, vitrais e entalhes decorativos em pedra. Essa combinação de métodos tradicionais com experimentos em tecnologia moderna iria virar a marca do *modernisme* –um casamento que produziria uma das mais fantásticas expressões da arquitetura moderna.

DRETA DE L'EIXAMPLE

BARES E CASAS NOTURNAS
Barcelona City Hall 13
Les Gens Que J'aime 5

CAFÉS, TAPAS E RESTAURANTES

La Bodegueta	4	El Mussol	6 e 14
Casa Calvet	15	O'Nabo de Lugo	3
Ciudad Condal	11	TapaÇ 24	9
Forn de Sant Jaume	7	Thai Gardens	10
		Tragaluz	2
El Japonés	1	Valor	8
Laie Llibreria Café	12		

LOJAS

Antonio Miró	j	Mango	c & o
Armand Basi	h	Mango Outlet	p
Casa del Llibre	f	Muxart	a & i
Colmado Quilez	g	Purificacion Garcia	m
Favorita	b		
Joaquín Berao	d	Zara	e & n
Mandarina Duck	k		

Casa Amatller

Fundació Amatller, Pg. de Grácia 41 ☎934 877 217, ⓦwww.amatller. org. Ter–sáb 10h–20h, dom 10h–15h. Gratuito. A impressionante Casa Amatller (1900), de Josep Puig i Cadafalch, foi projetada para Antoni Amatller, um fabricante catalão de chocolate, viajante, colecionador de arte e fotógrafo. A fachada em degraus é revestida de cerâmica colorida. No saguão, os azulejos continuam pelas paredes, e colunas torcidas de pedra são pontuadas por luminárias em forma de dragão. Tudo isso recebe a luz de vitrais nas portas e de um teto de vidro. O térreo hoje abriga exposições temporárias patrocinadas pela Fundação Amatller, e a loja daqui vende chocolates Amatller, além de presentes modernistas.

▲ LUMINÁRIA NA CASA AMATLLER

Casa Batlló

Pg. de Grácia 43 ☎932 160 306, ⓦwww.casabatllo.es. Diariam 9h–20h, acesso ocasionalmente restrito. Visitas ao andar principal ou ao sótão e chaminés € 10 cada uma, visita completa € 16. Venda antecipada pela TelEntrada pelo ☎902 101 212, ⓦwww.telentrada.com. Talvez a mais incrível criação da Quadra da Discórdia seja a Casa Batlló (1907), projetada para o industrial Josep Batlló. Antoni Gaudí planejou criar aqui uma fachada ondulante que Salvador Dalí mais tarde comparou às "águas tranquilas de um lago". Há também um aspecto animal em ação: a fachada de pedra pende em dobras, como pele, e, a partir de baixo, os corrimãos torcidos das sacadas lembram olhos malevolentes. Visitas autoguiadas de áudio mostram o andar principal, o pátio e a fachada de trás, o sótão em forma de costela e o célebre mosaico das chaminés na cobertura. É bom reservar ingresso (por telefone ou pessoalmente), pois é uma atração muito popular –e quando fica muito lotado é desalentador.

Fundació Antoni Tàpies

Carrer Aragó 255 ☎934 870 315, ⓦwww .fundaciotapies.org. Ter–dom 10h–20h. € 6. A coleção definitiva da obra do artista catalão abstrato Antoni Tàpies i Puig fica no primeiro edifício importante do arquiteto modernista Lluís Domènech i Montaner, a Casa Montaner i Simon (1880). Não perca –o edifício é coroado por uma escultura do próprio Tàpies, *Núvol i cadira* (Nuvem e cadeira, 1990), uma confusão de vidro, arame e alumínio. O artista nasceu em Barcelona em 1923 e foi membro

▲ OBRA DE ARTE NA FUNDACIÓ ANTONI TÀPIES

fundador (1948) do influente grupo de vanguarda Dau al Set (Dado no Sete). Após uma breve fase surrealista, Tàpies adotou o estilo abstrato, amadurecido na década de 1950, com mensagens implícitas e temas sinalizados pela inclusão de objetos do cotidiano e símbolos em suas telas. Ele também experimentou muito com materiais pouco usuais, como tinta a óleo misturada com pó de mármore, ou areia, tecido ou palha em colagens. Tàpies divide opiniões, e você vai amar ou odiar a galeria: as exposições temporárias focalizam partes da obra de Tàpies e há outras três ou quatro exposições anuais com obras e instalações de outros artistas contemporâneos.

Museu Egipci de Barcelona

Carrer de València 284 ☎934 880 188, ⓦwww.fundclos.com. Seg–sáb 10h–20h, dom 10h–14h. € 7. O Museu Egípcio de Barcelona é uma excepcional coleção particular de artefatos do Egito antigo, desde os primeiros reinados até a era de Cleópatra. Foi iniciada pelo hoteleiro Jordi Clos –cujo *Hotel Claris*, a um quarteirão daqui, tem seu próprio museu particular para os hóspedes– uma expressiva reunião de mais de 600 objetos, que incluem de amuletos a sarcófagos. A ênfase está na caracterização da sociedade egípcia, e os visitantes recebem um guia em inglês detalhado. Mas o prazeroso aqui é passear a esmo, descobrindo itens como uma cama de madeira e couro da primeira e segunda dinastias (2920-2649 a.C.), algumas múmias de gato do último período (715-332 a.C.) ou ainda uma rara imagem de um colhereiro (íbis) representando um deus egípcio. Há exposições temporárias, uma biblioteca e uma boa loja de livros e presentes no andar inferior, além de um café no terraço no andar de cima. O museu também promove sessões de estudos, atividades para crianças e eventos –detalhes na recepção ou no site.

Fundació Francisco Godia

Carrer de València 284 ☎932 723 180. Seg e qua–sáb 10h–14h e 16h–19h, dom 10h–14h. € 4,50. O edifício vizinho ao do Museu Egípcio abriga a coleção particular de arte do esteta e piloto de corridas da década de 1950 Francisco Godia. À primeira vista, não é visita obrigatória, mas serve como introdução às imensas coleções do MNAC de arte medieval, cerâmica e arte catalã moderna, e por sua dimensão bem menor é mais acessível. Em salas silenciosas, ficam entalhes românicos, altares góticos e pinturas *modernistas* e *noucentistas*, combinadas com uma seleção variada de cerâmica da maioria dos centros de produção historicamente importantes da Espanha. Não é possível exibir a coleção inteira de uma vez, por isso há rodízio de peças, e exposições especiais também se sucedem, geralmente sem cobrança de preço adicional.

La Pedrera

Pg. de G ràcia 92, entrada pelo Carrer Provença ☎902 400 973, ⓦwww.fundaciocaixacatalunya.org. Mar–out diariam 9h–20h, nov–fev diariam 9h–18h30. € 8. La Pedrera de Nit, fim de jun e jul apenas, sex e sáb 21h–23h30; € 12, vendas antecipadas pelo TelEntrada ☎902 101 212, ⓦwww.telentrada.com. O bizarro prédio de apartamentos de Antoni Gaudí no Passeig de Gràcia é imperdível –por isso sempre há filas, não importa a época do ano. Construído como Casa Milà entre 1905 e 1911 –mas popularmente chamado de La Pedrera (A Pedreira)–, tem fachada ondulante, que se curva suavemente na esquina, e dizem ter sido inspirado na montanha de Montserrat.

Os apartamentos, com sacadas de metal enrolado pingando pela fachada, lembram moradas em cavernas erodidas. Na verdade, não se vê uma só linha reta –daí a piada da época de que os inquilinos só poderiam ter cobras como bichos de estimação. A visita guiada inclui uma volta pelo extraordinário terraço para ver de perto as enigmáticas chaminés, além de uma ótima exposição sobre a vida e obra de Gaudí sob os arcos de tijolo do sótão. El Pis (O Apartamento) no quarto andar do edifício recria o design e o estilo de um apartamento burguês da época modernista. Talvez a melhor experiência de todas seja *La Pedrera de Nit*, quando você pode ver a cidade à noite do terraço, com direito a *cava* e música –é essencial reservar.

La Pedrera está dividida em apartamentos particulares e é administrada pela Fundació Caixa de Catalunya. Pela majestosa entrada principal do edifício você acessa a sala de exposições da Fundació no primeiro andar (diariam 10h–20h; gratuito; visitas guiadas seg-sex às 18h), que promove mostras temporárias de arte de grandes artistas internacionais.

▼ MOBÍLIA DE ÉPOCA, LA PEDRERA

ÁREA POR ÁREA | Dreta de l'Eixample

▲ PALAU ROBERT

Vinçon
Entradas pelo Pg. de Gràcia 96, Carrer Provença 273 e Carrer Pau Claris 175 ☎932 156 050, ⓦwww.vincon. com. Seg–sáb 10h–20h30. Vizinho a La Pedrera, a loja Vinçon emergiu na década de 1960 como a principal fornecedora de mobília e design do país. Através do pioneiro Fernando Amat, o Terence Conran espanhol, a loja é cheia de artigos domésticos originais e com estilo. Confira seu incrível andar de mobília, que dá acesso a um terraço com vistas da Pedrera, e dê uma olhada na *La Sala Vinçon* (mesmo horário da loja). É o local de exposições e galeria de arte da Vinçon, com mostras de design gráfico e industrial e de mobília contemporânea.

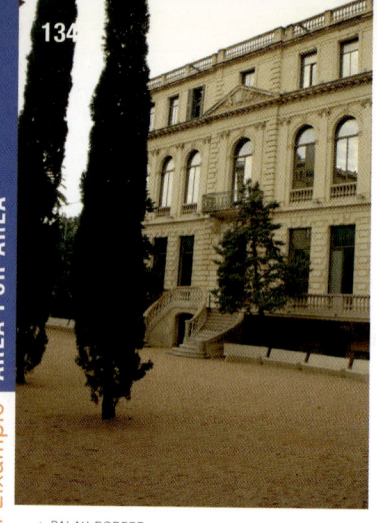

Palau Robert
Pg. de Gràcia 107 ☎932 388 091 ou ☎012, ⓦwww.gencat. net/probert. Seg–sáb 10h–19h, dom 10h–14h30. Gratuito. O centro de informações para a região da Catalunha abriga exposições temporárias sobre todos os temas catalães, de arte a negócios. Há diversos espaços para exposições, tanto dentro do palacete principal –construído como uma típica mansão aristocrática em 1903– como na antiga cocheira. O centro é também um importante local de concertos, e os lindos jardins dos fundos são um ponto de encontro popular para babás com suas crianças.

Casa Àsia
Avgda. Diagonal 373 ☎932 837 337, ⓦwww.casaasia. es. Ter–sáb 10h–20h, dom 10h–14h. Gratuito. Café abre seg–sáb 9h–21h. O quase gótico Palau Quadras (obra de 1904 de Josep Puig i Cadafalch) ganhou vida nova como centro cultural e de artes para a Ásia e a região do Pacífico. Confira no site as exposições em cartaz (em geral gratuitas), mas sempre vale a pena entrar ao passar, mesmo que seja só para apreciar o interior. Há um bom café no térreo, uma biblioteca multimídia e, o melhor de tudo, o terraço de cobertura Jardí d'Orient –pegue o elevador para apreciar vistas do vizinho Casa de les Punxes e das torres da Sagrada Família.

Casa de les Punxes
Avgda. Diagonal 416–420. Sem acesso para o público. Maior obra do arquiteto Josep Puig i Cadafalch, a Casa Terrades é mais conhecida como Casa de les Punxes (Casa das Pontas), por causa das torres de telhas vermelhas e beirais inclinados. Construída em 1903 para três irmãs, e aproveitando três casas separadas que abrangiam um canto inteiro de um quarteirão, a sua estrutura com ameias é

quase norte-européia no estilo, lembrando um castelo gótico.

Palau Montaner

Carrer de Mallorca 278 ☎933 177 652, ⓦwww.rutadelmodernisme.com. Visitas guiadas: sáb às 10h30 em inglês, mais 11h30 e 12h30, e dom às 10h30, 11h30 e 12h30 em espanhol/catalão. € 5. O Palau Montaner (1896) foi construído para um membro da família de editores Montaner i Simon –depois que o arquiteto original desistiu, o arquiteto modernista Lluís Domènech i Montaner assumiu a construção, e a parte superior da fachada é bem mais elaborada que a de baixo. Os melhores artesãos da época foram contratados para o interior, que mostra ricos mosaicos no piso, vitrais, madeira entalhada e uma monumental escadaria. O edifício é hoje a sede da delegação do governo de Madri na Catalunha, mas há visitas nos fins de semana que explicam a história da casa e mostram as áreas públicas, o majestoso salão e o pátio. Não é comum ter acesso a uma casa modernista particular, por isso vale a pena aproveitar.

Mercat de la Concepció

Entre Carrer de Valencia e Carrer d'Aragó ☎934 575 329, ⓦwww.laconcepcio.com. Seg 8h–15h, ter–sex 8h–20h, sáb 8h–16h; jul e ago fecha às 15h. O mercado Concepció foi inaugurado em 1888, e sua estrutura de estação de bonde de ferro e vidro lembra outras da cidade. Sua

▼ CASA DE LES PUNXES

especialidade são flores, arbustos e plantas (as floriculturas do Carrer Valencia ficam abertas 24 horas), e há bons bares de lanches dentro do mercado e ao lado dele, ao ar livre. O nome do mercado vem da igreja próxima de **La Concepció** (entrada pelo Carrer Roger de Llúria), cujo tranquilo claustro é um paraíso de esguias colunas e laranjeiras. Era parte de um convento gótico do século 15 no centro antigo, abandonado no início do século 19 e transferido para cá, tijolo por tijolo, na década de 1870, junto com o campanário românico de outra igreja da cidade antiga.

Lojas

Antonio Miró
Carrer Consell de Cent 349 ☎934 870 670, www.antoniomiro. es. É a vitrine do estilista mais inovador de Barcelona, Antonio Miró, que se destaca particularmente pelos ternos de classe para homens.

Armand Basi
Pg. de Gràcia 49 ☎932 151 421, filiais também no L'Illa e no El Corte Inglés, www.armandbasi. com. Roupas interessantes para homens e mulheres, jaquetas e jeans do prestigioso estilista espanhol. Também tem uma linha completa de acessórios de marca –de relógios a perfumes–, embora os itens imperdíveis sejam os de mesa e cozinha criados junto com o *superchef* Ferran Adrià.

Casa del Llibre
Pg. de Gràcia 62 ☎932 723 840, www.casadellibro.com. Esta é a maior livraria de Barcelona, forte em literatura, humanidades e viagens, com muitos títulos em inglês e traduções de literatura catalã.

Colmado Quilez
Rambla de Catalunya 63 ☎932 152 356. Hoje uma espécie em extinção, esta mercearia clássica catalã tem vitrines e prateleiras forradas de latas, conservas, garrafas e pacotes, mais um irresistível balcão de *xarcuteria* (embutidos).

Favorita
Carrer Mallorca 291 ☎934 765 721, www.mueblesfavorita.com. Fecha 3 semanas em ago, e também sáb jul e ago. Um *showroom* de design de primeira linha. O edifício (Casa Thomas) é de Domènech i Montaner, e o interior tem o mais atual em design de mobília e objetos domésticos.

Joaquín Berao
Rambla de Catalunya 74 ☎932 150 091, www.joaquinberao.com. Joalheria de vanguarda, por um designer de Madri, em uma loja com linda apresentação.

Mandarina Duck
Pg. de Gràcia 44 ☎932 720 364. Divertida coleção de malas de viagem, mochilas, bolsas e outros acessórios.

Mango
Pg. de Gràcia 8–10 ☎934 121 599 e Pg. de Gràcia 65 ☎932 157 530, além de outras, www.mango.com. Hoje com alcance mundial, a Mango é rede de *high-street fashion* que começou em Barcelona (e aqui os preços são mais baratos do que nos EUA e no resto da Europa). Para itens da última estação a preços imbatíveis, vá direto ao Mango Outlet (Carrer Girona 37).

Muxart

Carrer Rosselló 230 ☎934 881 064, e Rambla de Catalunya 47 ☎934 677 423, ⓦwww.muxart .com. Designer de calçados de alta classe, que vende fabulosos calçados e bolsas para homens e mulheres.

Purificacion Garcia

Pg. de Gràcia 21 ☎934 072 202, ⓦwww.purificaciongarcia.es. Designer de real talento e sensibilidade para tecidos –o primeiro trabalho dela foi em uma fábrica têxtil. Desenhou roupas para filmes, teatro e TV, e seus trajes foram vistos na cerimônia de abertura das Olimpíadas de Barcelona. A loja é linda, e os itens e acessórios mais casuais não têm preços estratosféricos.

Zara

Pg. de Gràcia 16 ☎933 187 675, Rambla de Catalunya 67 ☎932 160 868, e outras, ⓦwww.zara.com. Rede de moda atual mas barata para homens, mulheres e crianças. Sua loja-conceito é a do Passeig de Gràcia.

Cafés

Forn de Sant Jaume

Rambla de Catalunya 50 ☎932 160 229. Seg-sáb 9h-21h. Vitrines cheias de delícias desta antiga confeitaria e *bonbonnière* –*croissants*, bolos e doces, para levar ou comer no café anexo.

Laie Llibreria Café

Carrer Pau Claris 85 ☎933 027 310, ⓦwww.laie.es. Seg 9h-21h, ter-sáb 9h-1h. A primeira e melhor livraria-café da cidade e um ótimo lugar para visitar a qualquer hora. O bufê de café-da-manhã é popular, e tem também almoço e jantar com cardápio fixo, jantar à la carte, e revistas para folhear.

Valor

Rambla de Catalunya 46 ☎934 876 246. Seg-qui 8h30-13h e 15h30-23h, sex-dom 9h-24h. Chocolataria da parte elegante da cidade, que serve a elite desde 1881. Um acolhedor chocolate com *xurros* (churros) é um excelente jeito de começar uma bela manhã.

Restaurantes e bares de tapas

La Bodegueta

Rambla Catalunya 100 ☎932 154 894. Diariam 8h-2h; fecha nas manhãs de ago. Tradicional adega no porão com *cava* e vinho no copo, além de bom pernil, queijo, anchovas e outras *tapas* para acompanhar. No verão, você pode sentar-se fora, nas mesinhas da rambla.

Jantar com estilo

Os hotéis são ótimas opções para um jantar com estrelas *Michelin*. Entre os da moda está o **Moo**, de Joan Roca, no hipermoderno Hotel Omm, e Martín Berasategui traz o conceituado estilo basco para o **Lasarte**, no Condes de Barcelona. Na charmosa orla, o Arts Barcelona tem as sofisticadas *tapas* do *chef* Sergi Arola, sediado em Madri, que empresta seu nome ao **Arola**. Juntando Carles **Gaig** com seu restaurante catalão, o Gaig (Hotel Cram), mais o **Actual** de Ramon Freixa (Grand Hotel Central), temos uma boa lista da mais estimulante culinária da cidade, sem sair dos hotéis.

ÀREA POR ÀREA | Dreta de l'Eixample

Casa Calvet

Carrer de Casp 48 ☏934 124 012. Seg–sáb 13h–15h30 e 20h30–23h30.
O restaurante tem o nome da casa onde fica –a mais antiga encomenda de Antoni Gaudí, erguida para uma importante família local do ramo têxtil em 1899. O exterior é bem convencional, mas o interior é uma maravilha de decoração, própria para uma noitada chique. O cardápio catalão, moderno e sazonal, varia do simples (camarão com massa caseira e parmesão) ao elaborado (fígado de pato com molho de aceto balsâmico), e as sobremesas –algumas pedidas já ao chegar– são uma obra de arte. Por volta de € 60; é bom reservar.

Ciudad Condal

Rambla de Catalunya 18 ☏933 181 997. Diariam 7h30–1h30. No café-da-manhã, o bar fica cheio de sanduíches na baguete, empilhados em travessas, e mais *croissants* e doces, enquanto a seleção renovada diariamente de *tapas* é das mais variadas –de *patatas bravas* a polvo. Local confiável, e você ainda pode escolher sentar-se no bar, no salão dos fundos ou no terraço de verão.

El Japonés

Ptge. de la Concepció 2 ☏934 872 592, Ⓦwww.eljaponesdeltragaluz.com. Seg–qui e dom 13h30–16h e 20h30–24h, sex e sáb 13h30–16h e 20h–1h. Interior de belo design cinza-metálico, garçons de preto, serviço rápido e preços moderados dão a este minimalista restaurante japonês vantagem sobre seus rivais mais tradicionais. Tique suas escolhas no longo cardápio e devolva-o ao garçom; as refeições ficam entre € 20-25 por pessoa.

El Mussol

Carrer Aragó 261 ☏934 876 151; filial no Carrer de Casp 19 ☏933 017 610. Seg–sáb 13h–1h, dom 13h–16h e 20h–24h. Excelente jantar rústico, conhecido por sua carne e legumes *a la brasa* (na brasa); a maioria dos pratos fica entre € 5 e € 11. *Calçots* (cebolinhas) são uma especialidade de primavera, e os caracóis (*cargols*) e cogumelos silvestres constam do cardápio o ano inteiro. Abre cedo para o café-da-manhã de sanduíches e *croissants* para quem vai para o trabalho.

▼ BAR DE TAPAS NA ÁREA CHIQUE

O'Nabo de Lugo
Carrer de Pau Claris 169 ☎932 153 047. Seg-sáb 13h-16h e 20h30-24h. Refeições *à la carte* neste renomado restaurante galego de frutos-do-mar chegam fácil aos € 60, mas você pode apreciar um almoço de três pratos por bem menos, ou pedir caldos de carne densos, ou básicos como *botifarra* (linguiça catalã) com batatas –para mais opções (e um pouco de peixe), veja o cardápio especial de € 18, que ainda é um excelente negócio.

TapaÇ24
Carrer Diputació 269 ☎934 880 977, ⓦwww.carlesabellan.com. Diariam 12h30-24h. Carles Abellan, rei da culinária minimalista no seu restaurante *Comerç24*, oferece um cardápio mais simples de *tapas* neste bar retrô no subsolo. O ambiente tradicional e acolhedor se reflete no cardápio –*patatas bravas*, peixe frito à andaluza, *bombas* (bolinhos de carne), chouriço e ovos. Mas a cozinha também atualiza clássicos, como *calamares romana* (lula frita) na própria tinta ou hambúrguer com *foie gras*. A maioria das *tapas* custa de € 6-14. O pequeno terraço junto à rua lota rápido; embaixo fica agitado, e tem fila à noite.

Thai Gardens
Carrer Diputació 273 ☎934 879 898. Diariam 13h30-16h e 20h30-24h, até 1h nos fins de semana. O restaurante tailandês favorito de Barcelona é uma exuberância de fontes e elefantes dourados. Perde a autenticidade em algumas coisas, mas o almoço de dia de semana é concorrido, e o cardápio em inglês tem coisas como camarão cremoso e curry de legumes, ou tiras de cordeiro picantes com manjericão tailandês. Os preços ficam entre € 7-17.

Tragaluz
Ptge. de la Concepció 5 ☎934 870 621, ⓦwww.grupotragaluz.com/tragaluz. Diariam 13h30–16h e 20h30–24h, até 1h qui–sáb. Atrai o *beautiful people*, e a culinária mediterrânea clássica incrementada, servida sob um teto de vidro (*tragaluz* significa "clarabóia"), não desaponta. Os pratos ficam entre € 16-25, mas servem-se pratos mais baratos no térreo, do cardápio *Tragarapid* (diariam 13h-24h), com itens como *blinis, fajita*s ou sanduíches, para quem acaba de voltar do passeio *modernista* (La Pedrera fica bem perto).

Bar

Les Gens Que J'aime
Carrer Valencia 286 ☎932 156 879. Diariam 19h-2h30. Seus olhos vão demorar um pouco para se acostumar conforme você desce no intimista interior *fin-de-siècle* com assentos de veludo vermelho, luz indireta e música suave. Bom como refúgio da cena clubber, para um drinque descontraído.

Casa noturna

Barcelona City Hall
Rambla de Catalunya 2–4 ☎932 380 722, ⓦwww.ottozutz.com. Diariam 24h–6h. Casa de dança muito popular –a localização ajuda– que promove algumas das mais variadas noites, e toca de década de 1980 a eletrônica.

Sagrada Família e Glòries

A parte mais a leste do Eixample gira em torno de um edifício que é parada obrigatória em qualquer visita a Barcelona –a grande catedral da Sagrada Família, de Antoni Gaudí. De várias maneiras, ela virou um símbolo da cidade, representando a glória do design e do empenho catalães. A maioria dos visitantes faz uma viagem de metrô para ver a igreja e depois volta direto para o centro, mas vale a pena desviar-se alguns quarteirões para o sul até a área conhecida como Glòries, para apreciar outro conjunto de atrações, incluindo a maior feira de usados da cidade e o marcante edifício do teatro nacional da Catalunha.

Sagrada Família

Carrer Mallorca 401, entrada pelo Carrer de la Marina ☎932 073 031, ⓦwww.sagradafamilia.org. Diariam: abr-set 9h-20h; out-mar 9h-18h. € 8, ou € 11,50 incluindo visita guiada; ingresso combinado com a Casa Museu Gaudí do Parc Güell € 9. A portentosa igreja da Sagrada Família ocupa um quarteirão inteiro entre o Carrer de Mallorca e o Carrer de Provença –o metrô deixa você em frente. Iniciado em 1882 em escala modesta, o projeto mudou na hora em que foi assumido pelo arquiteto de 31 anos Antoni Gaudí em 1884 –ele viu na Sagrada Família a oportunidade de refletir seus sentimentos espirituais. Gaudí passou o resto da vida trabalhando na igreja e adaptou as plantas incessantemente até a sua morte prematura. Atropelado por um bonde em 7 de junho de 1926, sua morte foi tratada como uma tragédia nacional catalã, e toda Barcelona compareceu ao seu funeral.

Quando Gaudí morreu, só uma das fachadas havia sido concluída. A igreja sobreviveu à Guerra Civil, mas as plantas e modelos de Gaudí foram destruídos em 1936 pelos anarquistas, que viam a igreja como relíquia religiosa conservadora. A obra foi retomada na década de 1950 em meio a grande controvérsia: uns sustentavam que deveria ser deixada incompleta como um memorial a Gaudí, e outros achavam que a intenção do arquiteto era que fosse obra de várias gerações. À medida que o projeto se aproxima de sua conclusão (prevê-se que ficará pronto em 2017), surgem discussões a respeito de como concluí-lo –continuar com o grandioso projeto original ou adotar uma alternativa mais rápida e menos ambiciosa.

O plano de Gaudí era erguer uma igreja para mais de 10 mil pessoas. Oito campanários –símbolo dos apóstolos– erguem-se a mais de 100m: Gaudí planejou erguer mais quatro e adicionar uma torre de 170m encimada por um cordeiro (símbolo de Jesus) sobre o transepto. Há um simbolismo nas fachadas, cada uma dividida em três pórticos dedicados à fé, à esperança e à caridade. Gaudí fez uso de muitos modelos humanos e de plantas e animais para obter a semelhança desejada nos grupos de esculturas.

Na realidade, o lugar parece um grande canteiro de obras, mas o interior da igreja já começa a tomar forma, e se você subir de elevador (€ 2) até uma das torres em volta da rosácea apreciará vistas parciais da cidade através de uma incrível confusão de treliça de pedra, decoração em cerâmica, contrafortes esculpidos e esculturas. Também há acesso para a cripta, onde um pequeno museu (mesmo horário da igreja) narra a carreira de Gaudí e a história da igreja. Modelos, esboços e fotos ajudam a dar uma idéia da sequência do projeto, e você pode ver escultores e modelistas trabalhando. Há visitas guiadas de hora em hora entre abril e outubro, caindo para quatro por dia de sexta a segunda entre novembro e março.

Hospital de la Santa Creu i de Sant Pau

Centre del Modernisme, Carrer de Sant Antoni Maria Claret 167 ☎933 177 652, www.rutadelmodernisme.com. O Centre abre diariam 10h–14h, gratuito. Visitas diariam às 10h15 e 12h15 em inglês, mais outras em espanhol/catalão, € 5. O inovador hospital público de Lluís Domènech i Montaner (1901-10) talvez seja o único edifício à altura da Sagrada Família em harmonia, porte e inventividade. Cada centímetro é enfeitado com esculturas, mosaicos, vitrais e ferro trabalhado, e a maior parte da vida do hospital fica no subsolo, em corredores que unem os edifícios. Hoje, avalia-se que os edifícios modernistas já cumpriram seu papel; atrás deles vê-se o bloco central *high-tech* do novo hospital. Os pavilhões têm hoje função cultural e educacional (estuda-se criar um Museu de Medicina), e incluem

▼ SAGRADA FAMÍLIA

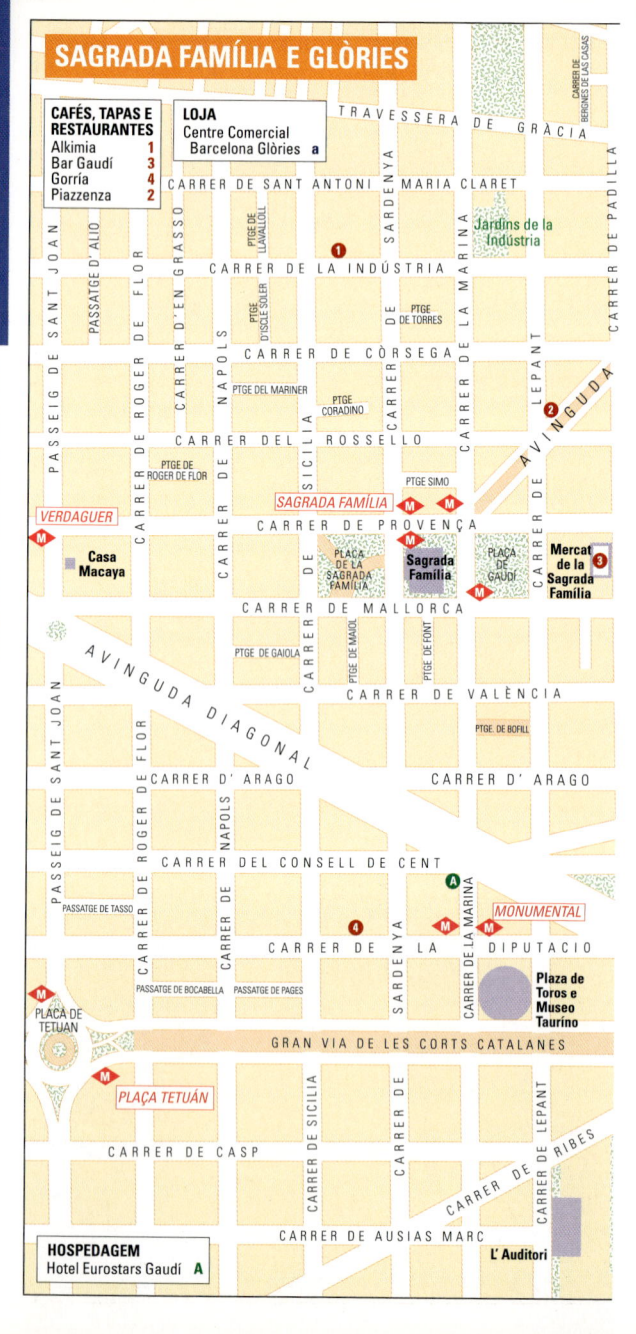

SAGRADA FAMÍLIA E GLÒRIES

CAFÉS, TAPAS E RESTAURANTES
- Alkimia — 1
- Bar Gaudí — 3
- Gorría — 4
- Piazzenza — 2

LOJA
- Centre Comercial Barcelona Glòries — a

HOSPEDAGEM
- Hotel Eurostars Gaudí — A

143

ÀREA POR ÀREA — Sagrada Família e Glòries

Map labels

- CARRER DE SANT CAROLINA
- CARRER DE ROSALIA DE CASTRO
- PTGE CASANOVAS
- Hospital de la Santa Creu i de Sant Pau
- CARRER DE LA TORRE VELEZ
- CARRER DE FLAUGIER
- CARRER DE DEL TROBADOR
- PASSATGE DE FLAUGIER
- CARRER DE SANT ANTONI MARIA CLARET
- CARRER DE CARTAGENA
- PTGE DE ST PAU
- PTGE DE VALLS
- PTGE NUNYA
- CARRER DEL DOS DE MAIG
- PASSATGE DEL DOS DE MAIG
- SANT QUINTÍ
- CONCA
- CARRER DE LA INDÚSTRIA
- CARRER DE GAUDI
- CARRER DE LOS CASTILLEJOS
- Hospital de la Creu Roja
- HOSPITAL DE SANT PAU
- PTGE DE LA INDEPENCIA
- PLAÇA DE CATALUNYA
- PASSATGE DE ROURA
- CARRER DE
- CARRER DE CÒRSEGA
- PTGE DE CANADELL
- PASSATGE DE CÒRSEGA
- CARRER DEL FRESER
- CARRER DEL JOAN DE PAGUERA
- CARRER DE COLL I VEHÍ
- CARRER DE LA MARTANYA
- CAPRER DE LAGOSTERA
- C. DE JOSEPA MASSANES
- PLAÇA DE CAN ROBECOLS
- CARRER DEL ROSSELLÓ
- CARRER DE LA INDEPENDÈNCIA
- CARRER DE XIFRÉ
- CARRER DE ROGENT
- PTGE DE CARSI
- PTGE DE LEÓN
- PTGE DE PAU FERNANDEZ
- PASSATGE D'ANGLESOLA
- CARRER DEL DEGÀ BAHÍ
- CARRER DE PROVENÇA
- CARRER DE PADILLA
- PASSATGE DE VILARET
- PASSATGE DE CENTELLES
- CARRER DE MALLORCA
- N
- ENCANTS
- CARRER DE BASSOLS
- CARRER DE VALÈNCIA
- CARRER DEL DOS DE MAIG
- CARRER DE ENAMORATS
- CLOT
- CARRER D'ARAGO
- AVINGUDA MERIDIAN
- CARRER DE ENAMORATS
- CARRER DEL CONSELL DE CENT
- CARRER DEL CLOT
- PTGE DE JOANCASAS
- Els Encants
- CARRER D'HERNAN CORTÉS
- CARRER DEL CORONEL SANFELIU
- CARRER DE WASHINGTON
- CARRER DELS ESCULTORS CLAPEROS
- CARRER DEL CAMIÑAL
- Parc del Clot
- AVINGUDA DIAGONAL
- PLAÇA DE LES GLÒRIES CATALANES
- GRAN VIA DE LES CORTS CATALANES
- DE GRANADA
- Centre Comercial Barcelona Glòries
- CARRER DEL PERU
- Teatre Nacional de Catalunya
- CARRER DE ZAMORA
- CARRER DE PAMPLONA
- AVINGUDA MERIDIANA
- GLÒRIES
- CARRER D'ALABA
- CARRER D'AVILA
- AVINGUDA DIAGONAL
- CARRER DE BADAJOZ
- Torre Agbar
- CARRER DE LA CIUTAT
- CARRER DE BOLIVA

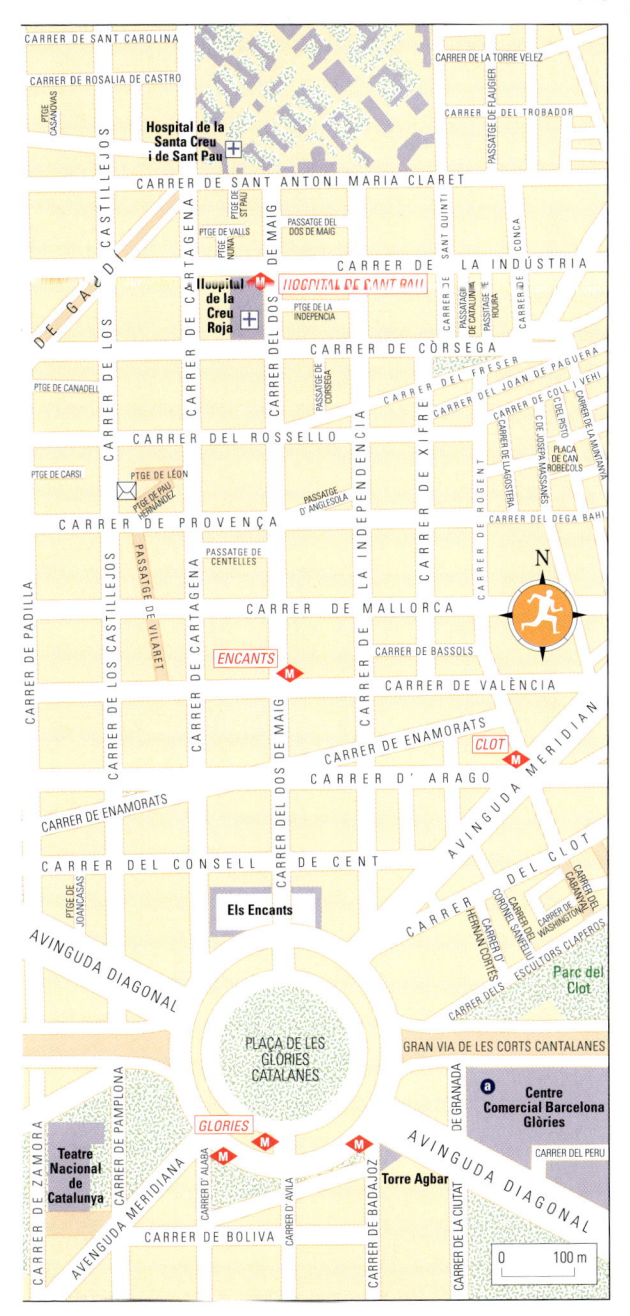

0 100 m

o Centre del Modernisme, onde você pode se informar e comprar o pacote **Ruta del Modernisme**. Também aqui se agendam visitas guiadas pelo complexo, que contam mais dos 600 anos de história do hospital.

Casa Macaya

Pg. de Sant Joan 108. A apenas quatro quadras da Sagrada Família, a Casa Macaya, obra de Josep Puig i Cadafalch de 1898-1900, é uma mansão com bela ornamentação, um pátio de inspiração gótica e uma escadaria com abóbada estendida de onde saltam grifos. Tem entalhes criativos no exterior do artesão Eusebi Arnau, que incluiu um anjo com uma câmera e uma pequena figura de bicicleta entre os símbolos medievais mais ortodoxos. Hoje é um espaço de exposições.

Els Encants

Carrer Dos de Maig ☎932 463 030, ⓦwww.encantsbcn.com. Seg, qua, sex e sáb 9h–18h; mais 1º dez-5 jan dom 9h-15h. Quem gosta de brechós não pode perder esta feira ao ar livre, Els Encants –na verdade, Mercat Fira de Bellcaire–, que ocupa todo o quarteirão abaixo do Carrer Consell de Cent. Tem de tudo:

▲ MOSAICO DO HOSPITAL DE LA SANTA CREU I DE SANT PAU

máquinas de costura antigas, raladores de queijo, álbuns de fotos, cutelaria, cortadores de grama, pilhas de roupas, sapatos e CDs, antiguidades, móveis e todo tipo de tralha. Vá de manhã, quando a coisa ferve. Pechinchar faz parte, mas lembre-se: aqui você lida com especialistas no assunto.

Plaça de les Glòries Catalanes

As principais avenidas de Barcelona se unem nesta via circular de trânsito que glorifica a Catalunha, da arquitetura à literatura. As Glòries estão no foco da última leva de obras da cidade. Até 2012, o tráfego passará por túneis subterrâneos, abrindo grande espaço para pedestres, que terá um centro cultural com as coleções do museu municipal. O edifício característico da rotatória é a **Torre Agbar**, de Jean Nouvel, uma torre de alumínio e vidro em forma de charuto, inspirada nas rochas de Montserrat. Com 142 metros de altura, é o terceiro maior edifício da cidade. A **Avinguda Diagonal** segue para sudeste, com seu bonde descendo para o bairro Diagonal Mar, e pela Gran Via de les Corts Catalanes a área de lazer do **Parc del Clot** mostra o que pode ser feito num cenário

▼ CASA MACAYA

urbano com o que sobrou de um distrito fabril demolido.

Teatre Nacional de Catalunya

Plaça de les Arts 1 ☎933 065 700, ⓦwww.tnc.es. Bilheteria abre ter-sex 15h-20h, sáb 15h-21h30, dom 15h-18h. O Teatro Nacional da Catalunha foi criado para promover produções catalãs, e traz um repertório de clássicos traduzidos (como Shakespeare em catalão), obras originais e produções de companhias convidadas da Europa. O edifício de Ricardo Bofil causa impacto –uma caixa de vidro envolvida dentro de um templo grego sobre um estrado elevado, cercado por gramados bem cuidados. Há visitas guiadas para o edifício e o palco, para qualquer pessoa interessada (atualmente, ter e qui; € 3; é preciso reservar).

L'Auditori

Carrer Lepant 150 ☎932 479 300, ⓦwww .auditori.org. Museu de la Música, Carrer Padilla 155 ☎932 563 650, ⓦwww .museumusicabcn.cat. Seg e qua–sex 11h–21h, sáb, dom e feriados 10h–19h. € 4, primeiro dom do mês gratuito.

A principal sala de concertos da cidade, construída em 1999, é a sede da Orquestra Simfônica de Barcelona i Nacional de Catalunya (OBC), que faz concertos de fim de semana de setembro a maio. Acontecem muitos outros concertos aqui o ano todo, incluindo música de câmara, música para crianças e espetáculos patrocinados pelo Festival de Música Contemporânea, anual. O museu de música da cidade fica aqui também, com uma coleção única de instrumentos históricos e mais exposições, atividades e eventos ligados à música.

Plaza de Toros Monumental e Museo Taurino

Gran Via de les Corts Catalanes 749 ☎932 455 804. Museu: Seg–sáb 10h30–14h e 16h–19h, dom 11h–13h; € 4. Corridas de touros: abril–set, em geral dom às 19h; € 20–100.

A única arena que sobreviveu na cidade oferece um sabor da Andaluzia com sua fachada de tijolos, cúpulas mouriscas, decoração policromática e acomodações *sol y sombra*. Não é um passatempo com muitos adeptos em Barcelona,

ÀREA POR ÀREA Sagrada Família e Glòries

▲ PLAZA DE TOROS MONUMENTAL E O MUSEO TAURINO

e, como as autoridades da cidade pensam em acabar de vez com as corridas de touros, seus dias estão contados —um dado revelador é que não se vê uma só palavra em catalão. Trajes de toureiro, pôsteres, fotos e cabeças empalhadas de touros vencidos ocupam o pequeno museu (entre pela esquina com o Carrer de la Marina), e há uma passarela fora da arena de onde se vêem os recintos dos touros.

Loja

Centre Comercial Barcelona Glòries
Avgda. Diagonal 208, at Pl. de les Glòries Catalanes ☏934 860 404, ⓦwww.lesglories.com. Imenso shopping com 230 lojas com todas marcas nacionais de moda (H&M, Zara, Bershka, Mango), além de roupas infantis, brinquedos e jogos, sorveterias, uma dezena de bares, cafés e restaurantes e um cinema com sete salas.

Café

Bar Gaudí
Mercat de la Sagrada Família, Carrer de Padilla 255; sem telefone. Ter–qui 7h–14h e 17h30–20h30, sex 7h–20h30, sáb 7h–15h. A apenas duas quadras da Sagrada Família —e sem nenhum turista à vista. Escolha nas bancas o seu almoço para viagem, ou vá direto ao balcão, que tem tortas doces e salgadas, sanduíches e *tapas* a bom preço, além de um pátio interno com um pequeno playground para as criançada brincar.

Restaurantes e bares de tapas

Alkimia
C/Indústria 79 ☏932 076 115. Seg-sex 13h30-15h30 e 20h30-23h; fecha 2 semanas em ago. Pergunte aos gourmets de Barcelona qual é o melhor restaurante catalão da nova onda na cidade e, depois que eles pararem de discutir, provavelmente vão indicar este. O Alkimia faz jus ao nome, pois é o que produz o *chef* Jordi Vilà em porções minimalistas —como *pa amb tomàquet* (pão catalão com tomate e azeite de oliva), só que no liquidificador e servido num copinho. O local tem estrelas *Michelin*, por isso é essencial reservar e a conta chega a € 100 por pessoa.

Gorría
Carrer de la Diputacio 421 ☏932 451 164, ⓦwww.restaurantegorria.com. Seg-sáb 13h-15h30 e 9h-23h30; fecha ago e Páscoa. Este elegante restaurante gerido por uma família serve ótima comida basca, como *pochas de Sanguesa* (cozido de feijão-branco), moluscos e peixe em *salsa verde*, ou cordeiro na brasa e leitão. Sai por € 50 por pessoa, mas é comida regional do mais alto padrão.

Piazzenza
Avgda. Gaudí 27–29 ☏934 363 817. Diariam 13h-1h; fecha 2 semanas em ago. Local confiável, a cinco minutos da Sagrada Família, a pé. Tem *tapas* ao ar livre no verão, e você come por cerca de € 15. É lindo à noite, cheio de locais e de turistas.

Esquerra de l'Eixample

As longas ruas que ficam a oeste da Rambla de Catalunya até a estação de trem Barcelona-Sants –que compõem a Esquerra de l'Eixample– talvez sejam as menos visitadas em qualquer passeio pelas atrações da cidade. Com as principais belezas arquitetônicas estão situadas na parte leste do Eixample (ou lado direito), a Esquerra (esquerda) foi pensada por seus planejadores do século 19 para edifícios públicos e instituições, e ainda há mui-tos deles por aqui. Mas a Esquerra não deixa de ter seu interesse –não só por alguns belos parques públicos–, pois é aqui que ficam alguns dos melhores bares e casas noturnas da cidade, sobretudo nas ruas frequentadas por gays do chamado Gaixample.

Universitat de Barcelona
Gran Via de les Corts Catalanes 585, na Plaça de la Universitat. Construído na década de 1860, o edifício neoclássico da universidade é hoje usado sobretudo para cerimônias e como área da administração, mas ninguém vai se incomodar se você entrar pelos portões principais. Em geral, há alguma exposição no salão principal, e mais adiante há dois belos pátios com arcadas e jardins. O ponto de encontro tradicional dos estudantes é o *Bar Estudiantil*, fora, na Plaça Universitat, onde dá para conseguir uma mesa na calçada.

▼ CLAUSTROS DA UNIVERSIDADE

Escola Industrial

Esquina do del Comte d'Urgell com Carrer del Rossello. A fábrica da tecelagem Battló passou por uma grande reforma em 1908 e virou a Escola Industrial. Ela ocupa quatro quarteirões inteiros do Eixample, com outros edifícios acadêmicos acrescentados na década de 1920, incluindo uma capela de Joan Rubió i Bellvér, que trabalhou com Antoni Gaudí. Os pátios costumam estar repletos de estudantes, e você pode ficar à vontade para dar um passeio e ver os edifícios cheios de decoração.

Museu i Centre d'Estudis de l'Esport

Carrer de Buenos Aires 56–58 ☎934 192 232. Jun–meados set seg–sex 8h–15h, ou seg–sex 10h–14h e

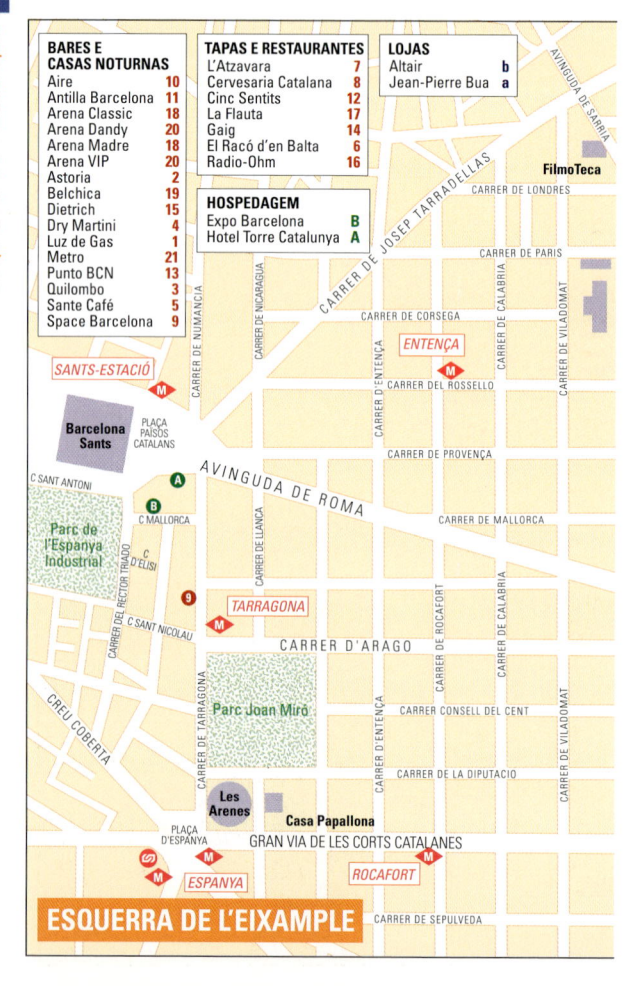

BARES E CASAS NOTURNAS	
Aire	10
Antilla Barcelona	11
Arena Classic	18
Arena Dandy	20
Arena Madre	18
Arena VIP	20
Astoria	2
Belchica	19
Dietrich	15
Dry Martini	4
Luz de Gas	1
Metro	21
Punto BCN	13
Quilombo	3
Sante Café	5
Space Barcelona	9

TAPAS E RESTAURANTES	
L'Atzavara	7
Cervesaria Catalana	8
Cinc Sentits	12
La Flauta	17
Gaig	14
El Racó d'en Balta	6
Radio-Ohm	16

HOSPEDAGEM	
Expo Barcelona	B
Hotel Torre Catalunya	A

LOJAS	
Altair	b
Jean-Pierre Bua	a

ESQUERRA DE L'EIXAMPLE

15h–19h. Gratuito. Construído como Casa Companys em 1911 por Josep Puig i Cadafalch, a pequena casa de cor creme contém provavelmente o "hall da fama" esportivo mais despretensioso que se poderia encontrar no mundo. Em um par de quartos tranquilos, com painéis de madeira, há fotos de corredores de rali catalães e futebolistas da década de 1920, ao lado de uma variada coleção de objetos, desde uma bola de pólo aquático assinada, usada nas Olimpíadas de 1992, até uma picareta de gelo do escalador do Everest Carles Vàlles.

FilmoTeca
Avgda. de Sarrià 33 ☎934 107 590, ⓦwww.gencat.cat/cultura/icic/filmoteca. Dirigida pelo governo catalão, a *FilmoTeca*

ÁREA POR ÁREA Esquerra de l'Eixample

tem excelente programação de cinema, com três ou quatro filmes diferentes por dia (muitas vezes estrangeiros, e geralmente na língua original, indicada por "V.O."). Há uma programação infantil (*sessió infantil*) aos domingos, e um bom café anexo. Os ingressos custam € 2,70, e por € 18 você adquire um passe que dá direito a dez filmes. Uma nova sala de cinema está sendo construída para a FilmoTeca no Raval, mas por enquanto ela ainda funciona aqui.

Parc de l'Espanya Industrial
Carrer de Sant Antoni. Diariam 10h–entardecer. O parque urbano do arquiteto basco Luis Peña Ganchegui fica a dois minutos a pé da estação Barcelona-Sants. Construído no local de uma antiga fábrica têxtil, tem uma fileira de faróis de concreto com listras vermelhas e amarelas no alto de ofuscantes degraus brancos, sobre um incongruente Netuno clássico. Estão aqui representados seis escultores, e com o lago, o café no quiosque, o playground e as instalações esportivas o parque tenta conciliar os interesses locais com a trivialidade dos arredores.

Parc Joan Miró
Carrer de Tarragona. Diariam 10h–entadecer. O Parc Joan Miró foi construído no local do matadouro municipal do século 19. É uma praça elevada e simples que tem apenas a escultura em mosaico gigante de Joan Miró, *Dona i Ocell* (Mulher e pássaro), sobre um lago raso que a reflete. A parte de trás do parque tem áreas de jogos e jardins de palmeiras e abetos, com um café-quiosque e algumas mesas ao ar livre entre as árvores. O playground daqui é um dos melhores da cidade, com arvorismo, balanços e escorregador.

Les Arenes
Plaça d'Espanya. A tradicional arena atrás do Parc Joan Miró está sendo reformada em um grande projeto inspirado por Richard Rogers, e vai virar um complexo comercial e de lazer com uma enorme cobertura, mantendo a fachada mourisca circular de 1900. Também foi poupado da demolição o edifício modernista de seis andares da **Casa Papallona** (1912), a leste das Les Arenes no Carrer de Llança. É uma das fachadas favoritas da cidade, coroada por uma imensa borboleta de cerâmica.

▼ LIVRARIA ALTAÏR

Lojas

Altaïr
Gran Via de les Corts Catalanes 616 ☎933 427 171, ⓦwww.altair.es. Superloja de viagens, tem imenso acervo de livros de viagem, guias, mapas e world music, além de palestras e exposições sobre o tema.

Jean-Pierre Bua
Avgda. Diagonal 469 ☎934 397 100, ⓌⓌⓌ.jeanpierrebua.com.
O maior templo da cidade para vítimas da moda: um santuário pós-moderno com Yamamoto, Gaultier, Miyake, Galliano, McQueen, McCartney, Westwood, Miró e outros astros internacionais.

Restaurantes e bares de tapas

L'Atzavara
Carrer Muntaner 109 ☎934 545 925. Seg–sáb 13h–16h. Local só para almoço, um pouco mais gourmet que muitos dos vegetarianos similares. Por preço fixo, você tem meia dúzia de opções de entradas e sopas e três ou quatro pratos principais e pudins. Com bebida e café, sai tudo por menos de € 15.

Cervesaria Catalana
Carrer Mallorca 236 ☎932 160 368. Diariam 9h–1h. O local leva a sério suas *tapas* e cervejas –balcões lotados de opções, mais um quadro-negro com os pratos do dia e garrafas de cerveja do mundo todo.

Cinc Sentits
Carrer Aribau 58 ☎933 239 490, ⓌⓌⓌ.cincsentits.com. Seg13h30–15h30, ter–sáb 13h30–15h30 e 20h30–23h. Pratos montados com talento nesta renomada "cozinha de degustação" contemporânea. Para alguns, a experiência é um pouco formal demais, mas a comida é ótima. Peixe com compota de azeitonas pretas e caramelo de cítricos é uma opção típica, e os pratos ficam entre € 20-25, mas os menus de degustação (a partir de € 65) são o melhor jeito de conhecê-lo.

La Flauta
Carrer d'Aribau 23 ☎933 237 038. Seg–sáb 8h–1h. Um dos cardápios de almoço com melhor relação custo-benefício, com fila todos os dias –chegue antes das 14h. É um bonito bar-restaurante com madeira escura e cores vivas, e embora o nome admita a especialidade em sanduíches (a *flauta é uma baguete crocante*), também serve *tapas* o dia inteiro e tem um *menú del dia* que muda com as estações.

Gaig
Carrer Aragó 214 ☎934 291 017, ⓌⓌⓌ.restaurantgaig.com. Seg 9h–23h, ter–sáb 13h–15h30 e 21h–23h; fecha 3 semanas em ago. O restaurante da família Gaig abriu em 1869 no bairro da Horta, mas agora o membro da quarta geração da família, Carles Gaig, está em novo endereço no centro, no *Hotel Cram*. Mantém há quase uma ótima reputação de reinterpretar pratos catalães tradicionais, como um prato típico de *arròs* (arroz), que pode combinar *foie gras*, endívia e cítricos. As entradas custam € 35 e o *menu degustació*, € 90, ou seja, o lugar é para uma ocasião especial, e é essencial reservar.

El Racó d'en Balta
Carrer Aribau 125 ☎934 531 044, ⓌⓌⓌ.racodenbalta.com. Seg–qui 13h–15h45 e 21h–23h, sex 13h–15h45 e 21h–21h30, sáb 9h–13h30; fecha 1 semana em jan, 3 em ago e na Páscoa. Local divertido para comer, com um interior colorido e cheio de esculturas, difícil de descrever. O almoço em dias úteis tem bom preço, mas você pode comer por cerca € 25 as opções de um cardápio mediterrâneo ditado pelos produtos frescos do dia; à noite os modernos habitantes locais dão ao bar um certo estilo.

ÁREA POR ÁREA | Esquerra de l'Eixample

▲ BAR ESTUDIANTIL

Radio-Ohm
Carrer Muntaner 55 ☎934 513 609. Seg–sáb 13h–16h e 21h–24h. Algumas lojas deste antigo bairro de comércio de material elétrico ainda sobrevivem –e esta virou restaurante de fusão mediterrânea, mas preserva detalhes do antigo ramo na decoração. O almoço inclui um bufê de sopas e saladas self-service, e à noite o cardápio oferece três pratos por € 25.

Bares

Aire
Carrer de Valencia 236 ☎934 515 812, ⓦwww.arenadisco.com. Qui–sáb 23h–3h. O bar lésbico mais quente da cidade é um local tranquilo para tomar um drinque e dançar pop, house e sons retrô. Homens gays são bem-vindos também.

Belchica
Carrer Villaroel 60 ☎625 814 001. Ter–sáb 18h–3h, dom e seg 18h–2h. Primeiro bar de cerveja belga de Barcelona, com muitas boas marcas. É um local agradável, que toca música eletrônica, new jazz, lounge, reggae e outros sons alternativos.

Dietrich
Carrer Consell de Cent 255 ☎934 517 707. Diariam 18h–2h30. A pedra de toque da cena do Gaixample é este moderno bar de música e café-teatro –tranquilo durante a semana, mas cada vez mais hedonista com a chegada do fim de semana, com shows de *drags*, acrobatas e dançarinos pontuando os sets dos DJ.

Dry Martini
Carrer d'Aribau 166 ☎932 175 072. Seg–qui 13h–2h30, sex e sáb 13h–3h, dom 18h30–2h30. Garçons de jaqueta branca, madeira escura e metal, ambiente tranquilo –só podia ser o legendário bar de coquetéis da zona chique de Barcelona. E cá entre nós, não há drinques melhores na cidade e a clientela é variada.

Punto BCN
Carrer Muntaner 63–65 ☎934 536 123, ⓦwww.arenadisco.com. Diariam 18h–2h30. Um clássico do Gaixample que atrai uma galera animada para beber, papear e ouvir música. A happy hour de quarta é ótima, e nas sextas à noite o clima é de festa.

Quilombo
Carrer d'Aribau 149 ☎934 395 406.

▼ PREPARANDO MARTINIS NO DRY MARTINI

Seg–qui e dom 21h–3h, sex e sáb 19h30–3h30. Despretensioso bar de música que desde 1971 apresenta guitarristas ao vivo e bandas sul-americanas, com uma clientela entusiasmada.

Sante Café
Carrer d'Urgell 171 ℡933 237 832. Seg–qui 8h–3h, sex e sáb 17h–3h; fecha ago. Um lugar minimalista que durante o dia é mais um café, mas ferve à noite, com DJs nos fins de semana.

Casas noturnas

Antilla Barcelona
Carrer Aragó 141–143 ℡934 514 564, Ⓦwww.antillasalsa.com. Diariam10h30–5h, fins de semana até 6h. Aqui o som do Caribe predomina: rumba, *son*, salsa, merengue, mambo –todos eles. Há bandas ao vivo, coquetéis mortais e aulas de dança todas as noites.

Arena Madre
Carrer Balmes 32 ℡934 878 342, Ⓦwww.arenadisco.com. O clube "mãe" (seg–sáb 0h30-5h, dom 19h30-5h) comanda o império gay do *Arena*, com vários clubes no mesmo quarteirão da cidade (você paga por um e entra em todos), o que inclui dançar ao som de disco no *Arena Classic* (Carrer de la Diputació 233; sex e sáb 24h30-6h), a mesma coisa e mais dance, R&B, pop e rock no mais eclético *Arena VIP* (GrandVia de les Corts Catalanes 593; sex e sáb 1h-6h), e curtir o melhor do house no *Arena Dandy* (mesmo endereço e mesmos horários).

Astoria
Carrer de Paris 193 ℡934 144 799, Ⓦwww.grupocostaeste.com. Ter-sáb 21h-3h. Este antigo cinema decadente foi reformado e virou restaurante, lounge bar e clube. Você não paga para entrar e o restaurante funciona das 21h à meia-noite; depois, você continua com jazz, funk e sons relaxantes.

Luz de Gas
Carrer Muntaner 246 ℡932 097 711, Ⓦwww.luzdegas.com. Um lugar legal, popular entre o pessoal um pouco mais velho, com música ao vivo (rock local, blues, soul, jazz e covers) todas as noites por volta da meia-noite. Gente de fora também vem tocar, principalmente jazz-blues, além do pessoal do soul e roqueiros em ascensão.

Metro
Carrer Sepúlveda 158 ℡933 235 227, Ⓦwww.metrodiscobcn.com. Diariam 24h-5h. Uma instituição gay de Barcelona, com noites de cabaré e outros eventos no meio de semana, e baladas de clube lotadas nos fins de semana, em duas salas, que tocam dance e techno atuais ou disco retrô.

Space Barcelona
Carrer Tarragona 141–147 ℡934 268 444, Ⓦwww.spacebarcelona.com. Sex e sáb 24h–6h, dom 21h-3h. Com a onda das baleares batendo forte em Barcelona, logo apareceram filiais dos clubes de Ibiza na cidade. Este, o primeiro Space inaugurado fora da ilha, é um lugar radical, com um som poderoso. As noites de domingo são a escolha atual da galera gay.

ÁREA POR ÁREA | Esquerra de l'Eixample

Gràcia e Parc Güell

Gràcia foi uma vila na maior parte de sua existência, antes de ser anexada como subúrbio da cidade, no fim do século 19. Tradicionalmente, é um reduto da *intelligentsia* liberal, embora tenha também uma genuína população local que ainda lhe empresta uma atraente atmosfera de cidade pequena. Com isso, sua festa anual de verão, a Festa Major, que acontece no mês de agosto, não tem concorrente na cidade. A maior parte do prazer desta área está em passear despreocupadamente pelas ruas estreitas, pegar um filme em algum cinema ou simplesmente dar um tempo do agito do centro. Mesmo assim, ninguém deve perder a oportunidade de visitar o vizinho Parc Güell, um extraordinário vôo de fantasia do gênio da arquitetura Antoni Gaudí. Para chegar a Gràcia, pegue o trem FGC da Plaça de Catalunya até a estação de Gràcia, ou o metrô até a estação Diagonal, sentido sul, ou até a estação Fontana, sentido norte. De qualquer dessas estações, basta andar 500 metros até a praça principal de Gràcia, a Plaça del Sol, foco da conhecida vida noturna deste bairro.

Casa Vicens
Carrer de les Carolines 24. Sem acesso ao público. Primeira encomenda particular de Antoni Gaudí (construída entre 1883-85), em estilo mourisco, com fachada de azulejos verdes e brancos em motivo floral. Os ferros decorativos lembram o treino que Gaudí teve em trabalhos de metal, e para provar sua versatilidade – e mostrar como o Art Nouveau transcende as formas de arte

▼ PLAÇA DE LA VIRREINA

—Gaudí projetou também boa parte da mobília da casa.

Plaça de la Virreina

Esta linda praça, com a restaurada igreja paroquial de Sant Joan, é uma das principais de Gràcia, e o *Virreina Bar* e demais bares são ótimos para descansar e apreciar as belas casas, especialmente a Casa Rubinat (1909), no Carrer de l'Or 44, último grande trabalho de Francesc Berenguer.

Plaça Rius i Taulet

A torre do relógio de 30 metros de altura no centro de

Gràcia era ponto de encontro de radicais no século 19 –cujos equivalentes no século 21 preferem reunir-se para um *brunch* nos populares terraços dos cafés da praça.

Parc Güell

Carrer d'Olot. Diariam: mar e out 10h–19h; abr e set 10h–20h; mai–ago 10h–21h; nov–fev 10h–18h. Gratuito. O Parc Güell (1900-14) foi o projeto mais ambicioso de Gaudí depois da Sagrada Família, construído como uma "cidade jardim", tipo de projeto popular na época na Inglaterra. No final, apenas duas casas foram de fato concluídas, e o parque foi aberto ao público em 1922. Erguido sobre um monte, com lindas vistas da cidade, o parque é uma expressão quase alucinatória da imaginação. Pavilhões de pedra contorcida, grandes lagartos decorativos, viadutos rústicos e sinuosos, uma imensa Sala de Colunas, árvores de pedra esculpidas –tudo se combina em uma vertigem de idéias e excessos. O elemento mais conhecido talvez seja o longo banco de cerâmica que serpenteia à beira do terraço acima da sala com colunas.

O **Centre d'Interpretació** (diariam 11h-15h; € 2), na entrada principal do parque, fornece informações sobre o projeto.

O caminho mais direto até o Parc Güell é tomar o ônibus 24 na Plaça de Catalunya, Passeig de Gràcia ou Carrer Gran de Gràcia, que deixa você no portão lateral leste junto ao estacionamento. Do metrô Vallcarca, ande 100m pela Avinguda de l'Hospital Militar até ver as escadas rolantes à esquerda, subindo a Baixada de la Glòria –siga por aqui até a entrada lateral oeste do parque (15min no total). Do metrô Lesseps, vire à direita pela Travessera de Dalt e dobre à esquerda subindo o Carrer Larrard, que leva (10min) até a entrada principal do Carrer Olot. Há um pequeno café no parque e vários outros no Carrer Larrard.

Casa Museu Gaudí

Parc Güell ☏932 193 811, ⓦwww.casamuseugaudi.org. Diariam: abr-set 10h–20h; out–mar 10h–18h. € 4, ingresso combinado com Sagrada Família € 9. Um dos colaboradores de Gaudí, Francesc Berenguer, projetou e construiu uma casa com torres dentro do Parc Güell para o arquiteto (que só morou nela alguns períodos). A casa é hoje uma divertida coleção de móveis que Gaudí criou para outros projetos –uma mistura típica de

▼ ESCRIVANINHA DE GAUDÍ NA CASA MUSEU GAUDÍ

▲ ESCULTURA DE CHILLIDA NO PARC DE LA CREUETA DEL COLL

originalidade e engenhosidade–, além de plantas e objetos relacionados ao parque e à vida de Gaudí. Têm-se vislumbres de sua personalidade nos textos religiosos e nas fotos expostas, junto com uma xícara de café de prata e sua máscara mortuária, feita no hospital Santa Pau, onde ele morreu.

Parc de la Creueta del Coll
Pg. de la Mare de Deu del Coll 89. Diariam 10h–entardecer. Este parque foi erguido em volta de um pequeno lago artificial no local de uma velha pedreira. Há uma banca de palmeiras, um quiosque-café e passeios de concreto sob as paredes escarpadas da pedreira, e no alto dos degraus do parque vê-se uma espiga de metal de Ellsworth Kelly. Suspensa por cabos de aço sobre um canto da pedreira cheio de água fica uma imensa garra de concreto, obra do artista basco Eduardo Chillida. O ônibus 28 da Plaça de Catalunya sobe o Passeig de Gràcia e pára a apenas 100 metros dos degraus do parque, ou você pode subir a pé o Passeig de la Mare de Deu del Coll saindo do metrô Vallcarca em cerca de 20min (há um mapa dos arredores na estação de metrô).

Lojas

Camisería Pons
Carrer Gran de Gràcia 49 ☎932 177 292. Originalmente uma loja de camisas modernista, foi transformada em showroom de estilistas espanhóis.

A Casa Portuguesa
Carrer Verdi 58 ☎933 683 525, ⓦwww.acasaportuguesa.com. Ter e qua 17h–22h, qui e sex 17h–23h, sáb e feriados 11h–15h e 17h23h. Combina delicatéssen com café e galeria na rua mais agitada de Gràcia, e é uma vitrine da comida, vinhos e cultura de Portugal. Entre e tome um café aqui depois de passear pelas lojas de roupas do Carrer Verdi –e prove especialidades portuguesas, como os famosos pastéis de Belém. O local promove ainda degustações de vinhos e festivais de gastronomia.

Contribucions
Carrer Riera de Sant Miquel 30 ☎932 187 140. Para ofertas em moda de alto nível venha direto a este conhecido ponto de Gràcia, que vende roupas de grife espanholas e italianas.

Hibernian Books
Carrer Montseny 17 ☎932 174 796, ⓦwww.hibernian-books.com. A melhor loja de livros usados em inglês de Barcelona, com 30 mil títulos em estoque –aceita trocas e está sempre com boas ofertas.

GRÀCIA

BARES E CASAS NOTURNAS
Le Baignoire	5
Café del Sol	6
Canigó	5
Otto Zutz	1
Puku Café	3
Salambo	2

TAPAS E RESTAURANTES
Flash, Flash	9
Habibi	12
Jean Luc Figueras	13
Nou Candanchu	10
Samsara	7
La Singular	11
Sureny	8
Taverna El Glop	4

LOJAS
Camisería Pons	c
A Casa Portuguesa	a
Contribucions	d
Hibernian Books	b

Restaurantes e bares de tapas

Flash, Flash
Carrer de la Granada del Penedès 25 ☎932 370 990, ⓦwww.grup7portes.com. Diariam 13h–1h30, bar aberto de 11h–2h. *Tortillas* (a maioria por € 6) servidas a qualquer hora, simples ou com sofisticados recheios, ou doces para sobremesa. Se isso não o atrai, há um pequeno cardápio de saladas, sopas e hambúrgueres. Seja como for, você vai adorar os bancos de couro branco originais da década de 1970 e as figuras em preto-e-branco.

Habibi
Carrer Gran de Gràcia 7 ☎932 179 545. Seg–sex 13h–1h, sáb 14h–16h30 e 20h–1h. Sala clara e arejada em estilo Norte da África, com terraço de verão. O Plat Habibi permite você saborear todas as especialidades da casa –de um tabule com hortelã a um frango *schawarma*. Junte um suco fresquinho (não se serve bebida alcoólica), sobremesas caseiras e chá de menta, e mesmo assim você gasta menos de € 15.

Jean Luc Figueras
Carrer Santa Teresa 10 ☎934 152 877. Seg–sáb 13h30–15h30 e 20h30–23h30; fecha ago. Um lugar de Gràcia com luxo, estilo e a alta cozinha franco-catalã com estrelas *Michelin*, para gastar em torno de € 100 por pessoa. É a porta de entrada para quem curte gastronomia, e o cardápio oferece o melhor da estação e dos produtos frescos do dia.

Nou Candanchu
Plaça Rius i Taulet 9 ☎932 377 362. Seg, qua, qui e dom 7h–1h, sex e sáb até 3h. Sente-se junto à torre

do relógio no verão e escolha uma das variadas opções –*tapas* e sanduíches quentes, mas também filés e ovos, moluscos e mexilhões no vapor, ou bacalhau e peixe cozidos de diversas maneiras. É gerido por um grupo de jovens amáveis, e muitos pratos ficam entre € 8–12.

Samsara
Carrer Terol 6 ☎932 853 688. Seg–qui e dom 20h30–1h30, sex e sáb 20h30–3h. Mesas baixas, à meia-luz e paredes de concreto pintadas e com objetos de arte e fotos dependurados criam um ambiente tranquilo para apreciar *tapas* e *platillos* (pequenas travessas). O cardápio muda todo dia, mas o tempurá de *brochettes* de aspargos, o mini-hambúrguer e as saladas engenhosas são típicos daqui, a maioria entre € 5-6. É bem Grácia –com trilha relaxante e uma tela de projeção sobre o bar.

▼ FLASH, FLASH

La Singular
Carrer Francesc Giner 50 ☎932 375 098. Seg–qui 13h30–16h e 21h–24h, sex 13h30–16h e 21h–1h, sáb 21h–1h. Uma cozinha minúscula produz refinada comida mediterrânea a preço razoável (em geral entre € 8-14) –como salada de berinjela e peixe defumado ou frango recheado com tâmaras e presunto. O cardápio também tem sempre boas opções vegetarianas. É um marco do bairro, com ambiente amistoso, mas tem só nove mesas, por isso chegue cedo ou reserve.

Sureny
Plaça de la Revolució 17 ☎932 137 556. Ter–sáb 20h30–24h, dom 13h–15h30 e 20h30–24h. Embora local de *tapas*, é bom para uma refeição tranquila, pois se pode tanto comer na mesa como ficar no balcão. Também é mais gourmet que a maioria dos bares de *tapas*, com cardápio que muda com a estação e ditado pelos produtos do dia (peixe fresco, caça, cogumelos etc.), e bem além do esquema chouriço fatiado e fritas.

Taverna El Glop
Carrer Sant Lluís 24 ☎932 137 058, ⊕www.tavernaelglop.com. Diariam 13–16h e 20h–1h. O jeito rústico (piso de pedra, cestas com alho) pára no lugar certo e o cardápio do dia para o almoço é um dos melhores da cidade; se não você pagará por volta de € 15-25 por pessoa para grelhados e outras especialidades de taberna preparados na sua frente, na cozinha aberta. Nos fins de semana, é provável haver fila.

▲ CAFÉ DEL SOL

Bares

La Baignoire
Carrer Verdi 6, sem telefone. Diariam 20h–2h, sex e sáb até 3h. Linda e sofisticada vinheria –Ella Fitzgerald no CD, uma dúzia de bons vinhos servidos no copo e excelentes queijos.

Café del Sol
Plaça del Sol 16 ☎934 155 663. Diariam 13h–2h30. O poderoso da Plaça del Sol tem agito de dia e de noite. Nas noites de verão, quando a praça fica lotada, as mesas ao ar livre são disputadas, mas mesmo no inverno o local atrai gente –o interior em estilo *pub* tem uma sala e galeria nos fundos, geralmente lotados.

Canigó
Plaça de la Revolució 10; sem telefone. Ter–dom 11h–24h. Bar de bairro gerenciado por família, agora na terceira geração. O visual não tem nada de mais, mas é um local acolhedor, lotado nos fins de semana com uma galera jovem e moderna geralmente da cidade, que se reúne para jogar conversa fora.

Puku Café
Carrer Guilleries 10 ☎933 682 573. Seg-qui e dom 19h–1h, sex e sáb 19h–3h. Se você chegar cedo, é um lugar tranquilo para comer e beber algo, mas nos fins de semana vira um electro-lounge, mas também tranquilo, com DJs de "indietronica" no comando.

Salambo
Carrer Torrijos 51 ☎932 186 966. Seg, qua, qui e dom 12h–1h, sex e sáb 12h–3h. Ponto de encontro do bairro para beber. O pessoal que vai ou volta do cinema vem aqui tomar um café, comer um sanduíche ou refeição, e tem muito vinho e *cava* servido no copo. No andar de cima tem bilhar.

Casa noturna

Otto Zutz
Carrer de Lincoln 15 ☎932 380 722, ⓦwww.grupo-ottozutz.com. Ter–sáb 24h–6h. Inaugurada em 1985, esta antiga fábrica de tecidos de três andares perdeu um pouco do seu cacife, mas ainda tem muitas pretensões. O som ainda é hip-hop, R&B e house, e com a roupa certa e cara de entendido, você pode ter de pagar ou não, depende de quanto sabe impressionar, do dia da semana, do humor do porteiro.

Camp Nou, Pedralbes e Sarrià-Sant Gervasi

No limite noroeste do centro da cidade, o famoso estádio de futebol de Barcelona, o Camp Nou, atrai locais e visitantes, tanto para as partidas como para o museu do FC Barcelona. O subúrbio próximo de Pedralbes, atravessando a Avinguda Diagonal, abriga dois interessantes museus (de artes decorativas e de cerâmica), e pode-se fazer um passeio de meio dia caminhando a partir dos museus, passando por uma das primeiras criações de Gaudí e chegando até o tranquilo claustro e a celebrada coleção de arte do mosteiro gótico de Pedralbes. Você pode terminar o dia voltando por Sarrià, logo a leste, que mais parece uma pequena cidade do que um subúrbio, com uma linda rua principal e um mercado que vale a pena conhecer. À noite, o foco passa para sudeste, para o vizinho bairro de Sant Gervasi e os bares cheios de estilo nas ruas ao norte da Avinguda Diagonal.

Camp Nou e FC Barcelona
Avgda. Arístides Maillol ☎902 189 900, ou ☎934 963 600 para quem liga do exterior, Ⓦwww.fcbarcelona.com. Ingressos para jogos (€20–60) também pela ServiCaixa ☎902 332 211, Ⓦwww.servicaixa.com. ⓂCollblanc/Maria Cristina.

O futebol é uma obsessão em Barcelona, e o apoio aos astros do FC (Futbol Club) Barcelona virou uma forma de arte. "Mais que apenas um time" é o slogan do Barça, e com certeza durante

▲ CAMISETAS PARA OS TORCEDORES

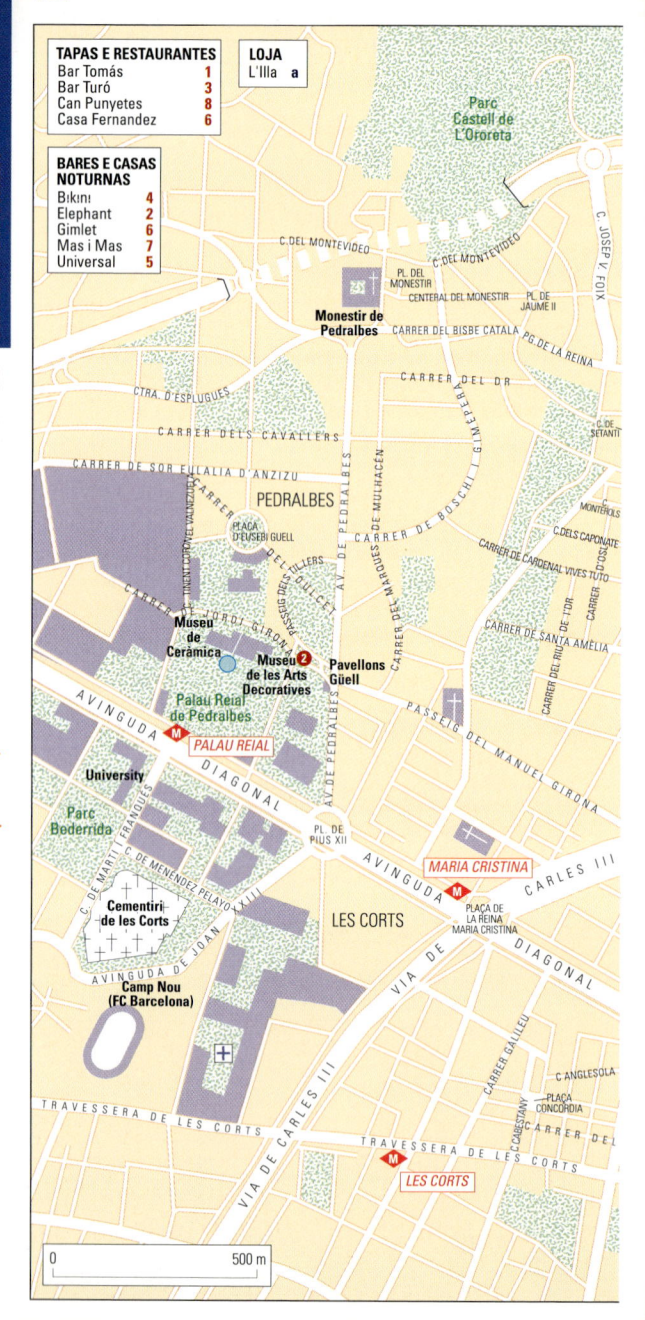

TAPAS E RESTAURANTES	
Bar Tomás	1
Bar Turó	3
Can Punyetes	8
Casa Fernandez	6

LOJA	
L'Illa	a

BARES E CASAS NOTURNAS	
Bıkını	4
Elephant	2
Gimlet	6
Mas i Mas	7
Universal	5

ÁREA POR ÁREA

Camp Nou, Pedralbes e Sarrià-Sant Gervasi

CAMP NOU, PEDRALBES E SARRIÀ-SANT GERVASI

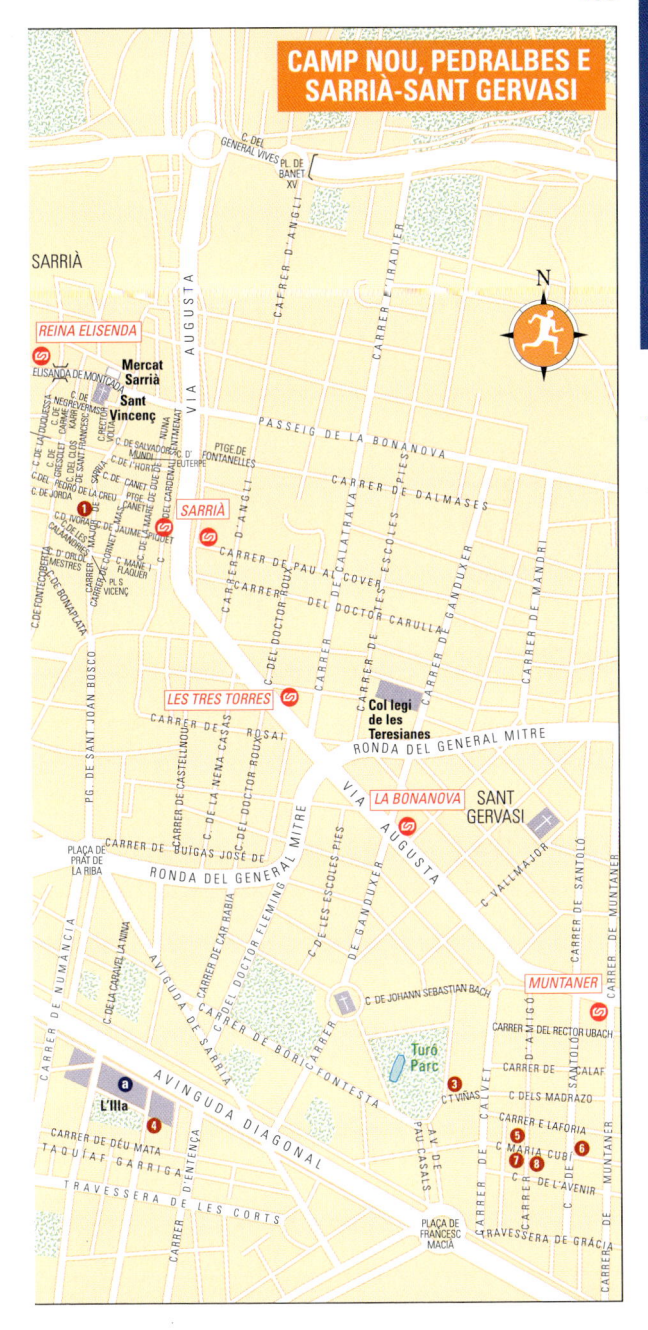

ÀREA POR ÀREA

Camp Nou, Pedralbes e Sarrià-Sant Gervasi

os anos da ditadura o time foi um símbolo catalão, um dos poucos que as pessoas podiam cultuar. O arqui-rival Real Madrid, por outro lado, foi sempre visto como o time de Franco. Além disso, fato único entre equipes profissionais, as famosas camisas "Blaugrana" (azul e grená) ficaram isentas do nome do patrocinador durante um século –até que, numa atitude tipicamente catalã, foi escolhido o logo do Unicef. A grande equipe –campeã da Europa em 1992 e 2006, e que teve jogadores como Cruyff, Maradona, Stoichkov e Ronaldinho– joga no magnífico estádio Camp Nou (e não "Nou Camp", não importa o que o seu locutor de futebol insista em dizer). Ele foi construído em 1957 e ampliado em 1982 para a semifinal da Copa do Mundo para acomodar 98 mil pessoas. É um dos melhores do mundo também para os espectadores, e as partidas são uma boa introdução ao caráter apaixonado dos catalães.

A **temporada de futebol** vai de fim de agosto a início de junho, com jogos em geral aos domingos (às vezes, em outros dias da semana). Não é difícil obter ingressos, exceto para os grandes jogos e para as ligas européias. Os sócios do clube têm prioridade (o Barcelona é o que tem maior número de afiliados do mundo), mas em geral os ingressos se esgotam um mês antes –você pode comprar pelo site, na bilheteria, ou ligar para o ServiCaixa.

O complexo do estádio tem ainda um grande museu (ver ao lado) e sedia partidas de basquete, handebol e hóquei das outras equipes profissionais do FC Barcelona, além de contar com um rinque de patinação, uma loja de suvenires e um café.

Museu del Futbol e passeio pelo estádio

Camp Nou, Avgda. Arístides Maillol, entrada pelos Portões 7 e 9 ☎902 189 900, ou ☎934 963 600 do exterior, Ⓦwww.fcbarcelona.com. Museu seg–sáb 10h–20h, dom 10h–15h; passeios até 1 hora antes de o museu fechar. Só Museu € 7,50, museu e passeio € 11,50. Juntos, o estádio Camp Nou e o museu do futebol oferecem uma esplêndida celebração do esporte nacional da Espanha. Um ingresso total vale para uma visita autoguiada pelos meandros do estádio e pelos vestiários, até sair pelo túnel no campo, e depois até o setor de imprensa e camarote da diretoria. O museu, por sua vez, é cheio de taças e troféus, pinturas e esculturas, e painéis que narram a história do clube desde 1901. Por fim, você chega à FC Botiga Megastore, onde pode comprar desde uma camisa até uma garrafa de vinho do Barcelona.

Palau Reial de Pedralbes

Avgda. Diagonal 686. ⓂPalau Reial. O Palau Reial de Pedralbes –basicamente uma grande mansão– foi construído para uso da família real em suas visitas a Barcelona. A primeira dessas visitas foi em 1926, mas ela nunca foi muito apreciada pela realeza e, em cinco anos, de qualquer modo, o rei abdicaria, o que fez o palácio perder sua função. Franco manteve-o como residência governamental e mais tarde a casa passou para a cidade, que desde 1990 usa as salas para exibir suas excelentes cerâmicas e coleções de artes decorativas em dois museus separados: o Museu de Ceràmica e o Museu de les Arts Decoratives (ver adiante). Os jardins (acesso livre) são um oásis de calmaria, e neles –escondida num bambuzal, à esquerda da fachada– fica a "fonte de Hércules", um dos primeiros trabalhos de Gaudí.

Museu de Ceràmica
Avgda. Diagonal 686 ☎932 805 024, www.museuceramica.bcn. es. Ter–sáb 10h–18h, dom 10h–15h. € 3,50, gratuito no primeiro dom do mês; ingresso válido também para o Museu de les Arts Decoratives e para o Museu Textil i d'Indumentària em La Ribera. A parte principal da coleção cobre do século 13 ao 19 e inclui lindos azulejos e travessas de influência mourisca da cidade aragonesa de Teruel, além da série de *socarrats* (painéis decorados de terracota) dos séculos 15 e 16 de Paterno, que mostram demônios e cenas eróticas. Talvez os exemplos mais marcantes de oficinas de Barcelona e Lleida sejam os dois grandes painéis de azulejo de 1710: um deles mostra uma corrida de touros em Madri, o outro mostra uma festa centrada em uma loucura da época –o chocolate quente.

Museu de les Arts Decoratives
Avgda. Diagonal 686 ☎932 805 024, www.museuartsdecoratives.bcn. es. Ter–sáb 10h–18h, dom 10h–15h. € 3,50, gratuito no primeiro dom do mês; o ingresso é válido também para o Museu de Ceràmica e para o Museu Textil i d'Indumentària em La Ribera. Situado na galeria superior da antiga sala do trono do Palau Reial, o Museu de Artes Decorativas abriga desde arte românica até design catalão contemporâneo. Salas anexas focalizam outros períodos, com mostras de mobília barroca e neoclássica superpolida em contraste com peças Art Déco e modernistas. A última metade da galeria enfatiza o *disseny* (design) catalão e mostra de cadeiras a máquinas de café expresso, de abajures a torneiras de pia.

Pavellons Güell
Avgda. de Pedralbes 7 ☎933 177 652, www.rutadelmodernisme.com.

▼ PEÇAS EXPOSTAS NO MUSEU DE LES ARTS DECORATIVES

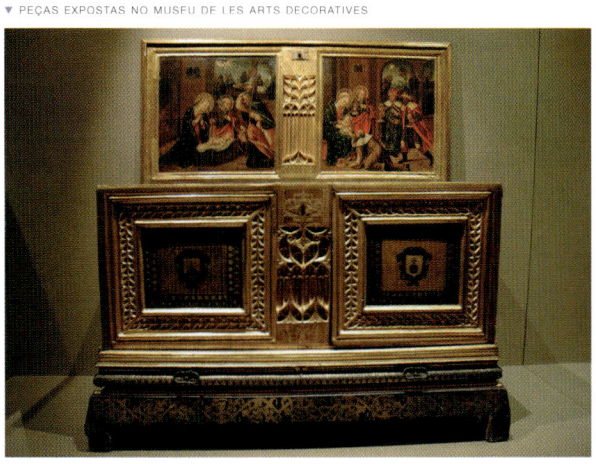

Visitas seg, sex, sáb e dom às 10h15 e 12h15 em inglês, mais 11h15 e 13h15 em espanhol/catalão. € 5. ⓂPalau Reial. Como um primeiro teste de sua capacidade, Antoni Gaudí foi solicitado por seu patrão, Eusebi Güell, para refazer a entrada, a portaria e as cocheiras da casa de verão de Güell (mais tarde doada à família real e reconstruída como Palau Reial). Os edifícios de tijolo e azulejo são extravagantes, com toques mouriscos, mas o portão é o elemento mais famoso. Um extraordinário dragão alado de ferro torcido ameaça os passantes, com os maxilares abertos como num rugido. Durante a semana, não é possível ir além do portão, e vale a pena fazer a visita guiada, principalmente para ver o interior das inovadoras cocheiras de Gaudí, hoje uma biblioteca do departamento de história e arquitetura da Universidade de Coimbra.

▲ DRAGÃO NA ENTRADA DOS PAVELLONS GÜELL

Monestir de Pedralbes

Biaxada del Monestir ☎932 039 282, ⓦwww.museuhistoria.bcn.es. Ter–sáb 10h–17h, dom 10h–15h. € 5, gratuito no primeiro dom do mês. ⓂPalau Reial e 20min a pé, FGC Reina Elisenda e 10min a pé, ou 30min, no ônibus 22 da Plaça de Catalunya ou no 64 da Ronda Sant Antoni. Fundado em 1326 para as monjas da Ordem de Santa Clara (cujos membros ainda residem aqui), na verdade se trata de uma vila monástica completa preservada nos arredores da cidade; fica dentro de muros e portões medievais que o isolam do ruído e da agitação do século 21.

Os artesãos medievais levam pouco mais de um ano para preparar Pedralbes (do latim *petras albas*, "pedras brancas") para sua primeira comunidade de monjas. A rapidez da construção inicial e a habitação continuada pela ordem ajudam a explicar a harmonia arquitetônica do mosteiro. Os claustros são talvez os mais belos da cidade, em três níveis e enfeitados com colunas muito esbeltas. Em toda a volta dos claustros há celas e quartos com os tesouros do mosteiro —afrescos, pinturas, objetos e artefatos religiosos—, enquanto a igreja adjacente preserva alguns de seus vitrais originais do século 14 e o elaborado túmulo de mármore esculpido da patrocinadora da fundação, Elisenda de Montcada, mulher de Jaume II, falecida em 1364.

Sarrià

FGC Sarrià saída Carrer Mare de Deu de Núria, ou ônibus 64 da Plaça Universitat ou Pedralbes. A estreita e calma rua principal de Sarrià– Carrer Major de Sarrià– mostra aspectos da pequena cidade independente que Sarrià foi. Na ponta norte, na Plaça de Sarrià, a muito restaurada igreja de Sant Vincenç ladeia o Passeig de la Reina Elisenda de Montcada, onde fica o mercado do bairro, num edifício modernista de tijolo vermelho de 1911. O Carrer Major de Sarrià desce a partir daqui e passa por outras praças sobreviventes da antiga cidade –a mais linda delas é a **Plaça Sant Vicenç** (junto ao Carrer Mañe i Flaquer), onde há uma estátua do santo. Não perca o *Bar Tomás*, logo virando a esquina do Carrer Major de Sarrià, que tem as melhores *patatas bravas* do mundo.

Avinguda Diagonal

A parte mais elegante da Avinguda Diagonal corta o coração da área de negócios e comércio mais destacada de Barcelona. Típico dos empreendimentos daqui é o L'Illa, o imenso shopping cuja fachada de 340m ladeia a avenida –o design da fachada lembra o Rockefeller Center de Nova York. Há lojas de moda de grife por toda parte, em especial em volta da **Plaça de Francesc Macià** e da Avinguda Pau Casals –no fim desta última, o **Turó Parc** (diariam 10h–entardecer) é um bom lugar para descansar, com um laguinho e um café. Atrás do L'Illa fica a **Plaça de la Concordia**, uma surpreendente sobrevivente do passado no meio dos novos edifícios do bairro elegante –a linda pracinha é dominada pelo campanário da igreja e tem floricultura, farmácia e cabeleireiro, além de uns dois cafés ao ar livre para um drinque tranquilo.

▲ MERCAT SARRIÀ

Loja

L'Illa
Avgda. Diagonal 555–559 ☎934 440 000, ⓦwww.lilla.com. O grande shopping desta parte chique da cidade, com lojas de grife, Camper (calçados), FNAC (música e livros), Sfera (cosméticos), Decathlon (esportes), El Corte Inglés (loja de departamentos), Caprabo (supermecado) e muito mais. Você pode chegar de metrô (Maria Cristina) ou bonde, ou pegar a linha de ônibus **Tomb Bus do shopping**, que sai da Plaça de Catalunya e também passa por outras lojas (sai a cada 6-8min; bilhetes a bordo).

Restaurantes e bares de tapas

Bar Tomás
Carrer Major de Sarrià 49 ☎932 031 077. Diariam exceto qua 8h–22h; fecha em ago. As melhores *patatas bravas* da cidade? Todo mundo vai dizer que são as deste despretensioso bar com mesinhas de fórmica branca na periferia. Eles fritam as incomparáveis batatas com alho e molho picante do meio-dia às 15h e das 18h até fechar, por isso, se o que você quer são as *bravas*, observe o horário.

▼ PATATAS BRAVAS

Bar Turó
Carrer del Tenor Viñas 1 ☎932 006 953. Seg–sáb 9h–24h, dom 9h–16h30. Um lugar confiável para *tapas*, massas frescas e pizzas caseiras, junto ao Turó Parc. É um bar moderno com janelões que dão para um terraço na rua, e a comida tem bom preço considerando que estamos na parte chique.

Can Punyetes
Carrer Marià Cubì 189 ☎932 009 159, ⓦwww.canpunyetes.com. Diariam 13h–16h e 20h–24h. Tradicional bar de grelhados –funciona desde 1981–, oferece um sabor dos velhos tempos. Saladas simples e *tapas*, as grelhas abertas girando *botifarra* (linguiça), pedaços de cordeiro, frango e carne de porco –acompanhados por pão, feijão-branco e batatas na brasa. É barato (tudo por menos de € 10) e os locais adoram o lugar.

Casa Fernandez
Carrer Santaló 46 ☎932 019 308, ⓦwww.casafernandez.com. Diariam 13h–1h3. O horário dilatado da cozinha é uma bênção para os clientes deste bar da periferia. É um local contemporâneo, com cozinha de ingredientes frescos, e a especialidade são ovos fritos, servidos só com fritas, ou com linguiça catalã, *foie gras* ou outras variações.

▲ GIMLET

Bares

Elephant
Pg. dels Til.lers ☎933 340 258, ⓦwww.elephantbcn.com. Qui–sáb 23h–4h. Um bar com design fabuloso, para quem gosta de design. Alguns dançam, mas a maioria desfila por uma série de jardins em estilo oriental.

Gimlet
Carrer Santaló 46 ☎932 015 306. Diariam 19h–3h. Local de coquetéis bem frequentado e popular especialmente no verão, quando as mesinhas do lado de fora permitem apreciar melhor a festa.

Mas i Mas
Carrer Marià Cubì 199 ☎932 094 502, ⓦwww.masimas.com. Seg–qui e dom 19h–2h30, sex e sáb 19h–3h. O bar é um marco desta parte chique da cidade e se apresenta como "mistura de bar de coquetéis e sala de dança". A música é blues, acid-jazz, hip-hop e R&B, e a clientela é jovem e extravagante.

Universal
Carrer Marià Cubì 182 ☎932 013 596, ⓦwww.grupocostaeste.com. Seg–qui 22h–3h30, sex e sáb 22h–4h30. Um clássico designer bar, na linha de frente do estilo de Barcelona desde 1985. Aviso: a seleção na entrada é rigorosa, e se não forem com a sua cara não vão deixar você entrar.

Casa noturna

Bikini
Carrer Deu i Mata 105 ☎933 220 800, ⓦwww.bikinibcn.com. Qua–dom 24h–5h; fecha ago. Este marco tradicional da vida noturna de Barcelona (fica atrás do shopping center L'Illa) tem programação regular de bandas ao vivo, seguidas pelo som da casa, que vai de house a música brasileira, conforme a noite.

Tibidabo e Parc del Collserola

As vistas das alturas do Tibidabo (550 metros), o pico que marca o limite noroeste da cidade, são legendárias. Num dia claro, você pode ver ao longe Montserrat e os Pirineus e, em direção ao mar, até mesmo Mallorca. Mas, embora muita gente faça o passeio de subir de bonde ou funicular até o parque de diversões e a igreja do Tibidabo, poucos sabem que mais adiante ficam as extensões do Parc de Collserola, uma área de montes, vales e bosques com cerca de 17km quadrados, cortada por rios e trilhas para caminhadas. Você pode entrar no parque pelo Tibidabo, mas é melhor começar pelo centro de informações do parque, em Vallvidrera, onde há folhetos sobre as trilhas para caminhadas. Mas as famílias não vão querer perder o CosmoCaixa, o novo museu de ciências da cidade, que pode ser visto tanto na ida como na volta do Tibidabo.

Parc d'Atraccions
Plaça del Tibidabo ☎932 117 942, ⓦwww.tibidabo.es. Dias e horários variam (ver site), mas em geral abre jul, ago e feriados; resto do ano, só em fins de semana; pode fechar em jan e fev. Abre de 12h a 19h–23h dependendo da estação. Todas as atrações € 24, só algumas € 11, ingressos familiares com desconto.

▲ SAGRAT COR

O funicular del Tibidabo (box, pág. 172) deixa você na entrada de um maravilhoso parque de diversões, que abrange vários níveis no topo da montanha, ligados por caminhos e jardins. A "montanha mágica" combina brinquedos tradicionais e *high-tech*, muitos dos quais aproveitando a localização do parque para oferecer vistas deslumbrantes da cidade. Para emoções fortes, suba no aeroplano, um ícone de Barcelona, desde 1928. E não perca o Museu d'Autòmates, uma coleção de máquinas de diversões antigas, operadas por moedas. No verão, os fins de semana terminam com desfiles, concertos e um ruidoso *correfoc*, espetáculo de fogos de artifício.

Sagrat Cor
O elevador opera diariam 10h–14h e 15h–19h. € 1,50. Perto do parque de diversões do Tibidabo, suba os reluzentes degraus do Templo Expiatorio de España –conhecido também como Sagrat Cor (Sagrado Coração)– até o amplo terraço com vistas incríveis. A igreja é encimada por uma imensa estátua de Cristo e, dentro dela, um elevador (*ascensor*) leva você ainda mais alto, até o pé da estátua, de onde a cidade, as montanhas em volta e o mar brilham na distância.

Torre de Collserola
Carretera de Vallvidrera al Tibidabo ☎934 069 354, www.torredecollserola.com. Qua–dom 11h–14h30 e 3h30–19h, jul-set até 20h. € 5. Pegando a estrada do estacionamento do Tibidabo, são cinco minutos a pé até a torre de comunicações de Norman Foster. Bem acima da linha das árvores, ela tem um elevador de vidro que conduz você dez andares (115m), de onde terá vistas mais amplas – até 70 quilômetros de distância, num dia claro.

Parc de Collserola
Centre d'Informació ☎932 803 552, www.parccollserola.net. Diariam 10h–15h. FGC Baixada de Vallvidrera (na linha Sabadell ou Terrassa da Pl.

Como chegar ao Tibidabo

Chegar até o alto do Tibidabo é parte da aventura. Você terá de combinar várias formas de transporte. Leva até uma hora, saindo do centro. Primeiro, pegue o trem FGC (linha 7) na estação Plaça de Catalunya até a **Avinguda Tibidabo** (última parada). Saia da escada rolante da estação e atravesse a rua até o abrigo de bonde/ônibus no início da avenida arborizada; o Bus Turistic também pára aqui. Depois pegue o **Tramvia Blau**, antiga linha de bonde (meados-jun a meados-set diariam 10h–20h; resto do ano fins de semana e feriados, mais semanas de Natal e de Páscoa 10h–18h; sai a cada 15–30 min; € 2,60 ida, € 3,90 volta), que sobe a montanha até a Plaça Doctor Andreu; também há um ônibus fora da estação durante a semana. Aqui, você pega o **Funicular**, que sai a cada 15min, até o Tibidabo (opera quando o Parc d'Atraccions está aberto; € 2 ida, € 3 volta). Se o funicular não estiver operando, tome um táxi na Avinguda Tibidabo.

Como opção, o ônibus especial **Tibibus** vai direto ao Tibidabo saindo da Plaça de Catalunya, do El Corte Inglés (jun-set, Natal e Páscoa diariam a cada 30min; resto do ano, só fins de semana e feriados, a cada hora; € 2,30). Para mais detalhes, ligue para ☎010 ou veja o site 🌐www.tmb.net.

de Catalunya; 15min). O centro de informações do parque fica num bosque de carvalhos e pinheiros, uma caminhada fácil sob as árvores partindo da estação de trem FGC Baixada de Vallvidrera. Há um bar-restaurante aqui com terraço ao ar livre, e uma mostra sobre a história do parque, sua flora e fauna, e folhetos em inglês com detalhes das caminhadas. Algumas trilhas bem sinalizadas –como a da floresta de carvalhos– logo ganham altura suficiente para oferecer lindas vistas, e outras descem até vales com fontes e áreas para piqueniques. Talvez a trilha curta mais agradável que sai do centro de informações é a que vai até a Font de la Budellera (volta em 1h), uma fonte no bosque. E se você seguir as placas da fonte até a Torre de Collserola (mais 20min), poderá voltar a Barcelona no funicular que sai de Vallvidrera (diariam 6h–24h; a cada 6–10min), que faz a conexão até o Peu del Funicular, uma estação FGC de trem na linha que vem da Plaça de Catalunya.

CosmoCaixa
Carrer Teodor Roviralta 47–51 ☎932 126 050, 🌐www.cosmocaixa.com. Ter-dom 10h–20h. € 3, primeiro dom do mês gratuito, atividades para

▲ FUNICULAR DEL TIBIDABO

▲ VISTA A PARTIR DE MIRABLAU

crianças € 2, planetário € 2. Uma reforma radical em 2005 transformou o museu de ciências da cidade numa atração obrigatória, é claro, se você estiver com crianças. Parte dele fica num asilo modernista convertido, mas a reforma acrescentou um amplo espaço público bem iluminado e um imenso subsolo com quatro níveis, onde mostras e experimentos dos quais as crianças participam investigam a vida, o universo e qualquer outra coisa, "de bactérias a Shakespeare". As duas grandes atrações são as cem toneladas de "rocha fatiada" na Parede Geológica e, o melhor de tudo, o Bosc Inundat –mil metros quadrados de floresta amazônica real, com mangues de crocodilos, sucuris e jaús. Outros níveis do museu são dedicados a atividades com crianças e famílias, em geral nos fins de semana e nas férias escolares –pegue a programação ao chegar. Também há sessões diárias no planetário (em espanhol e catalão), uma grande loja e um café-restaurante com mesas ao ar livre sob a fachada restaurada do hospital. O modo mais fácil de chegar à CosmoCaixa é pegar o trem FGC da Plaça de Catalunya até a estação Avingudа del Tibidabo e subir a avenida a pé, virando à esquerda antes do anel viário (10min) –Tramvia Blau ou o Bus Turistíc também passam perto.

Bar

Mirablau
Plaça del Dr. Andrea, Avgda. Tibidabo ☎934 185 879. Diariam 11h–5h.
Inacreditáveis vistas da cidade são o destaque deste bar chique perto do funicular do Tibidabo que às vezes superlota. Durante o dia, é ótimo para um café e vistas; à noite, vira discoteca da meninada rica.

Montserrat

A montanha de Montserrat, com suas extravagantes formações rochosas, o grande mosteiro e as cavernas de ermitões, fica a 40km a noroeste de Barcelona. É o passeio de um dia mais popular para quem mora na cidade, e leva perto de 90 minutos, incluindo trem e depois bondinho de cabo ou trem de cremalheira, num emocionante trajeto de subida até o mosteiro. Lá, você pode visitar a basílica e o mosteiro e fazer um passeio pelos bosques e penhascos, pegando as duas linhas de funicular que partem do complexo do mosteiro.

Aeri de Montserrat

Montserrat Aeri ☏938 350 005, ⓦwww.aeridemontserrat.com. Saídas a cada 15min, diariam 9h25–13h45 e 14h20–18h45. Para pegar o bondinho a cabo, desça do trem que vem de Barcelona na estação Montserrat Aeri (52min). Pode haver fila de 15 minutos, mas depois são só cinco minutos pelas escarpadas encostas até um terraço logo abaixo do mosteiro –talvez o passeio mais emocionante da Catalunha. Para voltar a Barcelona, há trens de hora em hora da linha R5, saindo do Montserrat Aeri (desde 9h37).

▼ AERI DE MONTSERRAT

Cremallera de Montserrat

Monistrol de Montserrat ☏902

Como chegar a Montserrat

Para chegar às estações de bondinho a cabo e trem de cremalheira de Montserrat, pegue o trem **FGC** (linha R5, sentido Manresa), que sai todo dia da **Plaça d'Espanya** (M*Espanya) de hora em hora a partir de 8h36. Um balcão e painel de informações na estação **Plaça d'Espanya** informa sobre opções de tarifas, incluindo ida e volta de Barcelona (cerca de € 16), tanto para o bondinho a cabo como para o de cremalheira. Também há dois bilhetes combinados: o **Transmontserrat** (€ 21), abrangendo todos os serviços de transporte, até o uso dos funiculares de montanha; e o **Totmontserrat** (€ 35), que inclui o mesmo do anterior mais ingresso para o museu do mosteiro e almoço na cafeteria. Ambos os bilhetes estão disponíveis também no escritório de turismo da Plaça de Catalunya. Muitos peregrinos ainda vão a pé até **Montserrat** –o caminho tradicional (parte do caminho de Santiago) sai de Monistrol de Montserrat e leva duas horas (você pode baixar detalhes do caminho do site do centro de visitantes do mosteiro).

312 020, ⓦwww.cremalleradel-montserrat.com. Saídas de hora em hora, diariam 7h35–6h38/20h38 (mais tarde nos fins de semana abr–out, e diariam jul–set). Outro jeito de chegar ao mosteiro é o trem de cremalheira, que sai da estação de Monistrol de Montserrat (próxima parada depois de Montserrat Aeri, 4min depois), e sobe até o mosteiro em 20 minutos, via Monistrol-Vila. A linha original de cremalheira de Montserrat operou de 1892 a 1957, e esta versão moderna recria a bela engenharia que permite ao trem subir 550m em 4km. Para voltar a Barcelona, os trens da linha R5 partem de hora em hora de Monistrol de Montserrat (a partir de 9h33).

Monestir de Montserrat

Visitor centre ☎938 777 701, ⓦwww.montserratvisita.com. Seg–sex 9h–17h45, sáb até 19h. Oferece mapas e indicações de hospedagem. Há muitas lendas sobre o mosteiro de Montserrat. Cinquenta anos após o nascimento de Cristo, São Pedro teria depositado uma imagem da Virgem (chamada de La Moreneta), esculpida por São Lucas, numa das cavernas da montanha. Ela se perdeu no início do século 8º depois de ser escondida durante a invasão moura, mas reapareceu em 880, junto com as habituais visões e música celestial. Foi construída uma capela para abrigá-la, e em 976 esta foi substituída por um mosteiro beneditino, erguido numa altitude de 1.000 metros. Houve muitos milagres e a Virgem de Montserrat logo virou a principal imagem de culto da Catalunha e um centro de peregrinação que na Espanha só fica atrás do de Santiago de Compostela –as principais romarias a Montserrat ocorrem em 27 de abril e em 8 de setembro.

Os vários edifícios do mosteiro –hotel, correios, loja, bar, confeitaria e supermercado– ficam em torno de uma praça e há belíssimas vistas a partir do terraço e também de outros mirantes espalhados pelo complexo. Há muitos locais para comer, mas são caros e nenhum se destaca. As melhores vistas são do *Restaurant de Montserrat*, no edifício à beira do abismo, perto do estacionamento –a cafeteria self-service, um andar acima, é onde se come com o bilhete *Tot Montserrat*.

▲ MONTSERRAT

Basílica

Basílica diariam 7h30–20h. Acesso a La Moreneta 8h–10h30 e 12h–18h30. Gratuito. Dos edifícios religiosos, apenas a basílica renascentista, cuja maior parte data de 1560 a 1592, é aberta ao público. **La Moreneta**, escurecida pela fumaça de incontáveis velas, fica em cima do altar —chega-se a ela por trás, por um acesso à direita da entrada principal da basílica. O caminho até esta bela imagem revela a imensa riqueza do mosteiro, conforme você segue por um corredor que passa por trás das ricas capelas laterais da basílica. Placas à altura da cabeça pedem "SILÊNCIO" em várias línguas, mas nada aquieta a fila que aguarda para beijar as mãos e os pés da imagem.

A melhor hora para estar aqui é quando o **coro de meninos** mundialmente famoso de Montserrat canta (seg–sex às 13h, dom às 12h e 18h45; aos sáb *não, nem* nas férias escolares de fim de jun a meados ago). Os meninos fazem parte da Escolania, uma escola coral fundada no século 13 com estilo musical inalterado desde a sua fundação.

▼ VELAS EM MONTSERRAT

Museu de Montserrat

Ter–sex 10h–17h45, sáb e dom 9h–19h. € 6,50. Perto da entrada da basílica, o museu do mosteiro

▲ ERMIDA DE SANT JOAN

apresenta alguns achados arqueológicos que os monges traziam de suas viagens, além de pinturas e esculturas do século 13 e obras de Caravaggio, El Greco, Tiepolo, Picasso, Dalí, Monet e Degas. Há poucos itens religiosos, pois a maioria das peças valiosas do mosteiro foi saqueada pelos soldados de Napoleão, em 1811. O ingresso dá direito a ver o **Espai Audiovisual** (seg-sex 9h-17h45, sáb e dom 9h-19h), perto do centro de informações, que conta um pouco da vida numa comunidade beneditina.

Passeios pela montanha

O funicular sai a cada 20min, diariam 10h–18h, fins de semana apenas out-mar. Santa Cova € 2,70 volta, Sant Joan € 6,60 volta, bilhete combinado € 7,50. Ao seguir as trilhas da montanha até as cavernas e ermidas, entende-se o que Goethe escreveu em 1816: "Em nenhum lugar, exceto em seu próprio Montserrat pode o homem encontrar felicidade e paz". O caminho é bom em todas as trilhas e a sinalização clara, mas lembre-se de que você está numa montanha. Leve água e fique longe das beiradas. Dois funiculares saem de pontos próximos à estação dos bondinhos. Um vai para o caminho de **Santa Cova**, capela do século 17 erguida no local em que se diz ter sido achada a imagem da Moreneta. É uma trilha de menos de uma hora, ida e volta. O outro funicular sobe até a ermida de **Sant Joan**, de onde sai uma trilha mais dura de 45 minutos até a ermida de **Sant Jeroni**, e mais 15 minutos até o pico de Sant Jeroni (1.236m). Há várias outras trilhas saindo do funicular de Sant Joan, e talvez a mais bonita seja o circuito pela serra, que leva em 45 minutos de volta ao mosteiro.

Sitges

A cidade litorânea de Sitges, 36km ao sul de Barcelona, é sem dúvida o destaque da costa local –um grande refúgio de fim de semana para os jovens de Barcelona, que criaram um balneário bem de acordo com sua própria imagem. Também é um destino de férias gay, com um ousado Carnaval anual (fev/mar) e uma vida noturna de verão agitadíssima. No auge do calor do dia, porém, o ritmo cai, pois todos vão à praia. Fora da estação, Sitges é deliciosa: bem menos lotada e com um clima temperado que incentiva caminhadas e passeios pela cidade velha.

As praias

Há praias de areia limpa de ambos os lados do pontal da cidade velha, mas ficam muito lotadas na alta estação. Para ter mais espaço, siga para oeste, a partir do Passeig de la Ribera, ao longo da alameda com palmeiras do Passeig Marítim, passando por oito praias interligadas que descem o litoral por cerca de dois quilômetros até o *Hotel Terramar*. Há quebra-mares, bares, restaurantes, chuveiros e instalações para esportes aquáticos no caminho, e as mais famosas praias gay de nudismo ficam no final –para estas, passe pela discoteca *L'Atlantida* e vá até o bar *Sun Beach Garden* (10min) e as enseadas mais adiante.

Església Parroquial

Plaça del Baluard ☎938 940 374. Geralmente abre para a missa.

A colina sobre as praias da cidade e a marina é encimada pela igreja paroquial barroca dedicada a são Bartolomeu, cuja festa anual é celebrada na cidade na última semana de agosto. As vistas do terraço varrem o litoral, e atrás das estreitas ruas da cidade antiga você encontra uma série de mansões caiadas, além da sede da prefeitura e do Mercat Vell (Mercado Velho), de tijolos, hoje uma sala de exposições.

▼ PRAIA DE SITGES

ÁREA POR ÁREA: Sitges

SITGES

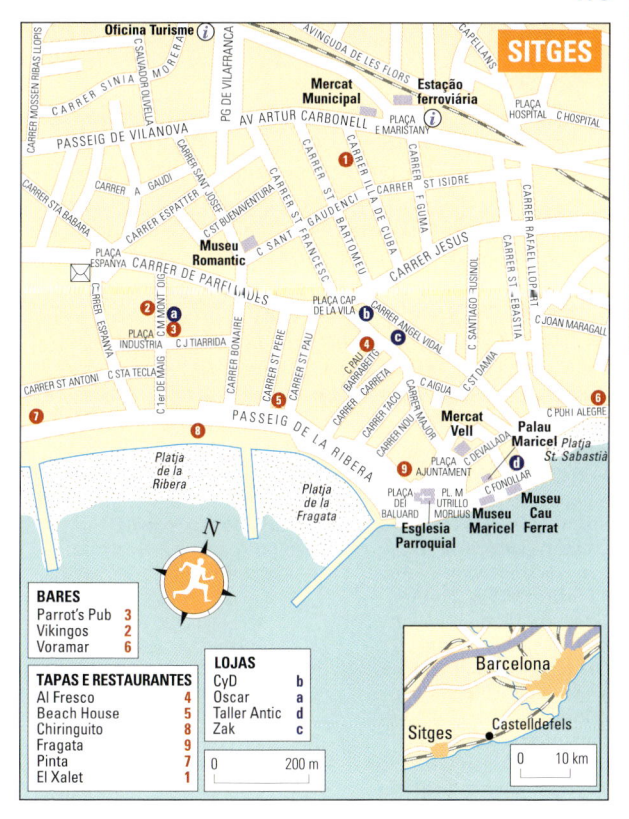

BARES
Parrot's Pub	3
Vikingos	2
Voramar	6

TAPAS E RESTAURANTES
Al Fresco	4
Beach House	5
Chiringuito	8
Fragata	9
Pinta	7
El Xalet	1

LOJAS
CyD	b
Oscar	a
Taller Antic	d
Zak	c

Museu Cau Ferrat

Carrer Fonollar ☎938 940 364. Jun–set ter–sáb 9h30–14h e 16h–10h, dom 10h–15h; out–mai ter–sáb 9h30–14h e 15h30–18h30, dom 10h–15h. € 3,50. Vários artistas se sentiram atraídos pela cidade no fim do século 19, pela sua luz e paisagens, e Sitges floresceu como importante centro modernista com o apoio do artista e escritor Santiago Rusiñol (1861-1931). Sua antiga casa e estúdio contém um grande acervo de suas pinturas, além de esculturas, azulejos pintados, desenhos e quinquilharias –como a grade decorativa que Rusiñol trouxe inteira dos Pirineus. O museu tem ainda obras de amigos do artista e de

▼ SITGES À NOITE

Informações sobre Sitges

Trens para Sitges (€ 2,60) saem das estações Passeig de Gràcia ou Barcelona Sants a cada 20 minutos, ou menos, nas horas de pico (destino Vilanova/St. Vicenç), e levam de 30 a 40 minutos. Há um ônibus direto do aeroporto de Barcelona, da Monbus (w www.monbus.org), que leva 40 minutos, e outro noturno de hora em hora (23h–4h) entre Sitges (Pg. de Vilafranca, junto ao escritório de turismo) e Barcelona (Ronda Universitat).

Há um quiosque de informação turística de verão (meados jun-meados set diariam 9h–13h e 17h–21h) fora da estação de trem e, na cidade, a principal **Oficina Turisme** (Carrer Sinia Morera 1, atrás do shopping Oasis T 938 109 340, w www.sitgestour.com; meados jun a meados set diariam 9h–20h; meados set-meados jun seg–sex 9h–14h e 16h–18h30) fica a cinco minutos a pé daqui. Vários locais alugam bicicletas por € 15–20 por dia –pergunte no escritório de turismo ou procure folhetos.

Há um bilhete combinado (€ 6,40, válido por um mês) disponível para os três museus –lembre-se de que a segunda-feira não é o melhor dia para vir, pois os museus e muitos restaurantes estão fechados.

---

contemporâneos seus (incluindo Pablo Picasso).

Palau e Museu Maricel

Carrer Fonollar T 938 940 364. Museu abre jun–set ter–sáb 9h30–14h e 16h–19h, dom 10h–15h; out–mai ter–sáb 9h30–14h e 15h30–18h30, dom 10h–15h. € 3,50.

O museu nesta linda mansão perto da igreja tem obras de arte menores, de medievais a modernas, e uma impressionante coleção de cerâmica e escultura catalã. Em julho e agosto (duas noites por semana), a maior parte da mansão abre para visitas guiadas, um concerto curto de música clássica e bebidas –veja a programação no escritório de turismo.

Museu Romàntic

Carrer Sant Gaudenci 1 T 938 942 969. Jun–set ter–sáb 9h30–14h e 16h–19h, dom 10h–15h; out–mai ter–sáb 9h30–14h e 15h30–18h30, dom 10h–15h. € 3,50, acesso com visita guiada de hora em hora.

Ocupando as majestosas salas de Can Llopis, casa burguesa de 1793, o chamado "Museu Romântico" mostra o estilo de vida de uma família rica de Sitges no século 19, com muita mobília e objetos da época, de divãs a bonecas. Outras belas casas da cidade foram construídas no século 19 por comerciantes locais bem-sucedidos (os chamados "americanos"), que voltavam de Cuba e Porto Rico –uma andada pelo passeio à beira-mar mostra as melhores dessas

▼ UMA MANSÃO EM SITGES

casas, com sacadas de ferro trabalhado, vitrais e decoração com cerâmica.

Mercat Municipal
Avgda. Artur Carbonell ☎938 940 466. Seg–qui 8h–14h, sex e sáb 8h–14h e 17h30–20h30. O mercado da cidade é ideal para preparar um piquenique na praia. As bancas vendem carnes cozidas e defumadas, azeitonas, queijos, anchovas, pão fresco, batatas fritas caseiras e frutas.

Lojas

CyD
Carrer Major 60. A loja certa para camisas finas para homens em edições limitadas –das brancas clássicas às coloridas.

Oscar
Plaça de l'Industria 2. Fecha seg.
Moda praia para homens muito bem bronzeados da cidade.

Taller Antic
Carrer Fonollar. Uma arca do tesouro para jóias Art Nouveau e peças com design do século 19, de frascos de perfume e molduras de quadros a relógios ornamentais e abridores de cartas.

Zak
Carrer Major 34. Grifes para homens e mulheres, e lindos acessórios de primeira linha se juntam nesta arejada butique, cuja vitrine é sempre um quadro.

Restaurantes e bares de tapas

Al Fresco
Café, Carrer Major 33 ☎938 113 307, fecha seg. Restaurante, Carrer Pau Barrabeitg 4 ☎938 940 600, só jantar, fecha seg e ter. O café, na principal rua de compras, é um espaço branco, chique, para café-da-manhã, almoço e refeições no estilo mediterrâneo leve. O restaurante de mesmo nome fica dobrando a esquina e descendo a escada, e serve refeições catalãs mais criativas, com pratos principais (atum grelhado, *tahine* de cordeiro, peixe ao forno) entre € 17-25.

Beach House
Carrer Sant Pau 34 ☎938 949 029, ⓦwww.beachhousesitges.com.
Páscoa–out somente, diariam 9h–2h.
Os *chefs*-donos australianos criaram um local tranquilo, com uma *table d'hôte* menu (€ 25) que muda todo dia e oferece quatro pratos da melhor da fusão culinária asiático-mediterrânea. Café-da-manhã e sanduíches são servidos até as 16h, o terraço ao ar livre dá um toque de romance à beira-mar, e enquanto a *happy hour* pós-praia vai das 16h às 20h.

Chiringuito
Pg. de la Ribera ☎938 947 596.
Diariam 10h–22h, horário reduzido no inverno. Diz ser o bar de praia mais antigo da Espanha e serve sardinhas grelhadas, lula frita, sanduíches e *tapas* a preços econômicos.

Fragata
Pg. de la Ribera 1 ☎938 941 086, ⓦwww.restaurantefragata.com.
Diariam 13h–16h e 20h–23h. Típico da nova onda da cidade, de locais de frutos-do-mar de classe, serve pratos criativos de peixe, moluscos, arroz e *fideuà* (macarrão) a preços entre médios e caros. As opções de pesca do dia, como *casserole*

▲ PARROT'S PUB

de peixe, atum com crosta de azeitona e pistache, ou camarão grelhado saem por € 17-€ 25.

Pinta
Pg. de la Ribera 58–59 ☎938 947 871. Diariam 13h–16h e 20h–24h. Todo restaurante à beira-mar faz uma boa *paella* e tem belas vistas, mas este é melhor que a maioria, com um cardápio imenso e um terraço à sombra. No almoço, o *menú del dia* (exceto nos fins de semana) sai por apenas € 12,50, e uma refeição completa, incluindo bebida sai por volta de € 35.

El Xalet
Carrer Illa de Cuba 35 ☎938 110 070, ⊛www.elxalet.com. Mai-out, só jantar, fecha ter. Almoce à beira da piscina no encantador pátio desta mansão do século 19, à sombra de uma bela árvore. Fica bem afastado da agitação da orla e a cozinha mediterrânea sai por bom preço, especialmente o jantar fixo de € 20, no qual podem lhe servir uma salada da estação seguida por atum grelhado.

Bares

Parrot's Pub
Plaça de l'Industria ☎938 947 881. Diariam 21h–2h. Tradicional na cena de bares gays de Sitges. Tome assento sob os guarda-sóis de plástico e veja o desfile, ou agende com os locais a noitada nos clubes.

Vikingos
Carrer Marqués de Montroig 7–9 ☎938 949 687, ⊛www.losvikingos.com. Seg–qui e dom 11h–1h, sex e sáb 11h–2h. Bar tradicional de balada, com um interior enorme, ar-condicionado e terraço junto à rua. Serve drinques, lanches ou refeições de manhã à noite.

Voramar
Carrer Port Alegre 55 ☎938 944 404. Diariam 18h–2h. Este carismático bar da orla tem algumas poucas mesas na calçada e um interior de madeira que lembra um *pub* inglês. Uma galera variada toma cerveja gelada ou coquetéis da casa.

A cena gay de Sitges

A cena gay é mutante, mas o foco do agito noturno é a Plaça de l'Industria. No verão, é claro, a festa não pára nos bares e clubes, mas a **época do Carnaval** (fevereiro/março) também é animadíssima. Os bares ficam de portas abertas, as bandas não param, *drag queens* desfilam pela rua e a procissão, as festas na praia e os bailes de máscaras vão até de manhã.

Hospedagem

Hotéis

Achar vaga num bom hotel de Barcelona pode ser difícil, por isso reserve com antecedência entre a Páscoa e o fim de outubro. Os preços são altos. O quarto de casal mais barato numa pensão familiar, com chuveiro compartilhado fora do quarto, custa € 45 (€ 60 é mais realista). Com ar-condicionado, TV e elevador há muitas opções por € 80-100, e por € 180 você já pega hotéis decentes na maioria das áreas da cidade. Hotéis mais modernos cobram € 250-400 a diária.

Os preços a seguir são para o quarto de casal/duplo mais barato disponível na alta estação e incluem os 7% do **imposto** IVA. Alguns locais dão desconto no inverno (nov, jan e fev) ou para estadias longas, e hotéis maiores costumam ter tarifas especiais em agosto (quando as viagens de negócios são raras) e fins de semana. O **café-da-manhã** em geral não está incluído (mesmo em hotéis bem caros). Quase todos os hotéis aceitam **cartão de crédito**, mesmo os modestos (embora o American Express tenha restrições). Traga protetor de ouvido: há muito barulho de rua em Barcelona.

As Ramblas

Benidorm Ramblas 37 ☏933 022 054, ⓦwww.hostalbenidorm.com. Pensão remodelada em frente à Plaça Reial com boa relação custo-benefício e que atrai turistas jovens. Há quartos que acomodam de uma a cinco pessoas, todos com banheira ou chuveiro e uma sacada com vista das Ramblas se tiver sorte (e se dispuser a pagar um pouco mais). A partir de € 65.

Reserva de hospedagem

Você pode reservar estadia nos escritórios de turismo da cidade (Turisme de Barcelona), mas só pessoalmente no dia ou online –não há reserva por telefone. Outra opção é procurar uma das agências de reservas abaixo. Elas providenciam hotel e algumas são especializadas em alugar apartamentos (diárias a partir de € 90–110 numa quitinete para dois), mas certifique-se de que entendeu bem todos os custos –acréscimos sazonais, taxas de limpeza, contas e impostos podem encarecer o preço.

Barcelona On-Line Barcelona ☏902 887 017 ou 933 437 993/4, ⓦwww.barcelona-on-line.es. Reservas para hotéis, pensões e apartamentos sem cobrança de comissão.

My Favourite Things Barcelona ☏637 265 405, ⓦwww.myft.net. Agência de viagens e estadias com ênfase para hospedagens não usuais, desde hotéis-butique a *bed and breakfasts* particulares. Não cobra comissão.

Escritórios do Turismo de Barcelona em Barcelona na Plaça de Catalunya; Plaça de Sant Jaume; Barcelona Sants; Aeroporto de Barcelona ☏932 853 833, ⓦwww.hotelsbcn.com. Estadia para o dia, sem cobrança de comissão, com agendamento feito pessoalmente, por telefone ou pelo site.

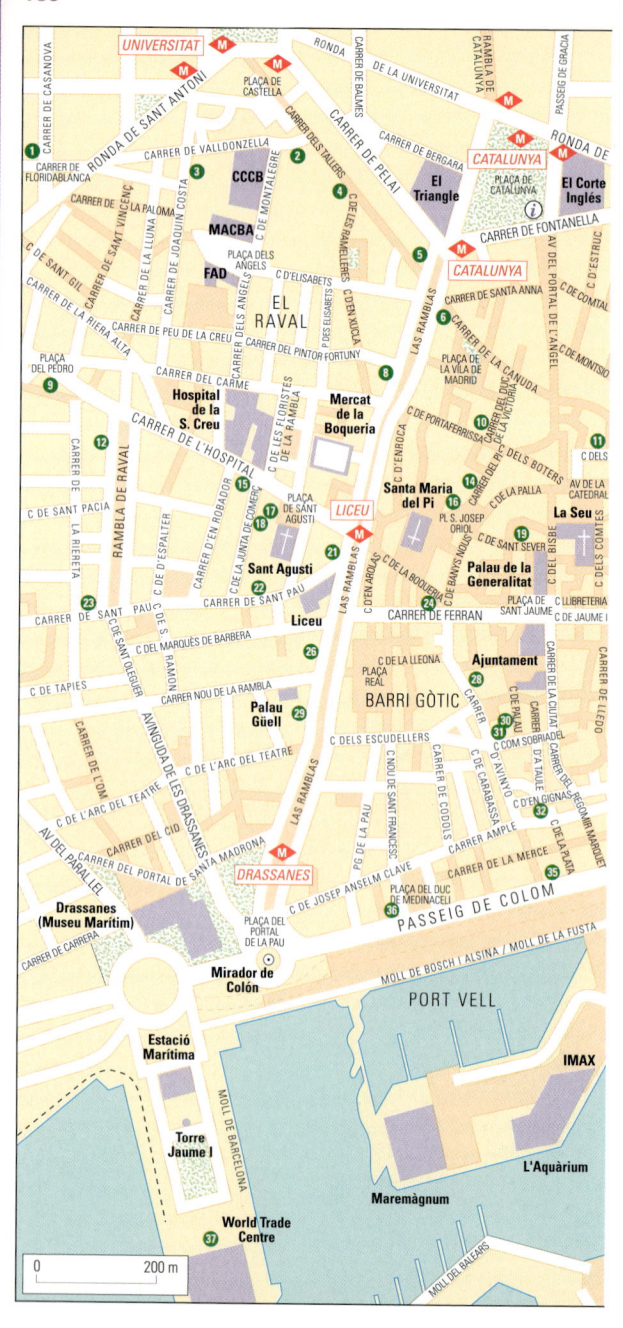

HOSPEDAGEM / Hotéis

Map of Barcelona showing the area from Universitat and Catalunya metro stations south to Port Vell, including El Raval, Barri Gòtic, and Las Ramblas.

Key locations shown on map:
- Universitat (M)
- Catalunya (M)
- El Corte Inglés
- El Triangle
- Plaça de Catalunya
- Plaça de Castella
- CCCB
- MACBA
- FAD
- El Raval
- Hospital de la S. Creu
- Mercat de la Boqueria
- Santa Maria del Pi
- La Seu
- Palau de la Generalitat
- Sant Agustí
- Liceu (M)
- Palau Güell
- Barri Gòtic
- Ajuntament
- Drassanes (M)
- Drassanes (Museu Marítim)
- Mirador de Colón
- Estació Marítima
- Torre Jaume I
- World Trade Centre
- Port Vell
- Maremàgnum
- L'Aquàrium
- IMAX

Scale: 0 — 200 m

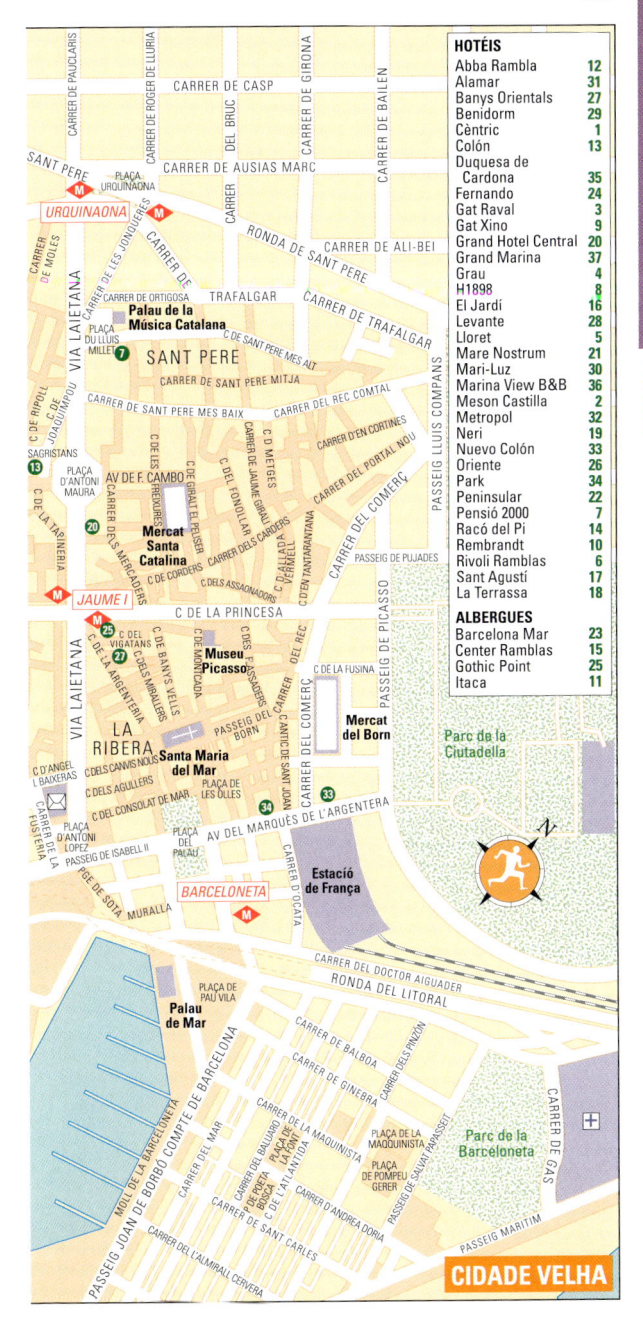

HOTÉIS

Abba Rambla	12
Alamar	31
Banys Orientals	27
Benidorm	29
Cèntric	1
Colón	13
Duquesa de Cardona	35
Fernando	24
Gat Raval	3
Gat Xino	9
Grand Hotel Central	20
Grand Marina	37
Grau	4
H1898	8
El Jardí	16
Levante	28
Lloret	5
Mare Nostrum	21
Mari-Luz	30
Marina View B&B	36
Meson Castilla	2
Metropol	32
Neri	19
Nuevo Colón	33
Oriente	26
Park	34
Peninsular	22
Pensió 2000	7
Racó del Pi	14
Rembrandt	10
Rivoli Ramblas	6
Sant Agustí	17
La Terrassa	18

ALBERGUES

Barcelona Mar	23
Center Ramblas	15
Gothic Point	25
Itaca	11

HOSPEDAGEM Hotéis

CIDADE VELHA

H1898 Ramblas 109 ☎935 529 552, ⓦwww.nnhotels.com. A antiga sede da Philippines Tobacco Company reformada, com quatro categorias de quartos (o padrão é "Classic") em vermelho, verde ou preto, todos bem mobiliados. As áreas sociais refletem a época –1898–, mas há espaços bem atuais, como o saguão neocolonial. Tem piscina ao ar livre e spa, academia, bar e restaurante. Algumas suítes têm hidromassagem e jardim. Visitas sem pernoite a partir de € 150, caso contrário, a partir de € 250.

Lloret Ramblas 125 ☎933 173 366, ⓦwww.hlloret.com. Espelhos dourados, quadros antigos e sofás de couro no lounge sugerem uma glória passada neste hotel uma-estrela, mas alguns quartos, banheiros e pisos foram reformados. É um ótimo edifício, bem localizado, e vários quartos têm sacadas para as Ramblas –assim como o salão, que serve café-da-manhã (não incluído). A partir de € 85.

Mare Nostrum Ramblas 67 ☎933 185 340, ℻934 123 069. Quartos duplos, triplos ou para família, com TV por satélite e ar-condicionado –nada especial, mas modernos, arrumados e com vidro duplo anti-ruído. Alguns têm sacada e vista para a rua. Inclui café-da-manhã simples. € 66; na suíte € 75.

Oriente Ramblas 45 ☎933 022 558, ⓦwww.husa.es. O melhor hotel tradicional nas Ramblas é este três-estrelas histórico –estilo século 19 nos salões sociais, quartos atualizados com bom gosto, alguns com vistas para as Ramblas. Mas fica na parte barulhenta da rua. A partir de € 100.

Rivoli Ramblas Ramblas 128 ☎933 026 643, ⓦwww.rivolihotels.com. Quartos elegantes, à prova de ruído, num quatro-estrelas com estilo, com mobília variada (de Art Déco a contemporânea), todos com banheiro grande, e os da frente com vista para as Ramblas. Tem terraço e bar na cobertura e deque e piscina no associado hotel Ambassador, cruzando as Ramblas, no Raval. A partir de € 200.

Barri Gòtic

Alamar Carrer Comtessa de Sobradiel 1 ☎933 025 012, ⓦwww.pensioalamar.com. Se não se incomodar com banheiro compartilhado, então esta pensão simples é bem prática. Os 12 quartos (cinco de solteiro) têm lavabo e vidro duplo (sem TV); a maioria tem pequena sacada. É apertado mas tem clima acolhedor, lavanderia e acesso à cozinha. Não aceita cartões. € 45.

Colón Avgda. Catedral 7 ☎933 011 404, ⓦwww.hotelcolon.es. Quatro-estrelas e ótima localização, diante da catedral –os quartos da frente têm sacadas com belas vistas. Local aristocrático, atendimento confiável e imensas áreas sociais. Os quartos "Superior" têm lounge eduardiano e decoração floral, mas há quartos mais atuais. Confira promoções no site, se não, a partir de € 200.

Fernando Carrer de Ferran 31 ☎933 017 993, ⓦwww.hfernando.com. Quartos por este preço são logo ocupados, e estes são claros, modernos e bem mantidos por pessoal amistoso. Todos com lavabo, chuveiro e TV (alguns têm banheiro compartilhado), e há quartos que acomodam de quatro a oito pessoas no último andar, alguns com banheiro anexo. As diárias são mais baratas fora de jul e ago. Quartos € 70; vaga para dormir € 25.

El Jardi Pl. Sant Josep Oriol 1 ☎933 015 900, ⓦwww.hoteljardi-barcelona.com. A localização é o forte –em frente à charmosa Plaça del Pi–, o que explica o preço alto para quartos que, embora modernos, são bem básicos e até apertados. Mas os banheiros são bons, e alguns quartos (os melhores têm terraço) dão direto para a praça. Serve café-da-manhã (não incluído), mas é melhor tomá-lo no Bar del Pi, na praça. A partir de € 85; com terraço ou sacada, € 100.

Levante Bxda. Sant Miquel 2 ☎933 179 565, ⓦwww.hostallevante.com. Hotel econômico bem concorrido, com 50 quartos –simples, duplos, conjugados, triplos– em dois espaçosos andares. Há quartos melhores (com mobília nova em pinho, banheiro anexo e sacadas), mas nem todos gostam do ir-e-vir dentro do hotel, mas a diária é razoável. Há seis apartamentos para cinco a sete pessoas. € 56; com suíte € 65; vaga em apartamento a partir de € 30.

Mari-Luz Carrer de la Palau 4, 2° ☎933 173 463, ⓦwww.pensionmariluz.com. Esta velha casa, numa rua mais calma que as demais do Barri Gòtic, tem quartos privados baratos e pequenos dormitórios, alguns com banheiro anexo. Os quartos têm ar-condicionado, alguns têm mobília IKEA, e há lavanderia, pequena cozinha e Wi-Fi. Quando lota fica apertado, mas tem um toque pessoal que falta em locais similares. Os apartamentos, bem perto a pé no Raval, têm mais espaço. Dormitório € 15-24, quartos a partir de € 35.

Metropol Carrer Ample 31 ☎933 105 100, ⓦwww.hesperia-metropol.com. Fica um pouco fora do centro antigo –por isso tem preço melhor que locais três-estrelas similares perto das Ramblas, e há promoções pelo site. O lobby é uma obra-prima de design atual, e os quartos são simples e confortáveis –o barulho da rua é suportável, e tem acesso Wi-Fi. A partir de € 120.

Neri Carrer de Sant Sever 5 ☎933 040 655, ⓦwww.hotelneri.com. Belo palacete do século 18 perto da catedral, com apenas 22 quartos e suítes, cada um com seu estilo. Cortinas, madeira reaproveitada, cores sutis, banheiros em tons de granito e jeitão de *loft* são um tema comum. Nas áreas sociais, designers catalães criaram efeitos visuais, como um sofá de jibóia e uma tapeçaria que cai quatro andares pelo átrio central. A biblioteca e a cobertura são um refúgio tranquilo, e o café-da-manhã é servido no estilo bentô-box no restaurante mediterrâneo contemporâneo (ou no pátio, no verão). A partir de € 285.

Racó del Pi Carrer del Pi 7 ☎933 426 190, ⓦwww.h10.es. Uma reforma criativa desta casa da cidade antiga resultou num três-estrelas com estilo e ótima localização. Os quartos, alguns com sacada para a rua, têm piso de madeira e banheiro de granito e mosaico. Você ganha uma taça de *cava* no check-in e, embora o café-da-manhã seja à parte, há café e docinhos grátis durante o dia no bar. Na baixa estação, as tarifas podem descer a € 100, se não, a partir de € 150.

Rembrandt Carrer Portaferrissa 23 ☎933 181 011, ⓦwww.hostalrembrandt.com. Pensão limpa, segura e barata na cidade antiga, vem sendo melhorada pelos donos, que pedem "silêncio total" após 23h. Os quartos simples têm piso cerâmico, sacada ou pequeno pátio, e os maiores, mais versáteis, acomodam até quatro pessoas. As diárias na baixa estação têm desconto de € 10. Também há apartamentos perto, com quartos simples ou de casal, com banheiro, sacada, TV por satélite, ar-condicionado e arrumação diariam € 55; com banheiro € 65; quartos em apartamento € 70-100.

Port Vell

Duquesa de Cardona Pg. de Colom 12 ☎932 689 090, ⓦwww.hduquesadecardona.com. Perto da movimentada estrada defronte ao porto fica este calmo quatro-estrelas, numa casa do século 16 restaurada. Os quartos são tranquilos, decorados em tons de terra e impecáveis. Nem todos os quartos "clássicos" (ou seja, padrão) têm vistas, mas todo mundo tem acesso à bela cobertura defronte ao porto –ótima para drinques de fim de tarde e que ostenta (se é que este é o termo) talvez a menor piscina ao ar livre da cidade. A partir de € 180.

Grand Marina World Trade Centre, Moll de Barcelona ☎936 039 000, ⓦwww.grandmarinahotel.com. Conforto de um cinco-estrelas em oito andares defronte o porto. A maioria dos quartos tem banheiros enormes de mármore, com hidromassagem e uma área de closet. As áreas sociais são atraentes, com obras de artistas catalães e uma piscina na cobertura com lindas vistas. Tarifas de inverno e outras especiais podem fazer o preço cair para menos de € 200; se não, a partir de € 350.

Marina View B&B Pg. de Colom ☎609 206 493, ⓦwww.marinaviewbcn.com. Local de classe, com boa localização –os dois quartos da frente têm vistas incríveis do porto. O clima é mais de hotel do que de simples *bed and breakfast*; os cinco quartos têm roupa de cama de estilo, cores fortes, ótimos banheiros, frigobar (preços normais), bandejas de hospitalidade, TV por satélite e Wi-Fi –e diárias com boa relação custo-benefício. Café-da-manhã incluído (servido no quarto). É essencial reservar (estadia mínima de dois dias). € 112; com vista do porto € 127.

El Raval

Abba Rambla Rambla de Raval 4 ☎935 055 400, ⓦwww.abbaramblahotel.com. Estilo três-estrelas na nova rambla do Raval. As áreas sociais, incluindo o bar, são muito atraentes e modernas, os quartos nem tanto, mas todos têm TV plana na parede e banheiros decentes. Quartos, bar e coffee shop ficam defronte à rambla, e tem Wi-Fi. A partir de € 105.

Cèntric Carrer Casanova 13 ☎934 267 573, ⓦwww.hostalcentric.com. Boa opção de hotel caro, a dois minutos a pé do Raval. A maioria dos quartos tem revestimento e mobília novos e muita luz; os mais baratos dos andares de cima (sem elevador) têm banheiro comum, e alguns (mais caros) têm ar-condicionado. Terraço com sol nos fundos e acesso à internet. € 60; com banheiro, € 80.

Gat Raval Carrer Joaquín Costa 44, 2° ☎934 816 670, ⓦwww.gataccommodation.com. Com estilo, mas barato, e quartos verde-lima reduzidos ao básico –cadeira dobrável, TV na parede e luminárias características. Apenas seis dos 24 quartos têm banheiro anexo, mas o banheiro comum é bom, e há acesso à internet, chá e café grátis e atendimento também de madrugada. € 70; com banheiro, € 80.

Gat Xino Carrer Hospital 149–155 ☎933 248 833, ⓦwww.gataccommodation.com. Irmão do Gat Raval (mesmo estilo), mas com banheiro nos quartos e café-da-manhã incluído, servido em pátio interno. Tem quatro suítes maiores, mais silenciosas (uma com terraço). A partir de € 85; com banheiro, € 110; com terraço € 130.

Grau Carrer Ramelleres 27 ☎933 018 135, ⓦwww.hostalgrau.com. Uma pensão agradável, com quartos em cores combinadas, em vários andares (sem elevador); os quartos superiores têm sacadas, ar-condicionado, banheiros novos e um toque de estilo catalão moderno. Tem um pequeno salão chique rústico, internet sem fio e café-da-manhã nos dias de semana no bar anexo (incluído em jan e fev). Seis pequenos apartamentos no mesmo prédio (para duas a cinco pessoas, disponíveis à noite) dão maior independência, e os preços baixam fora da estação. € 70; com banheiro, a partir de € 90; apartamentos a partir de € 95.

Meson Castilla Carrer Valldonzella 5 ☎933 182 182, ⓦwww.mesoncastilla.com. Uma volta à Espanha rural da década de 1950, com muitos entalhes e pinturas, do relógio antigo na recepção ao guarda-roupa do quarto. Quartos grandes, com ar-condicionado (às vezes terraço) e mobília do campo; a sala de jantar é grande e rústica (café-da-manhã incluído); e tem um lindo pátio nos fundos com azulejos, para tomar sol. Ofertas especiais (nov–fev e jul–ago) baixam o preço para € 100, se não, € 135; quarto com terraço € 150.

Peninsular Carrer de Sant Pau 34 ☎933 023 138, ⓦwww.hotelpeninsular.net. O interessante prédio antigo deste hotel pertenceu a uma ordem religiosa, o que explica o leve tom de cela dos quartos. Mas o atraente pátio com galerias (em torno do qual os quartos estão dispostos) não tem nada de espartano, com muitas plantas, e o café-da-manhã (incluído) é servido no salão com arcadas € 75.

Sant Agustí Plaça Sant Agusti 3 ☎933 181 658, ⓦwww.hotelsa.com. Hotel mais antigo da cidade, num ex-convento do século 17, com sacadas para a praça e a igreja. É três-estrelas, com quartos modernizados e ar-condicionado –os melhores ficam no sótão (cobra-se adicional), com linda vista. Café-da-manhã incluído. A partir de € 155.

La Terrassa Carrer Junta del Comerç 11 ☎933 025 174, ⓦwww.laterrassa-barcelona.com. Os 45 quartos desta popular pensão econômica (com elevador) têm closets, chuveiros modernos, vidro anti-ruído, ventilador de teto e aquecimento central. São simples, e os quartos interiores têm pouca luz natural, mas os melhores quartos exteriores ficam de frente para a rua ou para um pátio ensolarado, e alguns são mais espaçosos que outros. Quartos interiores a partir de € 50; exteriores € 55; exteriores grandes € 75.

Sant Pere

Grand Hotel Central Via Laietana 30 ☎932 957 900, ⓦwww.grandhotel-central.com. Fica numa via barulhenta, mas o vidro anti-ruído é muito bom neste hotel de belo design. Quartos espaçosos –piso de madeira, duchas, TV de tela plana, MP3 player– e na cobertura deque, piscina e linda vista. O restaurante do hotel, o Actual, apresenta a nova cozinha catalã do *chef* Ramón Freixa. A partir de € 200.

Pensió 2000 Carrer Sant Pere Més Alt 6, 1° ☎933 107 466, ⓦwww.pensio2000.com. Chega perto de um tradicional *bed and breakfast* no estilo familiar –sete imensos quartos num apartamento forrado de livros, plantas e quadros. Uma terceira pessoa pode compartilhar a maioria dos quartos (€ 20 a mais), e servem-se várias opções de café-da-manhã (não incluído), no quarto ou no pátio. € 55; com banheiro € 70.

La Ribera

Banys Orientals Carrer de l'Argenteria 37 ☎932 688 460, ⓦwww.hotelbanysorientals.com. Hotel da moda com 43 quartos minimalistas e algumas suítes dúplex mais espaçosas. Com piso de madeira, lençóis brancos, banheiro de mármore e decoração chique urbano –e bom preço para esse estilo– é uma opção concorrida. Seu restaurante, o Senyor Parellada, também é um achado. € 105; suítes € 135.

Nuevo Colón Avgda. Marquès de l'Argentera 19, 1° ☎933 195 077, ⓦwww.hostalnuevocolon.com. Nas mãos da mesma família há mais de 70 anos, tem 26 quartos espaçosos pintados de amarelo, com boas camas, cadeira diretor e vidro anti-ruído. Nos quartos frontais bate sol, e também no lounge e no terraço, com vistas do parque da Ciutadella. Há três apartamentos tipo flat (para pernoite) no mesmo edifício, para até seis pessoas. € 45; com banheiro € 65; apartamentos € 150.

Park Avgda. Marquès de l'Argentera 11 ☎933 196 000, ⓦwww.parkhotelbarcelona.com. A atualização clássica deste belo edifício modernista da década de 1950 começa pelo chique bar e lounge, e segue pela escadaria de época até os quartos bege e marrom com parquete, banheiro de mármore e camas com luminárias angulares. É caro para um três-estrelas mas tem estilo, reforçado pelo restaurante Abac da nova onda. A partir de € 150.

Port Olímpic

Arts Barcelona Carrer Marina 19–21 ☎932 211 000, ⓦwww.ritzcarlton.com/hotels/barcelona. Ver mapa na pág. 123. É a referência da cidade para luxo cinco-estrelas. Serviço e padrão são de primeira, e os quartos têm janelas do teto ao chão com fabulosas vistas do porto e do mar. Os apartamentos dúplex têm privilégios especiais (mordomo 24h, Mini Cooper à disposição), e pode-se comer no restaurante do terraço ou no Arola, lugar de *tapas* contemporâneas do *chef* com estrelas *Michelin* Sergi Arola (fecha seg e ter). Os jardins à beira-mar têm piscina ao ar livre e banheira quente, e o incrível spa Six Senses ocupa os dois últimos andares. Tarifas especiais por volta de € 200, se não, a partir de € 400.

Montjuïc

AC Miramar Plaça Carles Ibañez 3° ☎932 811 600, ⓦwww.hotelacmiramar.com. Ver mapa na pág. 112. A melhor localização da cidade, com vistas belíssimas. Construído para a Exposição de 1929, agora tem 75 belos quartos, em torno do núcleo do edifício original, todos com amplas vistas. Livros de arquitetura no lobby, banheira no terraço dos quartos, tudo indica que você está num paraíso do design; e, para completar, acesso Wi-Fi, TV de plasma, conexão para i-Pod e a incrível piscina, com jardim e deque. A 10 minutos de táxi das principais atrações. A partir de € 250.

Eixample

Australia Ronda Universitat 11, 4° ☎933 174 177, Ⓦwww.residenciaustralia.com. Pensão econômica, acolhedora – o dono há mais de 20 anos dá atenção aos visitantes. Três dos quatro quartos têm lavabo e sacada, e dois bons banheiros compartilhados; o outro é uma suíte com banheiro, ar-condicionado e máquina de café. Tem Wi-Fi, e oferece pequenos apartamentos perto daqui (Studios Pelayo). € 45-60, suíte € 65-85; apartamentos a partir de € 95.

Claris Carrer Pau Claris 150 ☎934 876 262, Ⓦwww.derbyhotels.es. Cinco-estrelas, com lobby de mármore, mosaicos romanos e belos quartos em volta de um alto átrio banhado por água. E tem ainda um museu particular de antiguidades. Serviço de primeira, café-da-manhã até 13h, piscina na cobertura, bar e o ótimo restaurante East 47, com originais de Warhol. A partir de € 350.

Condes de Barcelona Pg. de Gràcia 73–75 ☎934 450 000, Ⓦwww.condesdebarcelona.com. Estende-se pelos dois lados do Carrer de Gràcia, em dois antigos palacetes, com quartos de estilo atual, alguns com banheira e sacada, outros com vistas da Pedrera de Gaudí. A melhor opção são os do lado sul, 7° andar, parte de fora, com belas sacadas. Tem ainda terraço e piscina, e o restaurante Lasarte, do *chef* basco Martín Berasategui (estrelas Michelin). A partir de € 250.

D'Uxelles Gran Via de les Corts Catalanes 688 ☎932 652 560, Ⓦwww.hotelduxelles.com. Os quartos desta bela mansão do século 19 têm cabeceiras de

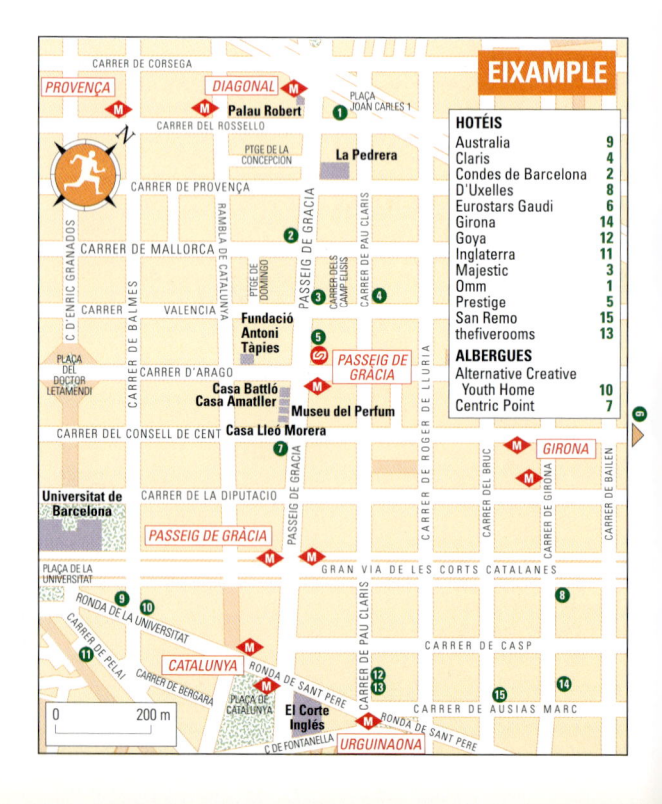

EIXAMPLE

HOTÉIS

Australia	9
Claris	4
Condes de Barcelona	2
D'Uxelles	8
Eurostars Gaudi	6
Girona	14
Goya	12
Inglaterra	11
Majestic	3
Omm	1
Prestige	5
San Remo	15
thefiverooms	13

ALBERGUES

Alternative Creative Youth Home	10
Centric Point	7

ferro trabalhado, espelhos antigos, piso cerâmico e banheiros decorados; alguns têm sacada e pátio privado (é mais quieto na parte de trás do edifício). Os preços são bem razoáveis e cabem camas extras em vários quartos –há mais quartos em outro edifício na Gran Via 667. € 100.

Eurostars Gaudí Carrer Consell de Cent 498–500 ☏932 320 288, ⓦwww.eurostarshotels.com. Veja mapa na pág. 142. Quatro-estrelas de bom preço, perto da Sagrada Família. O hotel não exagera na temática Gaudí, o serviço é de boa qualidade e os quartos, confortáveis, com mobília atual, cortinas que vedam bem a luz e TV de tela plana. As suítes Junior no 8º andar têm terraço com espreguiçadeiras e vistas da catedral de Gaudí. A partir de € 110; suítes € 120-200.

Expo Barcelona Carrer Mallorca 1–23 ☏936 003 020, ⓦwww.expogrupo.com. Ver mapa na pág. 148. Quatro-estrelas de bom preço, com quartos espaçosos, janela de correr e terraço, e alguns com vistas de Montjuïc. Piscina na cobertura, bufê de café-da-manhã e metrô na porta (a 1min da estação Sants). A partir de € 90.

Girona Carrer Girona 24, 1° ☏932 650 259, ⓦwww.hostalgirona.com. Pensão familiar com várias opções de quartos acolhedores (alguns têm banheiro compartilhado, outros ducha ou banheiro completo) –os melhores e maiores têm ar-condicionado e sacada, mas são um pouco barulhentos. Diárias a partir de € 50; quarto completo € 75.

Goya Carrer de Pau Claris 74, 1° ☏933 022 565, ⓦwww.hostalgoya.com. A reforma deu certo nesta pensão estilo butique, hoje com 12 fabulosos quartos no Hostal Goya e mais sete no andar de baixo, no Goya Principal, todos decorados com estilo e com ótimos banheiros. Há bom leque de opções; nem todos os quartos têm banheiro, mas os melhores dão para uma sacada ou (no Goya Principal) direto num terraço. Tem boas áreas para sentar e café e chá grátis nos dois andares. € 70; com banheiro, € 80; com sacada/terraço a partir de € 90.

Inglaterra Carrer Pelai 14 ☏935 051 100, ⓦwww.hotel-inglaterra.com. O irmão menor do Majestic é um hotel-butique de ótima localização, quartos de cores harmoniosas e banheiros bem cuidados. Não sobra espaço, mas alguns quartos têm belos terraços, outros sacada para a rua (e vidro duplo). Há um romântico terraço de cobertura –e você pode usar a piscina do Majestic. Oferece três diárias pelo preço de duas em dez–fev e jul–ago, e tarifas especiais no site; se não, a partir de € 129.

Majestic Pg. de Gràcia 68 ☏934 873 939, ⓦwww.hotelmajestic.es. Hotel tradicional, de 1918, reequipado em estilo atual com cores suaves, oferece base tranquila no centro. Arte original valiosa enfeita as áreas sociais (é famoso por sua coleção de arte), e seus quartos –maiores que os de muitos hotéis desta faixa– foram bem reequipados. Pontos altos são a piscina e o deque de cobertura, com vistas lindas da Sagrada Família. O restaurante Drolma também é ótimo, e sempre dá para conseguir desconto, seja perguntando, seja conferindo o site. A partir de € 350.

Omm CarrerRosselló 265 ☏934 454 000, ⓦwww.hotelomm.es. Grupo de restaurantes mais destacado da cidade, o Tragaluz entrou na área hoteleira com o Omm –minimalista, com quartos de planta aberta em cores leves, um bar chique, o restaurante Moo com estrelas *Michelin*, terraço, piscina, centro de relax e pessoas lindas no atendimento. Não é para todos os gostos –talvez caiba dizer que quanto menos você se incomodar com o site, mais vai gostar do hotel. A partir de € 300.

Prestige Pg. de Gràcia 62 ☏932 724 180, ⓦwww.prestigepaseodegracia.com. O novo design radical deste edifício de 1930 do Eixample criou quartos ultramodernos, pátio interno em estilo oriental e o Zeroom, um lounge com internet sem fio e biblioteca. É inusitado e parece um pouco irreal, mas o atendimento é muito prestativo. Os quartos "Funcionais" (ou seja, padrão) são mais convencionais (não têm vistas). A partir de € 250.

San Remo Carrer Ausias Marc 19, 2º ☎933 021 989, ⓦwww.hostalsanremo.com. Os quartos duplos têm bom tamanho e os pequenos banheiros são bem razoáveis para esta faixa. Os quartos têm ar-condicionado e vidro duplo, mas os do fundo são mais tranquilos —embora sem o apelo das sacadas. Entre os sete quartos, um deles é simples e tem bom preço € 65.

the5rooms Carrer Pau Claris 72, 1º ☎933 427 880, ⓦwww.thefiverooms.com. O conceito de *bed and breakfast* de luxo decolou em Barcelona, e este hotel de bom gosto impecável definiu o padrão. Os quartos têm decoração contemporânea belíssima, são espaçosos e bem iluminados, com arte original nas cabeceiras de cama, tijolo aparente e banheiros excelentes. Apesar do ambiente sofisticado, a atmosfera é caseira, mais que de hotel —serve o café-da-manhã na hora em que você pede e Jessica sempre se dispõe a sentar e conversar sobre seus bares, restaurantes e galerias favoritos. Há dois apartamentos disponíveis (para até quatro pessoas). € 135-165.

Torre Catalunya Avgda. Roma 2–4 ☎936 006 999, ⓦwww.expogrupo.com. Ver mapa na pág.148. Hotel de luxo quatro-estrelas à saída da estação Sants, com quartos grandes e bem iluminados e vistas amplas. Depois do 12º andar, os quartos são melhores em termos de vistas e serviços, mas todos têm elegantes tons terra e imensas camas, TV com tela plana e banheiros muito bons. O café-da-manhã é um agito —um grande bufê no 23º andar, com vistas panorâmicas; tem spa com piscina coberta, e os hóspedes podem usar a piscina ao ar livre do vizinho hotel Expo. A partir de € 100, superiores a partir de € 125.

Albergues

O número de albergues em Barcelona cresceu muito nos últimos anos. Ainda há os tradicionais locais de mochileiros, mas vêm sendo substituídos por albergues modernos, com dormitórios ou quartos privados. Eles competem em preço com os quartos das pensões mais baratas e em geral têm acesso à internet, cozinha, áreas comuns e lavanderia. É bom usar sempre os armários com chave ou cofres disponíveis (pelos quais às vezes se cobra uma pequena taxa). Alguns albergues exigem a carteira da International Youth Hostel Federation (IYHF), mas é possível se filiar ao fazer o check-in. As tarifas a seguir se referem à baixa/alta estação, e alguns locais dão desconto para estadias de mais de uma noite.

Alternative Creative Youth Home Ronda Universitat, Eixample ☎635 669 021, ⓦwww.alternative-barcelona.com. Veja mapa na pág.192. Pessoal ligado à arte e contracultura é a clientela deste albergue singular —você só descobre o endereço exato ao reservar e, ao chegar, encontra um espaço remodelado com estilo, com internet sem fio, sala de projeção e boa música. O esquema é bem concebido, com um máximo de 24 pessoas em três pequenos dormitórios. Tem cozinha, armários individuais, lavanderia e muita informação do pessoal que atende, que está por dentro das coisas da cidade. € 20-30.

Barcelona Mar Carrer de Sant Pau 80, El Raval ☎933 248 530, ⓦwww.youthostel-barcelona.com. Ver mapa na pág.187. Grande albergue com quartos de 6, 8, 10, 14 ou 16 camas, junto à Rambla de Raval. As camas são no estilo camarote de navio, com uma pequena cortina para privacidade. Boa localização para noctívagos, local seguro, com recepção 24h. € 18-25, com café-da-manhã.

Center Ramblas Carrer Hospital 63, El Raval ☎934 124 069, ⓦwww.centerramblas.com. Ver mapa na pág.187. Albergue de 200 camas muito popular, a 100m das Ramblas e bem equipado. Tem quartos que acomodam de 3 a 10 camas, lounge, bar e biblioteca de livros de viagem. Aberto 24h. Exige carteira da IYHF. Não aceita cartões. Menores de 25 anos, € 16-20; maiores de 25 anos € 20-25; café-da-manhã incluído.

Centric Point Pg. de Gràcia 33, Eixample ☎932 312 045, ⓦwww.centricpointhostel.com. Ver mapa na pág. 192. Albergue mais impressionante da cidade com 450 camas espalhadas por vários andares de um edifício modernista reformado, numa localização chique perto das casas de Gaudí e de butiques de grife. Há quartos geminados, duplos, triplos e quádruplos, todos com guarda-roupa, ducha, sacada e vistas; dormitórios para até 12 pessoas. As instalações são de primeira, incluindo terraço de cobertura com vista cspetacular. Dormitórios € 18-25; quartos € 70-110; café-da-manhã incluído.

Gothic Point Carrer Vigatans 5, La Ribera ☎932 687 808, ⓦwww.gothicpoint.com. Ver mapa pág.187. A imensa área comunitária no térreo já indica as impressionantes dimensões do edifício, que tem um grande terraço de cobertura. Os quartos têm 14 beliches e banheiro anexo, e cada cama conta com criado-mudo e luminária para ler. Promove passeios e aluga bicicletas; internet grátis; aberto 24h. € 18-25; café-da-manhã incluído.

Ithaca Carrer Ripoll 21, Barri Gòtic ☎933 019 751, ⓦwww.itacahostel.com. Ver mapa na pág.187. Casa clara e arejada perto da catedral com quartos espaçosos e sacadas. Os dormitórios são mistos, mas você também pode reservar um quarto privado ou apartamento (até seis pessoas) e, como o local tem capacidade para apenas 30 pessoas, fica acolhedor. Sem sala de TV, tem cozinha, serviço de troca de livros, e café-da-manhã disponível. Dormitório € 20; quarto € 55; apartamento a partir de € 100.

Sea Point Plaça del Mar 1–4, Barceloneta ☎932 312 045, ⓦwww.seapointhostel.com. Ver mapa na pág. 74. Quartos básicos, pequenos e modernos, com beliche para seis ou sete pessoas, com banheiro e ducha em cada um. O café anexo, onde se toma café-da-manhã, dá direto para o passeio e para as palmeiras. Aberto 24h; internet grátis. € 18–25; café-da-manhã incluído.

Dicas de viagem

Chegada

Não importa se você vem a Barcelona de avião, de trem ou de ônibus; em geral, chega ao seu quarto de hotel em uma hora.

De avião

O **aeroporto** de Barcelona em El Prat de Llobregat (☎902 404 704, Ⓦwww.aena.es) fica 12km a sudoeste da cidade. A Easyjet usa o Terminal A, a British Airways e a Iberia, o Terminal B. Cada terminal tem seu escritório de turismo, que reserva hotel, caixas automáticos, agências de câmbio e de aluguel de carros.

O **táxi** até o centro custa € 20–25, e inclui a sobretaxa do aeroporto (há também adicionais para corridas após 21h, em fins de semana e para bagagem). O **trem do aeroporto** é mais barato (6h–23h44; trajeto de 19min; €2,60; informações ☎902 240 202), sai a cada meia hora para Barcelona Sants (ver adiante) e vai até o Passeig de Gràcia (parada ideal para o Eixample, Plaça de Catalunya e as Ramblas) e a Estació de França (para La Ribera). Há metrô nessas paradas. Passes para a cidade (*targetes*) e o Barcelona Card valem para o trem do aeroporto.

Outra opção é o serviço **Aerobús** (seg–sáb 6h–13h; €3,75; saídas a cada 6–15min) que pára na Plaça d'Espanya, Plaça Universitat, Plaça de Catalunya, Passeig de Gràcia e Barcelona Sants. Leva 30 minutos até a Plaça de Catalunya.

De trem, de ônibus e de carro

Os trens do país são operados pela RENFE (☎902 240 202, Ⓦwww.renfe.es). A principal estação da cidade é **Barcelona Sants**, 3km a oeste do centro, junto à estação de metrô (ⓂSants Estació), que faz a ligação direta com as Ramblas (ⓂLiceu), Plaça de Catalunya e Passeig de Gràcia. Alguns trens internacionais e entre cidades da Espanha param na **Estació de França**, 1km a leste das Ramblas e perto do ⓂBarceloneta.

Trens regionais são operados pela FGC (☎932 051 515, Ⓦwww.fgc.es), com estações na **Plaça de Catalunya**, no alto das Ramblas (trens que vem de cidades do litoral norte); **Plaça d'Espanya** (Montserrat); e **Passeig de Gràcia** (províncies da Catalunya).

O principal terminal de ônibus é a **Estació del Nord** (☎902 260 606, Ⓦwww.barcelonanord.com; ⓂArc de Triomf) na Avinguda Vilanova (entrada principal pelo Carrer Ali-Bei), três quadras ao norte do Parc de la Ciutadella. Alguns ônibus internacionais e intercidades também param no terminal atrás da estação Barcelona Sants. De qualquer um deles é fácil chegar de metrô até o centro.

De carro, o melhor é ir até um **estacionamento** central (cerca de €2 por hora), como os da Plaça de Catalunya, Plaça Urquinaona, Arc de Triomf, Passeig de Gràcia, Plaça dels Angels/MACBA e Avinguda Paral.lel. É difícil **estacionar na rua**, principalmente na cidade velha. Em outros pontos da cidade, há o estacionamento regulamentado da Área Verde, que geralmente é válido para um prazo máximo de duas horas (€ 2,80 por hora).

Informações

O escritório de turismo da cidade, **Turisme de Barcelona** (☎807 117 222, da Espanha, ☎932 853 834, do exterior, ⓦwww.barcelonaturisme.com), tem balcões no aeroporto e em Barcelona Sants. O principal é o da **Plaça de Catalunya** (diariam 9h–21h; ⓜCatalunya), descendo a escadaria no canto sudeste da praça, onde há uma loja de câmbio e serviços de ônibus, e um balcão separado para hospedagem. Tem ainda um escritório no Barri Gòtic na **Plaça de Sant Jaume**, entrada pelo Carrer Ciutat 2 (seg–sex 9h–20h, sáb 10h–20h, dom e feriados 10h–14h; ⓜJaume I), e várias cabines pela cidade, uma delas nas Ramblas.

Para informações sobre viagens pela Catalunha, vá ao Centre d'Informació de Catalunya, no **Palau Robert**, Pg. de Gràcia 107, Eixample, ⓜDiagonal (☎012, da Catalunha, ☎902 400 012, do exterior, ⓦwww.gencat.net/probert; seg–sáb 10h–19h30, dom e feriados 10h–14h30).

Para outras informações, tente o ☎010, telefone do serviço de informações da cidade (seg–sáb 8h–22h; atende também em inglês). Eles ajudam em questões de transporte, serviços públicos e outras.

Eventos, concertos, exposições e festas são cobertos pelo escritório público do Institut de Cultura, no **Palau de la Virreina**, Ramblas 99, ⓜLiceu (☎933 017 775, ⓦwww.bcn.es/cultura; seg–sáb 10h–20h, dom 11h–15h). Pegue a sua "Cultural Agenda" (em inglês, grátis), um roteiro mensal da programação. Ou consulte o *Guia del Ocio* (sai às quintas; ⓦwww.guiadelociobcn.es), à venda em qualquer banca. Também há a revista mensal em inglês *Barcelona Connect* (ⓦwww.barcelona-connect.com), gratuita, que você pode pegar em lojas por toda Barcelona.

Barcelona na internet

O site do escritório de turismo (ⓦwww.barcelonaturisme.com) é um bom ponto de partida, junto com os sites da prefeitura (Ajuntament; ⓦwww.bcn.es), e o governo local (Generalitat; ⓦwww.gencat.es) tem uma versão em inglês do seu site. A partir destes três, você já terá informações sobre horários de

---

Cartões com desconto

Se planejar ver muitas atrações, economize comprando um dos cartões de transporte com desconto, amplamente disponíveis.

- Cartão **Barcelona** (2 dias € 25, 3 dias € 25, 4 dias € 34 ou 5 dias € 40; detalhes no site ⓦwww.barcelonaturisme.com). Dá direito a tansporte público, mais descontos em museus e atrações. À venda nos escritórios de turismo, pontos de chegada e outros locais.
- **Articket** (€ 20; vale por seis meses; ⓦwww.articketbcn.org). Dá acesso a sete galerias de arte (incluindo Museu Picasso, MNAC, MACBA e fundações Tàpies e Miró). À venda nesses locais ou na Plaça de Catalunya, Plaça de Sant Jaume ou nos escritórios de turismo da estação Barcelona Sants.
- **Ruta del Modernisme** (€ 12; vale por um ano; ⓦwww.rutadelmodernisme.com). Ótimo guia em inglês, mapa e pacote de descontos que cobre 115 edifícios *modernistas* (inclusive Sagrada Família e La Pedrera). Vem junto com o *Let's Go Out*, guia de bares e restaurantes modernistas (pacote € 18), ambos à venda nos três balcões do Centre del Modernisme que constam do site, incluindo o do escritório de turismo da Plaça de Catalunya.

museus, trajetos de ônibus, política local, farmácias de plantão, festivais, esportes, teatros e muito, muito mais. Os sites a seguir oferecem informações mais especializadas.

ⓦ **www.barcelona-online.com** Com muita informação em inglês sobre Barcelona, boas resenhas e links com diversos outros sites úteis.

ⓦ **www.barcelonareporter.com** Tem notícias e vistas da cidade atualizadas diariamente, em inglês.

ⓦ **www.gaudiclub.com** A melhor introdução a Antoni Gaudí e suas obras, com muitos links para outros sites.

ⓦ **www.lecool.com** Agenda cultural e guia da cidade, disponível online ou como um e-mail gráfico semanal.

ⓦ **www.rutadisseny.com** Guia de design para as lojas mais badaladas da cidade, bares, restaurantes e edifícios, com mapas, resenhas e itinerários de passeios a pé.

Transporte urbano e passeios

O ótimo sistema integrado de transporte da cidade reúne metrô, ônibus, bondes e os bondinhos e funiculares. Informe-se por telefone (☏ 010) e pela internet (ⓦ www.tmb.net ou ⓦ www.emt-amb.com). O mapa gratuito de **transporte público** (*Guia d'Autobusos Urbans de Barcelona*), muito útil, está disponível nos centros de serviço ao cliente da TMB na estação Barcelona Sants e nas estações de metrô Diagonal, Sagrada Família e Universitat. Também há mapas e informações sobre bilhetes nos principais pontos de ônibus e nas estações de metrô e bonde. Você não precisa alugar carro para ver as atrações, e é melhor usar o transporte público para os passeios até Sitges e Montserrat.

Bilhetes e passes

Em todos os transportes públicos você pode comprar um **bilhete individual** por viagem (€ 1,30), mas é mais barato comprar a **targeta** –cartão múltiplo com desconto, à venda nas estações de metrô, trem e bonde, mas não nos ônibus. O melhor é comprar o cartão **T-10** ("te déu" em catalão) (€7,20), válido para dez viagens, com mudança de meio de transporte permitida a cada 75 minutos. O cartão pode ser usado por mais de uma pessoa –se estiver em três, por exemplo, valide-o três vezes.

Outros cartões úteis (individuais) são: o **T-Dia** (sem limite de viagens durante 1 dia; € 5,50), e os **5-Dies** (€ 21,60); o **T-50/30** (50 viagens num período de 30 dias; € 29,80); ou o **T-Mes** (1 mês; € 6,25). Esses preços são para passes válidos até a Zona 1, que abrange os locais que você provavelmente irá visitar, exceto Montserrat e Sitges. Para esses locais e outros fora da cidade, compre o bilhete específico.

Metrô

O jeito mais rápido de circular por Barcelona é de metrô. As entradas são sinalizadas por um losango vermelho com um "M". O **horário** é de seg a qui, mais dom e feriados das 5h às 24h; sex, sáb e vésperas de feriados das 5h às 2h (em 2007, estendeu-se o horário dos sábados e vésperas de feriados para a noite inteira, o que deve ter ficado permanente). O sistema é muito seguro, embora muitos dos vagões estejam cheios de grafitagens. Pedintes são comuns e passam de um vagão a outro nas paradas.

Ônibus, bondes e trens

A maioria dos **ônibus** opera todos os dias, das 4h–5h até 22h30. Ônibus noturnos (*autobusos nocturns* ou *Nitbus*) preenchem os intervalos nas linhas principais, com veículos a cada 20 ou 60 minutos das 22h às 4h. O sistema de **bonde** (www.trambcn.com) atende à parte chique da Avinguda Diagonal até os subúrbios do noroeste –uma parada útil é no shopping L'Illa– e a linha T4 opera de Ciutadella-Vila Olímpica (conexão com metrô) até Diagonal Mar e Fòrum.

O trem de subúrbio FGC **tem as estações principais** na Plaça de Catalunya e Plaça d'Espanya. Vai para Sarrià, Vallvidrera, Tibidabo e Montserrat. **A linha férrea nacional**, RENFE, opera todos os outros serviços para fora de Barcelona, e suas linhas locais são as **Rodiales/Cercanías**. A estação central é Barcelona Sants, e as linhas também passam pela Plaça de Catalunya (norte) e Passeig de Gràcia (sul).

Funiculares e bondinhos

Ainda há linhas de **funicular na cidade**, como a de Montjuïc e a do Tibidabo. No verão (e em todos os fins de semana), ir ao Tibidabo inclui um passeio no antigo bonde, o **Tramvia Blau**. Há dois passeios de **bondinho** (*telefèric*): da Barceloneta cruzando o porto até Montjuïc, e da estação de funicular no pé de Montjuïc até o castelo.

Táxis

Há muitos **táxis** (em preto e amarelo), relativamente baratos. A maioria das corridas dentro da cidade fica por € 7. Há pontos de táxi nas grandes estações de trem e metrô, em grandes praças, perto de hotéis e ao longo das principais avenidas. Para chamar um táxi com hora marcada (há uma taxa adicional de € 3 ou € 4), tente: **Barna Taxis** ☎933 577 755; **Fono-Taxi** ☎933 001 100; Radio Taxi ☎933 033 033; Servi-Taxi ☎933 300 300; ou Taxi Amic ☎934 208 088.

City tours

Há um imenso número de passeios para ver as atrações em cima de qualquer coisa, de um Segway (tipo de patinete computadorizado) a um balão de ar quente. Consulte folhetos ou pergunte ao escritório de turismo. Há duas operadoras de **city tours**, em ônibus abertos, com embarque e desembarque em qualquer ponto (1 dia € 20, 2 dias € 26). A escolha é entre **Barcelona Tours** (www.barcelonatours.es) e **Bus Turístic** (www.barcelonaturisme.com), com saídas frequentes da Plaça de Catalunya e outros pontos –bilhetes a bordo.

É bom reservar (no escritório de turismo da Plaça de Catalunya) para os passeios a pé de duas horas pelo histórico Barri Gòtic (diariam, o ano todo). Em dias selecionados há também os passeios a pé "Picasso", "Modernisme" e "Gourmet".

Os guias do **My Favourite Things** (☎637 265 405, www.myft.net) revelam aspectos inusitados da cidade, como no seu passeio típico "My Favourite Fusion", uma visão da cidade de quem vive lá. O passeio custa € 26 por pessoa e dura quatro horas, com tempo para diversões, visitas a ateliês e parada para um café. Mais fora do padrão ainda é o **Follow the Baldie** (detalhes no site www.followthebaldie.com), que faz passeios pela Barcelona anarquista, para caçar tarântulas perto de Sitges ou cambalear de bar em bar na Catalunha rural.

Há muitas operadoras de passeios de bicicleta pela cidade (a partir de € 22), como a **Fat Tire Bike Tours** (☎933 013 612, www.fattirebiketoursbarcelona.com) e a **Bike Tours Barcelona** (☎932 682 105, www.biketoursbarcelona.com). Para atividades e passeios para jovens, de rondas pelos bares a aulas de culinária, contate a **Barcelona Vibes** (☎933 103 747, www.barcelonavibes.com) –descubra mais e agende viagens no bar dos viajantes do Barri Gòtic, o **Travel Bar**, Carrer Boqueria 27, ⓂLiceu (☎933 425 252, ⓦwww.travelbar.com).

Para ver Barcelona do mar, pegue **Las Golondrinas** (☎934 423 106, ⓦwww.lasgolondrinas.com), barcos que partem todo dia (de hora em hora entre jun–set; com menor frequência de out–mai) do cais em frente à estátua de Colombo, no fim das Ramblas (ⓂDrassanes), e veja só o porto (35min; € 5) ou o porto e a costa (1h30; € 10,50).

O Catamaran Orsom (☎934 410 537, ⓦwww.barcelona-orsom.com) tem duas saídas diárias à tarde (€ 12,50) do mesmo cais —há um quiosque de bilhetes ali, ou ligue e reserve um dia antes. O catamarã também tem um cruzeiro noturno de jazz no verão (diariam jun, jul e ago; € 14,90).

Festivais e eventos

Todo mês há uma festa, um evento ou um feriado em Barcelona. Os principais estão a seguir, mas veja a lista completa no site do Ajuntament (prefeitura), ⓦwww.bcn.es.

Festes de Santa Eulàlia
O inverno tem uma trégua com um surto de festas por volta de **12 de fevereiro** em homenagem à jovem de Barcelona que sofreu um martírio bestial nas mãos dos romanos. A santa desfila com os *gegants* (gigantes), e há concertos, fogos de artifício e *sardana*.

Carnaval/Carnestoltes
Na semana anterior à Quaresma (**fev ou mar**) há desfiles, concertos e outros eventos tradicionais de Carnaval em todos os bairros da cidade. Sitges, descendo a costa, tem as festas mais ousadas.

Dia de Sant Jordi
No dia de são Jorge (**23 de abril**) comemora-se o dia do padroeiro da Catalunha, com centenas de bancas de flores e livros pelas Ramblas, Passeig de Gràcia e Plaça de Sant Jaume.

Primavera Sound
O maior festival de música da cidade (em geral nos últimos dias de **mai/ início de jun**) atrai grandes nomes internacionais do mundo do rock, indie e música eletrônica.

Marató de l'Espectacle
Maratona de espetáculos em **junho** (ⓦwww.marato.com), com dois dias seguidos de teatro, dança, cabaré, música e shows infantis, no teatro do Mercat de les Flors.

Verbena/Dia de Sant Joan
Na véspera e no dia de são João (**23/24 de junho**) há a maior festa da cidade, com fogueiras e fogos de artifício (particularmente em Montjuïc). Todos bebem, dançam e vão ver o sol nascer na praia. O dia 24 de junho é feriado.

Sónar
O Sónar (ⓦwww.sonar.es), maior e mais badalado festival de música eletrônica e arte multimídia da Europa, são três dias de som e espetáculos em junho, com DJs, VDJs, eventos e palestras.

Festival de Barcelona
Começa no fim de **junho** (e segue em julho e agosto) o principal festival de artes performáticas da cidade (ⓦwww.barcelonafestival.com), com teatro, música e dança, às vezes gratuitos, a maioria no Teatre Grec de Montjuïc.

O estilo catalão de celebrar

Quase toda festa tradicional de Barcelona tem desfile de **gegants**, bonecos de cinco metros com cabeça de papel machê ou fibra de vidro, que dançam ao som de flautas e tambores. Também típico é o **correfoc**, festa de fogos quando dragões e demônios pulam ao som de tambores pelas ruas. E há ainda os **castellers** –"fazedores de castelos" que formam pilhas de pessoas, umas com os pés nos ombros das outras, para ver quem faz a torre mais alta. A arte tem mais de 200 anos –o recorde é de dez andares de pessoas.

Summercase Barcelona

O som do verão é esta imensa vitrine anual de rock e indie com bandas no Parc del Fòrum (e eventos simultâneos em Madri). Ocorre num fim de semana de **julho** (há também uma edição Wintercase em novembro).

Festa Major de Gràcia

Festa de meados a **fim de agosto**, com música, dança, carros alegóricos, ruas decoradas, fogos. desfiles de gigantes e demônios e castelos humanos pelas ruas e praças do bairro mais vibrante de Barcelona (Ⓦwww.festamajordegracia.cat). Dura uma semana e é imperdível.

Festa de la Mercè

Principal festa da cidade –dedicada a Nossa Senhora das Mercês– e celebrada durante vários dias por volta de **24 de setembro** (que é feriado). Há bandas ao vivo e danças tradicionais na frente da catedral e em praças centrais, mais um desfile de gigantes e demônios, um show de fogos de artifício coreografado com música e competições de torres humanas. Durante a semana ocorre também o festival alternativo de música BAM, com rock, world music e fusion em locais emblemáticos da cidade antiga e no Parc del Fòrum.

Festival Internacional de Jazz

O festival anual de jazz (Ⓦwww.the-project.net) em **outubro/novembro** mostra grandes nomes aos clubes, além de concertos de rua em menor escala.

Natal

Há 200 anos, realiza-se na época de Natal uma feira especial de artesanato, a **Fira de Santa Llúcia** (1º-22 de dez), em frente à catedral. Vá comprar presentes ou ver os locais escolhendo árvores de Natal, imagens e enfeites.

Ano-Novo

No **Cap d'Any** (véspera de Ano-Novo) todos se juntam na Plaça de Catalunya e outras grandes praças e comem 12 uvas nos últimos 12 segundos do ano, para ter sorte. Os reis magos (que levam presentes às crianças) chegam por mar ao porto às 17h do dia 5 de janeiro e fazem a **Cavalcada de Reis**, entrando pela cidade e atirando doces. Os presentes são dados no dia 6 de janeiro.

Endereços

ACESSO À INTERNET Há locais para internet em toda Barcelona, e com a concorrência os preços caíram para € 1 por hora. Muitos bares, restaurantes e locais públicos também têm acesso sem fio.
AEROPORTO Trens para o aeroporto saem a cada 30min de Barcelona Sants (5h20–22h50; € 2,60) e passam na

Estació de França ou Passeig de Gràcia. O Aerobús sai a cada 6–15min da Plaça de Catalunya, Pg. de Gràcia ou Plaça d'Espanya (seg–sáb 6h-1h; €3,75).

ALUGUEL DE BICICLETAS Sai por volta de € 5 por hora, € 15–20 por dia. Tente: Barcelona Bici, Plaça de Catalunya, ⓂCatalunya ☎932 853 832, ⓦwww.barcelonaturisme.com; Barnabike, Pg. Sota la Murralla 3, mBarceloneta ☎932 690 204, ⓦwww.barnabike.com; Biciclot, Pg. Marítim 33–35, Port Olímpic, ⓂCiutadella-Vila Olímpica ☎932 219 778, ⓦwww.biciclot.net; Un Coxte Menys/Bicicleta Barcelona, Carrer Espartería 3, La Ribera ⓂBarceloneta ☎932 682 105, ⓦwww.bicicletabarcelona.com; e outros.

BANCOS E CÂMBIO Os bancos abrem seg–sex de 8h30–14h. Fora desse horário, há lojas de câmbio, incluindo as do aeroporto (diariam 7h30–22h45), Barcelona Sants (diariam 8h–20h), El Corte Inglés (seg–sáb 10h–21h30) e escritório de turismo da Plaça de Catalunya (seg–sáb 9h–21h, dom 9h–14h). O melhor é sacar dinheiro dos caixas automáticos da cidade, aeroporto e principais estações de trem. Dá para sacar até € 200 por dia.

CINEMA Os filmes na maioria dos grandes cinemas (incluindo as telas do Maremàgnum no Port Vell) são dublados em espanhol ou catalão. Mas vários cinemas exibem versões na língua original (*versión original* ou "V.O."), e constam do roteiro semanal do *Guia del Ocio*. O ingresso custa € 7, e a maioria das salas tem um dia da semana com desconto (em geral seg ou qua), com ingresso a € 5. Muitos cinemas exibem filmes de madrugada nos fins de semana, à 0h30 ou 1h. O melhor cinema de arte é a Filmoteca da Generalitat, e em julho há um cinema ao ar livre com tela gigante no castelo de Montjuïc (noites de seg, qua e sex; ⓦwww.salamontjuic.com).

CONSULADOS Brasil, Avinguda Diagonal 468 ☎934 882 288, ⓦwwwbrasilbcn.org; Reino Unido, Avgda. Diagonal 477, Eixample, ⓂHospital Clinic ☎933 666 200, ⓦwww.ukinspain.com; Canadá, Carrer Elisenda de Pinós 10, Sarrià, FGC Reina Elisenda ☎932 042 700, ⓦwww.canada-es.org; República da Irlanda, Gran Via Carles III 94, Les Corts, mMaria Cristina/Les Corts ☎934 915 021; Nova Zelândia, Trav. de Gràcia 64, Gràcia, FGC Gràcia ☎932 090 399; EUA, Pg. de la Reina Elisenda 23, Sarrià, FGC Reina Elisenda ☎932 802 227, ⓦwww.embusa.es.

CORREIOS O correio central (*Correus*) fica na Plaça d'Antoni López, na ponta leste da Pg. de Colom, no Barri Gòtic (seg–sáb 8h30–22h, dom 12h–22h; ☎902 197 197, ⓦwww.correos.es; ⓂBarceloneta/Jaume I). Tem serviço de posta-restante/entregas (*llista de correus*), e correio expresso, fax e venda de cartões telefônicos. Todo bairro tem sua agência, mas com horários e serviços reduzidos. Compre selos nas inúmeras tabacarias (procure a placa marrom e amarela). Ponha sua carta nas caixas de correio amarelas nas ruas, na seção *províncies i estranger* ou na *altres destins*.

DINHEIRO A moeda na Espanha é o euro (€), com notas nos valores de 5, 10, 20, 50, 100, 200 e 500 euros, e moedas de 1, 2, 5, 10, 20 e 50 centavos, e de 1 e 2 euros.

EMERGÊNCIAS Ligue ☎112 para ambulância, polícia e bombeiros; ☎061 para ambulância.

FARMÁCIAS O horário normal é de 9h a 13h e de 16h a 20h. Sempre há pelo menos uma em cada bairro aberta 24h, e você pode se informar no ☎010. Toda farmácia tem uma lista das que ficam de plantão.

FERIADOS Os feriados são: 1º de jan (Cap d'Any, Ano-Novo); 6 de jan (Epifania); Sexta-Feira Santa e segunda de Páscoa; 1º de mai (Dia del Treball, Dia do Trabalho); 24 de jun (Dia de Sant Joan, dia de são João); 15 de ago (L'Assumpció, Assunção de Nossa Senhora); 11 de set (Diada Nacional, Dia Nacional da Catalunha); 24 de set (Festa de la Mercè, Nossa Senhora das Mercês, padroeira de Barcelona); 12 de out (Día de la Hispanidad,

---

Voe menos – Fique mais!

A equipe dos Rough Guides sabe o bem que uma viagem faz, mas está consciente do impacto das emissões de combustível sobre as mudanças climáticas. Por isso, acha recomendável viajar menos e aumentar a estadia. Se você puder evitar a viagem aérea, use as opções alternativas, especialmente para distâncias inferiores a 1.000 quilômetros. Para compensar a emissão de carbono das suas viagens, visite o site www.roughguides.com/climatechange.

Dia Nacional da Espanha); 1º de nov (Tots Sants, Todos os Santos); 6 de dez (Dia de la Constitució, Dia da Constituição); 8 de dez (La Imaculada, Imaculada Conceição); 25 de dez (Nadal, Natal); 26 de dez (Sant Esteve, são Estêvão).

GAYS E LÉSBICAS Para informação atualizada, ligue para o telefone ☎900 601 601 (seg–sex 18h–22h). Ca la Dona (Carrer de Casp 38, Eixample ☎934 127 161, ⓦwww.caladona.org; Ⓜ Urquinaona), um centro de mulheres com biblioteca e bar, promove reuniões de feministas e lésbicas. O Guia del Ocio indica os bares e casas noturnas certos, e há outra revista gratuita, a Nois (ⓦwww.revistanois.com), distribuída em bares e clubes, com dicas da cena gay. Para roteiro completo e outros links, acesse ⓦwww.gaybarcelona.net. A parada anual do orgulho gay é no sábado mais próximo de 28 de junho.

GORJETAS Os locais deixam só alguns centavos ou arredondam a despesa de café ou bebida, e 1 ou 2 euros nas refeições. Alguns restaurantes chiques indicam que o serviço não está incluído; nesse caso, deixe de 10 a 15%. Os taxistas recebem em geral 5% de gorjeta.

GUARDA-VOLUMES Escritório da Barcelona Sants (diariam 7h–23h; € 3–4,50 por dia). Armários na Estació de França, estação Passeig de Gràcia e Estació del Nord (todas 6h–23h30; € 3–4,50 por dia).

HORÁRIOS Barcelona está três horas à frente do Brasil, mas isso pode variar conforme o horário de verão (na Espanha, adianta-se o relógio na última semana de março e volta-se ao horário normal na última de outubro).

HOSPITAIS Os seguintes hospitais centrais atendem emergências e acidentes 24h: Centre Perecamps, Avgda. Drassanes 13–15, El Raval, Ⓜ Drassanes ☎934 410 600; Hospital Clinic i Provincial, Carrer Villaroel 170, Eixample, Ⓜ Hospital Clinic ☎932 275 400; Hospital del Mar, Pg. Marítim 25–29, Vila Olímpica, Ⓜ Ciutadella-Vila Olímpica ☎932 483 000; Hospital de la Santa Creu i de Sant Pau, Carrer Sant Antoni Maria Claret, Eixample, Ⓜ Hospital de Sant Pau ☎932 919 000.

IMPOSTOS O imposto sobre vendas (IVA) é de 7% em restaurantes e hotéis, e de 16% em lojas. Os preços anunciados devem deixar claro se o imposto está incluído ou não (normalmente está).

INGRESSOS Compre ingressos para concertos, esportes e exposições com cartão de crédito nos caixas automáticos da ServiCaixa (☎902 332 211, ⓦwww.servicaixa.com) nas agências da La Caixa. Também é possível por telefone ou internet, pelo ServiCaixa ou TelEntrada (☎902 101 212, ⓦwww.telentrada.com). Também há um balcão de ingressos na FNAC, no El Triangle, Plaça de Catalunya (Ⓜ Catalunya). Ingressos antecipados para os concertos do Ajuntament são vendidos no Palau de la Virreina, Ramblas 99.

JORNAIS E REVISTAS Jornais e revistas você compra nas bancas das Ramblas, no Pg. de Gràcia, na Rambla de Catalunya, em torno da Plaça de Catalunya e da estação Barcelona Sants. Ou tente a FNAC no El Triangle da Plaça de Catalunya.

MERCADOS Veja horários e endereços dos mercados de bairro no site ⓦwww.bcn.cat/mercatsmunicipals. Os principais são Boqueria, Santa Caterina, Sant Antoni e Barceloneta, cada um com seu estilo.

NECESSIDADES ESPECIAIS O aeroporto de Barcelona e o Aerobús têm fácil acesso para cadeiras de rodas. No metrô, apenas as linhas 1 e 2 têm acesso fácil, com elevadores nas principais estações (incluindo Plaça de Catalunya, Universitat, Pg. de Gràcia e Sagrada Família) da rua até as plataformas. Todos os ônibus são adaptados para cadeiras de rodas, com rampas/degraus automáticos e espaço interno para cadeira de rodas. A melhor fonte de informações é o site AccessibleBarcelona (ⓦwww.accessiblebarcelona.com), que indica acessibilidade de atrações, hotéis, restaurantes e bares, e sugere passeios guiados adequados para cadeirantes. O Institut Municipal de Persones amb Discapacitat (ⓦwww.bcn.es/imd) também dá informações (em catalão e espanhol). Locais totalmente acessíveis são MNAC, Fundació Joan Miró, Fundació Antoni Tàpies, La Pedrera, Caixa Forum, CosmoCaixa, Museu d'Història de Catalunya e Palau de la Música; a maioria das atrações da cidade antiga, incluindo o Museu Picasso, tem impedimentos de acesso. A linha ☎010 também dá dicas sobre acessibilidade.

OBJETOS PERDIDOS O principal posto (objectes perduts) é no Carrer de la Ciutat 9, Barri Gòtic, Ⓜ Jaume I (seg–sex 9h30–13h30; ☎010). Tente também o escritório de transportes na estação Ⓜ Universitat.

OCORRÊNCIAS POLICIAIS Evite furtos usando bolsas internas junto ao corpo; não leve carteira no bolso e não deixe a

Barcelona econômica

Veja como controlar os custos em Barcelona:
- Faça a refeição principal do dia no almoço, quando o *menú del dia* oferece promoções fantásticas.
- Compre um passe de transporte público, que lhe permitirá economizar cerca de 40% em cada viagem.
- Visite museus e galerias no primeiro domingo do mês, quando a entrada geralmente é gratuita.
- Compre um dos úteis cartões de desconto ou pacotes da cidade.
- Beba e coma dentro dos cafés –costuma-se cobrar um adicional de serviço no terraço ou na calçada.
- Leve carteiras de estudante/jovem/idoso, pois permitem descontos em museus, galerias e outras atrações.
- Aproveite descontos em cinemas (segunda ou quarta) e teatros (terça).
- Visite as Ramblas, o mercado da Boqueria, La Seu, Santa María del Mar, Parc de la Ciutadella, Parc de Collserola, Port Vell, Port Olímpic, as praias da cidade, a Diagonal Mar e o Fòrum, o estádio olímpico, o mercado Els Encants, Caixa Forum e Parc Güell –todos gratuitos.

bolsa pendurada no encosto da cadeira nos cafés. Tire xerox do passaporte e deixe o original e ingressos no cofre do hotel. Fique atento no metrô e em ônibus, ou nas movimentadas Ramblas e ruas medievais de ambos os lados –se vir alguém tentando distraí-lo, segure a bolsa ou carteira.
POLÍCIA O melhor lugar para dar queixa de alguma ocorrência policial é o posto da Guàrdia Urbana nas Ramblas 43, em frente à Plaça Reial, Ⓜ Liceu ☎933 441 300 (24h). Se sofreu um furto, vá pessoalmente fazer o boletim para o seguro no posto da Policía Nacional no Carrer Nou de la Rambla 80, El Raval, Ⓜ Paral. lel ☎932 902 849 (leve o passaporte).
TELEFONES Os telefones públicos aceitam moedas, cartões de crédito e cartões telefônicos (estes últimos vendidos em vários valores, em tabacarias, bancas de jornal e nos correios). O jeito mais barato de fazer uma chamada internacional é ir a um *locutorio* (central telefônica); há muitas delas na cidade antiga, em especial no Raval e em La Ribera. Você entra na cabine e faz a sua ligação, e depois paga em dinheiro.

DICAS DE VIAGEM

Cronologia

Cronologia

c. 230 a.C Os cartagineses fundam o assentamento de Barcino, provavelmente no alto de Montjuïc.

218–201 a.C. Os romanos expulsam os cartagineses da península Ibérica na Segunda Guerra Púnica. A romana Barcino é estabelecida em torno do atual Barri Gòtic.

304 d.C. Santa Eulàlia –a padroeira da cidade– é martirizada pelos romanos por se recusar a renunciar ao cristianismo.

c. 350 Os muros romanos da cidade são construídos conforme cresce a ameaça de invasões.

415 Os visigodos invadem a Espanha e fundam sua capital provisória em Barcino (mais tarde, Barcelona).

711 Os mouros conquistam a Espanha. Barcelona é obrigada a se render (719).

801 Barcelona é retomada por Luís, o Pio, filho de Carlos Magno. Os condados francos da Catalunha viram uma zona intermediária, conhecida como as Marcas Espanholas.

878 Guifré el Pelós (Wilfredo, o Cabeludo) é declarado primeiro conde de Barcelona, fundador da dinastia que durará até 1410.

985 Os mouros saqueiam a cidade. Sant Pau del Camp –a mais antiga igreja sobrevivente da cidade– é construída logo depois.

1137 União das dinastias de Catalunha e Aragão.

1213-1276 Reinado de Jaume I, o Conquistador, expansão do império e início da Época de Ouro da Catalunha.

1282-1387 Barcelona é o centro de um agressivo império mercantil mediterrâneo. Sucessivos governantes erguem a maioria dos edifícios góticos mais conhecidos de Barcelona.

1348 A Peste Negra mata metade da população de Barcelona.

1391 Pogrom contra a população judia da cidade.

1410 Morte de Martí el Humà (Martin, o Humano), último conde-rei catalão. Fase final da influência catalã no Mediterrâneo.

1469 Casamento de Fernando de Aragão e Isabel de Castela.

1479 Fernando é o sucessor da coroa de Catalunha-Aragão, e a Catalunha entra em declínio. A Inquisição é introduzida em Barcelona, forçando o êxodo de judeus.

1493 Cristóvão Colombo é recebido em Barcelona depois da volta triunfal do Novo Mundo. O desvio das rotas comerciais do Mediterrâneo para o Atlântico empobrece ainda mais a cidade.

1516 A coroa espanhola passa para os Habsburgos e Madri vira capital do império espanhol.

1640-1652 Levante conhecido como a "Guerra dos Segadores" declara a Catalunha república independente. Barcelona é sitiada e se rende ao exército espanhol.

1714 Após a Guerra da Sucessão Espanhola, o trono espanhol passa para os Bourbon. Barcelona é finalmente subjugada em 11 de setembro (hoje, o Dia Nacional da Catalunha); é construída a fortaleza da Ciutadella, a língua catalã é proibida e o Parlamento, abolido.

1755 É criado o bairro da Barceloneta —o layout em grade é um exemplo pioneiro de planejamento urbano.

1778 O comércio cresce; a economia de Barcelona melhora.

1814 Após a Guerra da Península (1808-1814), os franceses são finalmente expulsos, e Barcelona é a última cidade a cair.

1848 Rápida expansão e industrialização.

1850 Construção da Plaça Reial —emblema da cidade velha.

1859 Os velhos muros da cidade são demolidos e o Eixample é construído para acomodar a população crescente.

1882 Começa o trabalho na Sagrada Família; Antoni Gaudí assume o projeto dois anos mais tarde.

1888 É realizada a Exposição Universal no Parc de la Ciutadella. Os arquitetos modernistas começam a deixar sua marca.

1893 Primeiras manifestações de efervescência anarquista. Atentado a bomba à casa de ópera Liceu.

1901 Primeira exposição pública de Pablo Picasso na taberna *Els Quatre Gats*.

1909 Setmana Trágica (Semana Trágica) de distúrbios. Várias igrejas são destruídas.

1922 O Parc Güell é aberto ao público.

1926 Antoni Gaudí é atropelado por um bonde; Barcelona pára por ocasião de seu funeral.

1929 Realização da Exposição Internacional em Montjuïc.

1936-1939 Guerra Civil Espanhola. Barcelona é o foco da causa republicana. George Orwell e outros voluntários chegam para lutar. Os nacionalistas tomam a cidade em janeiro de 1939.

1939-1975 A Espanha sob Franco. O presidente da Generalitat Lluís Companys é executado e a língua catalã é proibida. Estimula-se a emigração do sul para diluir a identidade catalã. Franco morre em 1975.

1977 Primeiras eleições democráticas na Espanha em 40 anos.

1978–1980 A Generalitat é restabelecida e aprova-se o Estatuto da Autonomia. É eleito um governo nacionalista conservador.

1992 Olimpíadas de Barcelona. Projetos de reconstrução em grande escala transformam Montjuïc e a orla marítima.

1995 O MACBA (Museu de Arte Contemporânea) é inaugurado, sinalizando a recuperação do bairro de El Raval.

1997-2004 Joan Clos é o prefeito da cidade, e uma coalizão de esquerda substitui os nacionalistas no governo catalão (2003). A Diagonal Mar sedia o Fórum Universal da Cultura (2004).

2006 Novo estatuto de autonomia sancionado com a Espanha. Jordi Hereu é eleito prefeito. Grandes obras em Barcelona. O FC Barcelona é campeão europeu de futebol pela segunda vez.

Idioma

Catalão

Em Barcelona, o catalão (català) vem superando o espanhol (castellano) como idioma nas placas de rua e mapas. No papel, o catalão parece um cruzamento de francês e espanhol e costuma ser fácil de ler se você conhece essas duas línguas. Poucos visitantes compreendem quão importante é o catalão para aqueles que o falam: nunca cometa o erro de chamá-lo de dialeto. Apesar da preponderância do catalão, você vai se virar muito bem em espanhol, lembrando que o catalão será usado em horários, cardápios etc. Mas você receberá geralmente uma boa acolhida se pelo menos tentar se comunicar no idioma local.

Pronúncia

Não ceda à tentação de usar as poucas regras de pronúncia de espanhol que você por acaso conheça –particularmente os fonemas espanhóis Z e C, que não se aplicam ao catalão, ou seja, diferentemente do que ocorre no resto da Espanha, aqui não se diz Barcelona, e sim Barcelona, como em português.

- **a** como o primeiro "a" de "casa", quando enfatizado; quando não enfatizado, como o segundo "a".
- **e** varia, mas em geral é aberto como em "pega".
- **i** como em português.
- **ig** soa como "tch"; *lleig* (feio) é pronunciado "lhetch".
- **o** pode ser aberto ou fechado.
- **u** como em português.
- **ç** como em português.
- **c** como em português.
- **g** como em português.
- **h** sempre mudo.
- **j** como em português.
- **l.l** para estrangeiros, é melhor pronunciar como um "l" só; para os catalães tem dois sons de "l" distintos.
- **ll** como "lh" em português.
- **n** como em português.
- **ny** como o "nh" do português.
- **qu** o "u" é mudo antes de "e" ou "i", mas é pronunciado quando leva trema (ü), e quando seguido por "a" ou "o".
- **r** é vibrado no início da palavra; no final, é como em português.
- **t** como em português, mas às vezes soa como "d", como em *viatge* ou *dotze*.
- **v** no início de uma palavra tem som de "b"; nas outras posições tem um som de "f" suave.
- **w** pronunciado como "v".
- **x** tem som de "ch" na maioria das palavras, mas em algumas tem som de "x", como em "fax".
- **z** como em português.

Palavras e frases

Expressões básicas

Si, No, Val	Sim, Não, Valeu
Si us plau, Gràcies	Por favor, obrigado
Hola, Adéu	Oi, Tchau
Bon dia	Bom dia
Bona tarde/nit	Boa tarde/noite
Fins desprès	Até mais

Catalão IDIOMA

Catalão	Português
Ho sento	Sinto muito
Perdoni	Desculpe
(No) Ho entenc	(Não) entendo
Parleu anglès?	Fala inglês?
On? Quan?	Onde? Quando?
Què? Quant?	O quê? Quanto?
Aquí, Allí/Allá	Aqui, Ali/Lá
Això, Allò	Isso, Aquilo
Obert, Tancat	Aberto, Fechado
Amb, Sense	Com, Sem
Bo(na), Dolent(a)	Bom (boa), Ruim
Gran, Petit(a)	Grande, Pequeno(a)
Barat(a), Car(a)	Barato, Caro
Vull ("bui")	Eu quero
Voldria	Eu gostaria
Vostès saben?	Vocês sabem?
No sé	Não sei
Hi ha(?)	Tem?
Què és això?	O que é isto?
Té…?	Tem…?
Avui, Demà	Hoje, Amanhã

Hospedagem

Té alguna habitació?	Tem algum quarto?
…amb dos llits/ llit per dues persones	com duas camas/ cama de casal
…amb dutxa/ bany	…com chuveiro/ banheiro
Per a una persona (dues persones)	Para uma pessoa (duas pessoas)
Per una nit (una setmana)	Por uma noite (uma semana)
Esta bé, quant és?	Está bem, quanto é?
En té de més bon preu?	Tem mais barato?

Endereços e transporte

Per anar a…?	Como eu chego até…?
A la dreta, A l'esquerra, Tot recte	À direita, À esquerda, Sempre em frente
On és…?	Onde fica…?
…l'estació de autobuses	…a estação de ônibus
…l'estació	…a estação
…el banc més a prop	…o banco mais próximo
…l'oficina de correus	…a agência de correio
…la toaleta	…o banheiro
De on surt el autobús a…?	De onde sai o ônibus para…?
Aquest tren va a Barcelona?	Este é o trem para Barcelona?
Voldria un bitlet (d'anar i tornar) a…	Quero um bilhete (de ida e volta) para…
A quina hora surt (arriba a)?	A que hora sai (chega em)?

Números

un(a)	1
dos (dues)	2
tres	3
quatre	4
cinc	5
sis	6
set	7
vuit	8
nou	9
deu	10
onze	11
dotze	12
tretze	13
catorze	14
quinze	15
setze	16
disset	17
divuit	18
dinou	19
vint	20
vint-i-un	21
trenta	30
quaranta	40
cinquanta	50
seixanta	60
setanta	70
vuitanta	80
noventa	90
cent	100
cent un	101
dos-cents (dues-centes)	200
cinc-cents	500
mil	1000

Dias da semana

dilluns	segunda-feira
dimarts	terça-feira
dimecres	quarta-feira
dijous	quinta-feira
divendres	sexta-feira
dissabte	sábado
diumenge	domingo

Cardápio

Vocabulário básico

esmorzar	café-da-manhã
dinar	almoço
sopar	jantar
ganivet	faca
forquilla	garfo
cullera	colher
taula	mesa
ampolla	garrafa
got	copo
carta	cardápio
sopa	sopa
amanida	salada
entremesos	entradas
truita	omelete
entrepà	sanduíche
torrades	torradas
tapes	*tapas*
mantega	manteiga
ous	ovos
pa	pão
olives	azeitonas
oli	óleo
vinagre	vinagre
sal	sal
pebre	pimenta
sucre	açúcar
el compte	a conta
sóc vegetarià/ vegetariana	sou vegetariano vegetariana

Termos culinários

assortit	variado
al forn	ao forno
a la brasa	na brasa
fresc	fresco
fregit	frito
a la romana	à milanesa
all i oli	*aioli*
a la plantxa	na chapa
en escabetx	escabeche
rostit	assado
salsa	molho
saltat	sautée
remenat	mexido
del temps	da estação
fumat	defumado
a l'ast	no espeto
guisat	guisado
al vapor	no vapor
farcit	recheado

Peixe e frutos-do-mar/Peix i marisc

anxoves/Seitons	anchovas
calamarsets	calamares
cloïses	moluscos
cranc	caranguejo
sípia	sépia
lluç	lúcio
llagosta	lagosta
rap	tamboril
musclos	mexilhões
pop	polvo
gambes	camarões
navalles	moluscos
salmó	salmão
bacallà	bacalhau
sardines	sardinhas
llobarro	perca-do-mar
llenguado	linguado
calamars	lula
peix espasa	peixe-espada
tonyina	atum

Carnes e frango/Carn i aviram

embotits	embutidos
pollastre	frango
xoriço	chouriço
pernil serrà	pernil cru
llonganissa	linguiça de porco
costelles	costeletas
ànec	pato
pernil dolç	presunto cru
xai/Be	cordeiro
fetge	fígado
llom	lombo de porco
mandonguilles	almôndegas
porc	porco
conill	coelho
salsitxes	salsichas
cargols	caracóis
bistec	bife

Vegetais/Verdures i llegums

carxofes	alcachofras
albergínia	berinjela
faves	favas
cigrons	grão-de-bico
carbassó	abobrinha
all	alho
mongetes	feijão-branco
llenties	lentilhas

xampinyons	cogumelos
cebes	cebolas
patates	batatas
espinacs	espinafre
tomàquets	tomates
bolets	cogumelos silvestres

Frutas/Fruita

poma	maçã
plàtan	banana
raïm	uva
meló	melão
taronja	laranja
pera	pêra
maduixes	morangos

Sobremesas/Postres

pastis	doce
formatge	queijo
macedonia	salada de frutas
flam	flã
gelat	sorvete
arròs amb llet	pudim de arroz
tarta	torta
yogur	iogurte

Especialidades catalãs

amanida Catalana salada com carne fatiada (às vezes queijo)
arròs a banda arroz e frutos-do-mar, com arroz servido à parte
arròs a la marinera *paella*: arroz com frutos-do-mar e açafrão
arròs negre "arroz preto", cozido na tinta de lula
bacallà a la llauna bacalhau cozido com alho, tomate e páprica
botifarra (amb mongetes) linguiça de porco catalã (com feijão-branco)
calçots grandes anéis de cebola grelhada, com molho romesco, servido em fev/mar
canelons canelone com carne moída e molho bechamel
conill all i oli coelho com *aioli*
crema Catalana creme caramelado, com açúcar caramelizado por cima
escalivada berinjela assada, pimentão/ pimenta-da-guiné e cebola
espinacs a la Catalana espinafre com uva-passa e pinoli
esqueixada salada de bacalhau com pimentão/pimenta-da-guiné, tomate, cebola e azeitonas (prato de verão)
estofat de vedella guisado de vitela
faves a la catalana favas cozidas, com bacon e linguiça, um clássico da região
fideuà macarrão fino e curto servido com frutos-do-mar, e *aioli*
fuet salame catalão
llenties guisades guisado de lentilha
mel i mató queijo curado e mel, sobremesa típica
pa amb tomàquet pão (às vezes, grelhado), esfregado com tomate, alho e azeite de oliva
pollastre al cava frango com molho *cava* (espumante)
pollastre amb gambes frango com camarão
postres de músic bolo de frutas secas e nozes
salsa Romesco molho picante (pimenta, nozes, tomate e vinho) servido com peixe grelhado
samfaina espécie de *ratatouille* (cebola, pimentão/pimenta-da-guiné, berinjela, tomate) servido com bacalhau ou frango
sarsuela cozido de peixe e mariscos
sípia amb mandonguilles sépia com almôndegas
suquet de peix peixe e *casserole* de batata
xató salada mista de azeitonas, bacalhau, atum em conserva, anchovas e cebola

Bebidas

cervesa	cerveja
vi	vinho
xampan/Cava	espumante
cafè	café
cafè sol	expresso
cafè Americà	café preto
cafè amb llet	café com leite
cafè tallat	expresso com leite
descafeinat	descafeinado
te	chá
xocolata	chocolate
granissat	com gelo picado
llet	leite
orxata	leite de amêndoa-doce
aigua	água
aigua mineral	água mineral
…(amb gas)	…(com gás)
…(sense gas)	…(sem gás)

Créditos e índice

Um guia rudimentar para os Rough Guides

No verão de 1981, Mark Ellingham, um recém-formado da Universidade de Bristol, estava viajando pela Grécia e não conseguia encontrar um guia que realmente atendesse às suas necessidades. Mark e um pequeno grupo de escritores decidiram criar seu próprio guia de viagens, que pretendia fazer descrições em linguagem jornalística combinadas com uma extensiva abordagem prática para suprir as necessidades dos viajantes. Aquele primeiro Rough Guide foi um projeto estudantil que se tornou um fenômeno editorial. Atualmente os guias fornecem recomendações de hospedagens rústicas a luxuosas e cobrem centenas de destinos pelo globo, inclusive quase todos os países das Américas e da Europa, mais de metade da África e quase toda a Ásia e a Oceania. Milhões de leitores apreciam a perspicácia e a curiosidade dos guias, assim como sua abordagem crítica e entusiástica. Nossa crescente equipe de autores e fotógrafos está espalhada por todos os lugares.

Visite o site em inglês www.roughguides.com para conhecer nossas mais recentes publicações.

As imagens estão disponíveis para licenciamento comercial em www.roughguidespictures.com

Expediente

Traduzido a partir da edição original do Rough Guide Directions Barcelona (2ª edição) publicada por Rough Guides Ltd, 80 Strand, London WC2R 0RL, em 2008.
Título original: Rough Guide Directions: Barcelona
© Rough Guides, 2008
Copyright do texto © Jules Brown, Geoff Wallis, 2008
© Publifolha – Divisão de Publicações da Empresa Folha da Manhã S.A., 2008

ISBN 978-85-7402-943-6

Todos os direitos reservados. Nenhuma parte desta publicação pode ser reproduzida, arquivada ou transmitida de nenhuma forma ou por nenhum meio sem permissão expressa e por escrito da Publifolha – Divisão de Publicações da Empresa Folha da Manhã S.A.

Proibida a comercialização fora do território brasileiro.

PUBLIFOLHA
Divisão de Publicações da
Empresa Folha da Manhã S.A.
Al. Barão de Limeira, 401, 6º andar,
CEP 01202-900, São Paulo, SP
Tel.: (11) 3224-2186/2187/2197
www.publifolha.com.br

Coordenação do projeto:
PUBLIFOLHA
Assistência editorial: Camila Saraiva
Produção gráfica: Soraia Pauli Scarpa
Assistência de produção gráfica: Mariana Metidieri

Produção editorial:
Editora Página Viva
Tradução: Luis Reyes Gil
Edição: Rosi Ribeiro
Revisão: Felice Morabito
e Shirley Gomes

Impresso pela Cromosete em agosto de 2008 sobre papel couché fosco 115 g/m²

ROUGH GUIDES
Edição: Sarah Eno e Lucy White
Diagramação: Pradeep Thapliyal
Fotografias: Chris Christoforou
Cartografia: Katie Lloyd-Jones e Ed Wright
Edição de imagem: Emily Taylor
Revisão: Jan McCann
Produção: Rebecca Short
Capa: Chlöe Roberts

Dados Internacionais de Catalogação na Publicação (CIP)
(Câmara Brasileira do Livro, SP, Brasil)

Brown, Jules-
  Barcelona : o guia da viagem perfeita / escrito e pesquisado por Jules Brown ; [tradução Luis Reyes Gil]. -- São Paulo: Publifolha, 2008. -- (Rough Guide Directions)

  Título original: Directions Barcelona.
  ISBN 978-85-7402-943-6

1. Barcelona (Espanha) - Descrição e viagens - Guias I. Título. II Série.

| 08-05964 | CDD-914.672 |

Índices para catálogo sistemático:
1. Barcelona : Espanha : Guias de viagem 914.672
2. Guias de viagem : Barcelona : Espanha 914.672

Foi feito o possível para garantir que as informações deste livro fossem as mais atualizadas disponíveis até o momento da impressão. No entanto, alguns dados como telefones, preços, horários de funcionamento e informações de viagem estão sujeitos a mudanças. Os editores não podem se responsabilizar por qualquer consequência do uso deste guia, nem garantir a validade das informações contidas nos sites indicados.

Os leitores interessados em fazer sugestões ou comunicar eventuais correções podem escrever para a Publifolha, Al. Barão de Limeira, 401, 6º andar, CEP 01202-900, São Paulo, SP, enviar um fax para: (11) 3224-2163 ou um e-mail para: atendimento@publifolha.com.br

O autor

Jules Brown visitou Barcelona pela primeira vez em 1985. Além deste livro, escreveu meia dúzia de outros Rough Guides e colaborou como pesquisador para a edição de vários outros. Mas está começando a achar que ficou tarde para jogar pelo time de futebol Huddersfield Town.

Agradecimentos

Do fotógrafo:
Um agradecimento especial aos meus queridos amigos Izqui e Babi por compartilharem sua casa comigo tão generosamente. A Uri Baba, um incrível amigo e fotógrafo. A Santy Belleza, minha bela amiga, *saghabo belleza!* A Ivan o grande, um incrível guia e um grande cozinheiro. Obrigado também a Mark Thomas. Sorrisos brilhantes, Chris Christoforou.

Créditos das fotos

Todas as imagens © Rough Guides, exceto as seguintes:

pág.13 Zoológico de Barcelona; happy hippo © Icon Digital Featurepix/Alamy
pág.18 Festa dos castellers © Jose Fuste Raga/Corbis
pág.19 Feira de Natal © graficart.net/Alamy
pág.19 Correfoc - Barcelona © AWPhoto/Alamy
pág.19 Participantes curtem o Sonar © Miles Willis/Getty
pág.38 *Cabeça de uma mulher com colar*, Pablo Picasso © Iconografico, S.A./Corbis
pág.168 Camp Nou, Patatas Bravas © Peter Cassidy/Food & Drink
pág.179 Sitges, Iglesia Museu waterfront © Russell Kord /Alamy

Índice

Os mapas estão marcados em cor

a

acesso à internet 206
Aeri de Montserrat 174
aerobús 199
aeroporto 199, 205
agências de ingressos 207
agências de reserva 185
Ajuntament de Barcelona 64
albergues 194
albergues da juventude 194
aluguel de bicicletas 205
andar em Montserrat 177
andar no Parc del
 Collserola 172
Antiga Sinagoga 63
Aquàrium, L' 13, 74
Arc de Triomf 45, 105
Arenes, Les 150
arquitetura 24, 129
arquitetura modernista 24, 122
Articket 200
Auditori, L' 41, 145
Avinguda Diagonal 144, 167

b

bairros 7
bancos e câmbio 205
Barcelona econômica 207
Barcelona para crianças 12
Barcelona Sants 199
Barceloneta 76
barcos panorâmicos 17, 203
bares (por área)
 Camp Nou, Pedralbes e Sarrià-Sant Gervasi 169
 Dreta de l'Eixample 139
 Esquerra de l'Eixample 152
 Gràcia 160
 Montjuïc 121
 Port Olímpic e Poble Nou 127
 Port Vell e Barceloneta 78
 Ramblas, As 57
 Raval, El 89
 Ribera, La 104
 Sant Pere 96
 Sitges 182
 Tibidabo e Parc del
  Collserola 173
bares (por nome)

Aire 152
Almirall 24, 89
Ascensor, L' 43, 69
Baignoire, La 160
Belchica 152
Berimbau 104
Bosc de les Fades 43, 57
Café de les Delícies 89
Café del Sol 160
Café Royale 70
Can Paixano 78
Canigó 160
Casa Paco 96
Cazalla, La 57
Cerveceria Jazz 121
Confitería, La 89
Dietrich 43, 152
Dry Martini 152
Elephant 169
Espai Barroc 104
Fianna, La 104
Gimlet 169
Glaciar 70
Kennedy Irish Sailing Club 127
Le Kasbah 78
Les Gens Que J'aime 139
London Bar 89
Luz de Gas 35, 78
Marsella 89
Mas i Mas 169
Milk 70
Mirablau 42, 173
Mudanzas 104
Muy Buenas 89
Nus, El 104
Parrot's Pub, Sitges 182
Pipa Club 70
Puku Café 160
Punto BCN 152
Quilombo 153
Resolís 90
Salambo 160
Sante Café 153
Tinta Roja 121
Travel Bar 70
Vikingos, Sitges 182
Vinya del Senyor, La 104
Voramar, Sitges 182
Zelig 90
bares de tapas (ver restaurantes e bares de tapas)
Barri Gòtic 58
Barri Gòtic 60-61
bondes 202

bondinho 16, 17, 76, 118,
 174, 202
Bus Montjuïc Turístic 111

c

cafés (por área)
 Barri Gòtic 68
 Dreta de l'Eixample 137
 Port Olímpic e Poble Nou 125
 Ramblas, As 55
 Raval, El 87
 Ribera, La 102
 Sagrada Família e Glòries 146
cafés (por nome)
 Antiga Casa Figueras 53, 55
 Bar del Pi 68
 Bar Gaudí 146
 Caelum 68
 Café de l'Òpera 30, 55
 Café del Born 102
 Café Zurich 31, 56
 Cava Universal 56
 Forn de Sant Jaume 137
 Granja de Gavà 87
 Granja M. Viader 31, 87
 Hivernacle 109
 Kasparo 87
 Laie Llibreria Café 31, 137
 Mendizábal 87
 Mesón del Café 68
 Rosal 102
 Textil Café 30, 102
 Terrrazza, La 42, 121
 Tio Che, El 125
 Valor 137
Caixa Forum 39, 111
caminhadas 202
Camp Nou 27, 161
Camp Nou, Pedralbes e Sarrià-Sant Gervasi 162-163
Capella de Santa Àgata 59
Capella, La 83
cardápio 217
Carnaval 203
Carrer
 d'Allada Vermell 93
 d'Avinyo 66
 de la Mercè 66
 de la Riera Baixa 84
 de Petritxol 63
 del Bonsuccés 83
 dels Carders 94

dels Tallers 83
Sitges 83
Cartão Barcelona 200
cartões de desconto 200
Casa
  Amatller 25, 131
  Àsia 134
  Batlló 24, 131
  Bruno Quadros 53
  Lleó Morera 129
  Macaya 144
  Museu Gaudí 156
  Papallona 150
  de les Punxes 134
  Vicens 154
casas noturnas (por área)
  Barri Gòtic 70
  Camp Nou, Pedralbes e Sarrià-Sant Gervasi 169
  Dreta de l'Eixample 139
  Esquerra de l'Eixample 153
  Gràcia 160
  Montjuïc 121
  Port Olímpic e Poble Nou 127
  Ramblas, As 57
  Raval, El 90
casas noturnas (por nome)
  Antilla Barcelona 153
  Arena Madre 153
  Astoria 153
  Prefeitura de Barcelona 139
  Bikini 169
  CDLC 127
  Club Catwalk 127
  Club Fellini 57
  Fantastico 70
  Fonfone 70
  Harlem Jazz Club 70
  Jamboree 41, 70
  Jazz Sí Club 90
  Llantiol 90
  Luz de Gas 153
  Macarena, La 71
  Mau Mau 121
  Metro 153
  Moog 43, 90
  Otto Zutz 160
  Paloma, La 90
  Razzmatazz 127
  Sala Apolo 121
  Sidecar 41, 71
  Space Barcelona 153
  Tablao de Carmen 121
  Tarantos 41, 70
  Terrrazza, La 42, 121
Cascada, Parc de la Ciutadella 105
Castell de Montjuïc 29, 118
castellers (torres humanas) 18, 204

Catalunha
  arquitetura 129
  arte da 113
  festas da 18, 203
  dança folclórica da (ver sardana)
  história da 28, 75, 211
  idioma da 215
Catamaran Orsom 203
catedral (ver Seu, La)
Cavalcada de Reis 20
Cementiri de Poble Nou 124
cena gay
  Barcelona 147, 206
  Sitges 182
Centre d'Art Santa Mònica 54
Centre de Cultura Contemporània de Barcelona (CCCB) 82
chegada 199
cinema 75, 205
clima 5
Colombo, Cristóvão 72
correios 206
cronologia 211
Ciutat del Teatre, La 115
compras 20
consulados 205
correio 206
CosmoCaixa 33, 172
Cremallera de Montserrat 17, 174

d

dança 40
Dia de Sant Joan 203
Dia de Sant Jordi 65, 203
Diagonal Mar 35, 124
dinheiro 206
Domènech i Montaner, Lluís 129, 131, 135, 141
Dreta de l'Eixample 128
Dreta de l'Eixample 130

e

Edifici Fòrum 124
Eixample 128
emergências 206
Encants, Els 21, 144
Escola Industrial 148
escritórios de turismo 200
Església
  de Betlem 51
  de la Mercè 66

  de Sant Pau del Camp 29, 85
  de Sant Pere de les Puelles 92
  de Santa Maria del Mar 28, 99
  de Santa Maria del Pi 62
  dels Sants Just i Pastor 65
Esquerra de l'Eixample 147
Esquerra de l'Eixample 148-149
esportes e lazer 26
Estació de França 199
Estació del Nord 199
estacionamento 199
estacionamentos de carro 199
estações de trem 199, 202
Estadi Olímpic 27, 116

f

farmácias 206
FC Barcelona 161
feiras e mercados
  Encants, Els 21, 144
  feira dos artistas 63
  feira de livros e moedas 86
  feira de moedas e selos 66
  feira de fazendeiros 63
  Mercat de la Barceloneta 76
  Mercat de la Boqueria 21, 52
  Mercat de la Concepció 21, 135
  Mercat de Sant Antoni 20, 85
  Mercat Santa Caterina 93
feriados 207
Festa de la Mercè 19, 204
Festa Major de Gràcia 204
festas 18, 203
Festes de Santa Eulàlia 203
Festival de Barcelona 18, 115, 204
Festival Internacional de Jazz 204
FilmoTeca 149
Fira de Santa Llúcia 19, 204
Foment de les Arts Décoratives (FAD) 82
Font Màgica 12, 111
Fossar de les Moreres 100
Fundació Antoni Tàpies 39, 131
Fundació Francisco Godia 133
Fundació Joan Miró 39, 117
Funicular de Montjuïc 118
Funicular del Tibidabo 172
fusos horários 207
futebol 161

g

galerias 38
Gaudí i Cornet, Antoni 129, 131, 133, 140, 156, 166
Glòries 140
Golondrinas, Las 17, 203
gorjetas 207
Gràcia 154
Gràcia 158
Gràcia e Parc Güell 155
Gran Teatre del Liceu 40, 53
guarda-volumes 206

h

história 211
Hivernacle, Parc de la Ciutadella 107
horários, lojas 20
hospedagem 183
hospedagem, Eixample 192
hospedagem, Cidade Velha 186-187
Hospital de la Santa Creu 83
Hospital de la Santa Creu i de Sant Pau 25, 141
hospitais 206
Hotel España 25, 84
hotéis (por área)
  Barri Gòtic 188
  Eixample 192
  Montjuïc 191
  Port Olímpic 191
  Port Vell 189
  Ramblas, As 185
  Raval, El 190
  Ribera, La 191
  Sant Pere 191
hotéis (por nome)
  Abba Rambla 190
  AC Miramar 191
  Alamar 188
  Arts Barcelona 14, 191
  Australia 192
  Banys Orientals 191
  Benidorm 185
  Cèntric 190
  Claris 15, 192
  Colón 188
  Condes de Barcelona 193
  Duquesa de Cardona 189
  D'Uxelles 193
  Eurostars Gaudí 193
  Expo Barcelona 193
  Fernando 188
  Gat Raval 15, 190
  Gat Xino 190
  Girona 193
  Goya 193
  Grand Hotel Central 191
  Grand Marina 89
  Grau 190
  H1898 188
  Inglaterra 193
  Jardí, El 188
  Levante 188
  Lloret 188
  Majestic 193
  Mare Nostrum 188
  Mari-Luz 189
  Marina View B&B 190
  Meson Castilla 190
  Metropol 189
  Neri 15, 189
  Nuevo Colón 191
  Omm 193
  Oriente 188
  Park 191
  Peninsular 190
  Pensió 2000 191
  Prestige 194
  Racó del Pi 189
  Rembrandt 189
  Rivoli Ramblas 188
  San Remo 194
  Sant Agustí 190
  Terrassa, La 190
  thefiverooms 14, 194
  Torre Catalunya 194

i

idioma 215
IMAX Port Vell 75
impostos 207
informações 200
Institut del Teatre 115

j

Jardí Botànic de Barcelona 23, 119
Jardins de Mossèn Costa i Llobera 23, 118
jornais e revistas 206

l

Liceu (ver Gran Teatre del Liceu)
lojas (por área)
  Barri Gòtic 66
  Camp Nou, Pedralbes e Sarrià-Sant Gervasi 168
  Dreta de l'Eixample 136
  Esquerra de l'Eixample 150
  Gràcia 157
  Montjuïc 120
  Ramblas, As 55
  Raval, El 86
  Ribera, La 100
  Sagrada Família e Glòries 146
  Sant Pere 94
  Sitges 181
lojas (por nome)
  Almacen Marabi 100
  Almacenes del Pilar 66
  Altaïr 150
  Antonio Miró 136
  Arca del Avia, L' 66
  Armand Basi 136
  Art Escudellers 66
  Artesania Catalunya 67
  Atalanta Manufactura 101
  Botifarreria de Santa Maria, La 101
  Buffet & Ambigú 86
  Camisería Pons 157
  Camper 55
  Casa Beethoven 55
  Casa del Llibre 136
  Casa Gispert 101
  Casa Portuguesa, A 157
  Centre Comercial Barcelona Glòries 146
  Cerería Subirà 67
  Colmado Quilez 136
  Contribucions 157
  Corte Inglés, El 55
  Custo Barcelona 101
  CyD, Sitges 181
  Czar 101
  Discos Castelló 86
  El Rei de la Magia 94
  Elephant Books 120
  Espai Liceu 55
  Favorita 136
  Formatgeria La Seu 67
  Giménez & Zuazo 86
  Gotham 67
  Herboristeria del Rey 67
  Hibernian Books 157
  Illa, L' 168
  Indio, El 86
  Jean-Pierre Bua 150
  Joaquín Berao 136
  Lailo 86
  Loft Avignon 67
  Mandarina Duck 136
  Mango 136
  Manual Alpargatera, La 67

Mercadillo, El 67
Muses del Palau, Les 94
Muxart 137
Naifa 87
Oscar, Sitges 181
Papabubble 67
Purificacion Garcia 137
Ras 87
Taller Antic, Sitges 181
Triangle, El 55
U-Casas 101
Vila Viniteca 102
Vinçon 134
Zak, Sitges 181
Zara 137

m

Mansana de la Discòrdia 128
Maremàgnum 73
Mataró de l'Espectacle 203
menú del dia 36
mercado-de-pulgas 21, 144
Mercat
   de la Barceloneta 76
   de la Boqueria 21, 52
   de la Concepció 21, 135
   de les Flors 115
   de Sant Antoni 85
   Municipal, Sitges 181
   Santa Caterina 93
Mirador de Colón 34, 72
Miró, Joan 117
moeda 206
Monestir de Montserrat 175
Monestir de Pedralbes 29, 166
Montjuïc 110
Montjuïc 112
Montserrat 174
Montserrat 176
Museo Taurino 145
museus
   Barbier-Mueller 98
   Cau Ferrat, Sitges 179
   d'Arqueologia 114
   d'Art Contemporani de Barcelona (MACBA) 38, 79
   de Carrosses Fúnebres 109
   de Cera 54
   de Ceràmica 33, 165
   de Geologia 108
   de la Xocolata 33, 94
   de les Arts Decoratives 165
   de Montserrat 177
   de Zoologia 106
   del Calçat 63
   del Futbol 164
   del Perfum 129
   d'Història de la Ciutat 29, 59
   d'Història de Catalunya 75
   d'Història e la Ciutat 59
   Diocesá 59
   Egipci de Barcelona 33, 132
   Etnològic 114
   Frederic Marès 32, 62
   i Centre d'Estudis de l'Esport 148
   Maricel, Sitges 180
   Marítim 28, 72
   Militar 119
   Nacional d'Art de Catalunya (MNAC) 11, 39, 113
   Olímpic i de l'Esport 116
   Picasso 11, 38, 97
   Romàntic, Sitges 180
   Textil i d'Indumentaria 32, 98
música 40, 82
música mestiza 82

n

necessidades especiais 205

o

objetos perdidos 206
ocorrências policiais 205
ônibus 202
ônibus panorâmicos 17, 202
ônibus para tours 17, 202

p

Palau
   de la Generalitat 65
   de la Música Catalana 41, 91
   de la Virreina 51, 200
   de Mar 76
   Güell 84
   Maricel, Sitges 180
   Moja 51
   Montaner 135
   Reial de Pedralbes 164
   Robert 134, 200
Parc
   d'Atraccions, Tibidabo 13, 170
   de l'Espanya Industrial 150
   de la Barceloneta 76
   de la Ciutadella 22, 105
   de la Ciutadella 106
   de la Creueta del Coll 157
   del Clot 145
   del Collserola 23, 171
   del Fòrum 124
   Güell 11, 23, 156
   Joan Miró 22, 150
   Zoològic 13, 108
parques e jardins 22
Passeig de Gràcia 128
Passeig del Born 100
Passeig Joan de Borbó 76
Passeig Marítim 76
passeios 202
passeios de barco 203
passeios de bicicleta 203
Pati Manning 82
Pavellons Güell 166
Pavelló Mies van der Rohe 112
Pedralbes 161, 166
Pedrera, La 25, 133
peixe de Frank Gehry 44, 122
Picasso, Pablo 97
piscinas 27, 117
Piscines Bernat Picornell 116
Plaça d'Espanya 110
Plaça de Catalunya 45, 49
Plaça de Francesc Macià 167
Plaça de la Boqueria 53
Plaça de la Concordia 167
Plaça de la Virreina 155
Plaça de les Glòries Catalanes 144
Plaça de Sant Jaume 64
Plaça de Vincenç Martorell 12, 82
Plaça del Rei 59
Plaça e Sant Agustí Vell 93
Plaça George Orwell 66
Plaça Reial 65
Plaça Rius i Taulet 45, 156
Plaza de Toros Monumental 145
Poble Espanyol 13, 113
Poble Nou 122
Poble Sec 115
Poble Sec 116
polícia 206
Port Olímpic 35, 122
Port Olimpic e Poble Nou 123
Port Vell 35, 72
Port Vell e Barceloneta 74-75
praias
   Barcelona 26, 124
   Sitges 178
Primavera Sound 203
Puig i Cadafalch, Josep 129, 131, 134

r

Rambla de Poble Nou 123
Rambla de Raval 83
Ramblas, As 11, 49
Ramblas, As 50
Raval, El 79
Raval, El mapa 80–81
restaurantes e bares de tapas
  (por área)
  Barri Gòtic 68
  Camp Nou, Pedralbes e Sarrià-Sant Gervasi 168
  Dreta de l'Eixample 137
  Esquerra de l'Eixample 151
  Gràcia 158
  Montjuïc 120
  Port Olímpic e Poble Nou 126
  Port Vell e Barceloneta 77
  Ramblas, As 56
  Raval, El 87
  Ribera, La 102
  Sagrada Família e Glòries 146
  Sant Pere 95
  Sitges 181
restaurantes e bares de tapas
  (por nome)
  Àbac 102
  Actual 137
  Agua 126
  Al Fresco, Sitges 181
  Alkimia 146
  Amaya 56
  Ànima 87
  Arola 137
  Atzavara, L' 151
  Bar Central La Boqueria 57
  Bar Pinotxo 57
  Bar Ra 88
  Bar Tomás 168
  Bar Turó 168
  Bascula, La 102
  Beach House, Sitges 181
  Bella Napoli 120
  Bestial 126
  Biblioteca 88
  Bodega la Plata 68
  Bodegueta, La 137
  Café de l'Acadèmia 37, 68
  Cal Pep 102
  Can Majo 77
  Can Manel 77
  Can Maño 77
  Can Punyetes 168
  Can Ramonet 77
  Can Ros 78

Cangrejo Loco, El 126
Casa Calvet 138
Casa Delfin 103
Casa Fernandez 168
Cervesaria Catalana 151
Chiringuito, Sitges 181
Cinc Sentits 151
Ciudad Condal 138
Comerç 24 95
Cova Fumada 78
Cuines Santa Caterina 37, 95
Economic, L' 36, 95
Elisabets 88
Escribà 126
Espai Sucre 95
Euskal Etxea 103
Flash, Flash 37, 158
Flauta, La 151
Fragata, Sitges 181
Gaig 137, 151
Garduña 57
Ginger 68
Gorría 146
Habibi 158
Inopia 120
Jai-Ca 78
Japonés, El 138
Jean Luc Figueras 158
Juicy Jones 68
Lasarte 137
Limbo 69
Mama i Teca 88
Mar de la Ribera 103
Matsuri 69
Moo 137
Mosquito 95
Mussol, El 138
Nou Candanchu 159
O'Nabo de Lugo 139
Pescadors, Els 127
Piazzenza 146
Pinta, Sitges 182
Pollo Rico 88
Quimet i Quimet 120
Racó d'en Balta, El 151
Radio-Ohm 152
Salero 103
Salón, El 69
Samsara 159
Santa Maria 95
Senyor Parallada 103
Sesamo 88
Shunka 69
Singular, La 159
Sureny 159
Taller de Tapas 69
TapaÇ24 139

Taverna El Glop 37, 159
Thai Gardens 139
Tivoli's Bistro 121
Tomaquera, La 36, 120
Tragaluz 139
Venus Delicatessen 70
Wushu 96
Xalet, El, Sitges 182
Xampanyet, El 104
Ribera, La 97
Ribera, La 99
roupas usadas 20, 84
Ruta del Modernisme 200

s

Sagrada Família 11, 140
Sagrada Família e Glòries 142–143
Sagrat Cor, Tibidabo 171
Sala Parés 63
Saló del Tinell 59
Sant Gervasi 161
Sant Pere 91
Sant Pere 92
Santa Eulàlia 34, 73
sardana 19, 59, 64
Sarrià 161, 167
ServiCaixa 207
Seu, La 10, 58
sistema de metrô 201
sites 201
Sitges 178
Sitges 179
Sónar 19, 203
Summercase Barcelona 204

t

Tàpies i Puig, Antoni 131
táxis 202
Teatre Grec 18, 115
Teatre Lliure 115
Teatre Nacional de Catalunya 40, 145
teatro 40, 115
Tel-Entrada 207
Telefèric de Montjuïc 16, 118
telefones 207
terminal de ônibus 199
Tibibus 172
Tibidabo 170
Tibidabo e Parc del Collserola 170

Tomb Bus linha de ônibus de compras 168
Torre Agbar 44, 144
Torre de Collserola 45, 171
Torre del Rei Martí 59
Torre Mapfre 123
Tramvia Blau 16, 172
transporte 16, 201
transporte urbano 201
Trasbordador Aeri 17, 76

Turisme de Barcelona 200
Turó Parc 167

u

Umbracle, Parc de la Ciutadella 107
Universitat de Barcelona 147

v

Vinçon 134

z

zoológico 13,108

ANOTAÇÕES

Conheça os títulos da série Rough Guides:

Rough Guides Directions

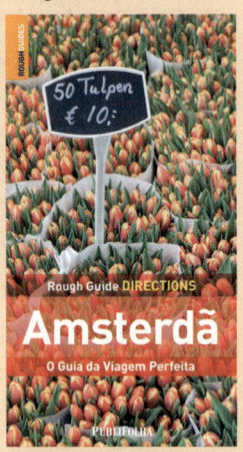

Amsterdã • Barcelona
Dubai • Dublin • Lisboa
Londres • Nova York • Paris
Roma • São Francisco

Guias de Conversação

Chinês • Espanhol
Francês • Italiano
Japonês • Portuguese

Mapas Rough Guides

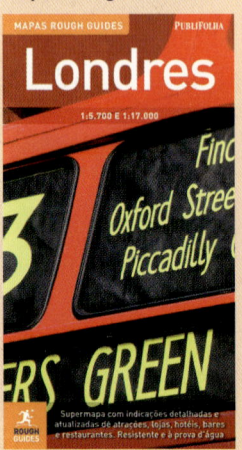

Londres • Nova York
Paris • Roma

Rough Guides

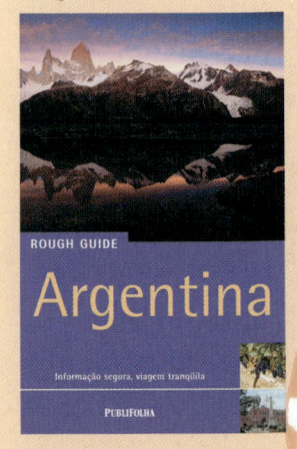

Argentina • Bolívia
Chile • Peru

www.publifolha.com.br